McGRAW-HILL

French

rencontres

Jo Helstrom
Conrad J. Schmitt

Webster Division
McGraw-Hill Book company

NEW YORK · ATLANTA · ST. LOUIS · DALLAS · SAN FRANCISCO
· AUCKLAND · BOGOTÁ · HAMBURG · JOHANNESBURG ·
LONDON · MADRID · MEXICO · MONTREAL · NEW DELHI ·
PANAMA · PARIS · SÃO PAULO · SINGAPORE · SYDNEY · TOKYO
· TORONTO

credits

EDITOR • Jacqueline Rebisz
DESIGN SUPERVISOR • James Darby
PRODUCTION SUPERVISOR • Salvador Gonzales
ILLUSTRATORS • Bert Dodson • Hal Frenck • Les Gray
• Susan Lexa • Jane McCreary
• Susan Swan • George Ulrich
PHOTO EDITOR • Alan Forman
PHOTO RESEARCH • Ellen Horan
LAYOUT AND DESIGN • Function thru Form, Inc.
COVER DESIGN • Group Four, Inc.
LANGUAGE CONSULTANT • Jean-Jacques Sicard,
Alliance Française
EDITORIAL CONSULTANTS • Lorraine Garrand
• Deborah Jennings • Carroll Moulton
• Jean-Jacques Sicard • Carolyn Weir

• Cartographer • David Lindroth

This book was set in 10 point Century Schoolbook by
Monotype Composition Co., Inc. Color separation was done
by Schawkgraphics, Inc.

Library of Congress Cataloging in Publication Data

Helstrom, Jo.
McGraw-Hill French rencontres.

Includes index.
Summary: A textbook for high school students, introduc-
ing the fundamentals of French grammar and vocabulary
through written and oral exercises and providing cultural
information about French-speaking countries throughout
the world.
1. French language—Text-books for foreign speakers—
English. 2. French language—Grammar—1950–   . [1.
French language—Grammar] I. Schmitt, Conrad J. II.
Title.

PC2129.E5H44   1985   448.2'421   84-23330

ISBN 0-07-028131-9

3 4 5 6 7 8 9 DOCDOC 94 93 92 91 90 89 88 87 86

acknowledgments

The authors wish to express their appreciation to the many foreign language teachers throughout the United States who have shared their thoughts and experiences with us. We express our particular gratitude to those teachers listed below who have carefully reviewed samples of the original manuscript and have willingly given of their time to offer their comments, suggestions, and recommendations. With the aid of the information supplied to us by these educators, we have attempted to produce a text that is contemporary, communicative, authentic, and useful to a wide variety of students from all geographic areas.

Delores Allen
Woodrow Wilson High School
Middletown, Connecticut

Richard W. Ayotte
Cony High School
Augusta, Maine

Evelyn Brega
Lexington Public Schools
Lexington, Massachusetts

Julia T. Bressler
Nashua Senior High School
Nashua, New Hampshire

Robert J. Bruggeman
Colonel White High School
Dayton, Ohio

Gail Castaldo
Pingry School
Hillside, New Jersey

Nelly D. Chinn
Voorhees High School
Glen Gardner, New Jersey

Renay Compton
Stivers Intermediate School
Dayton, Ohio

Robert Decker
Long Beach Unified Schools
Long Beach, California

Mary-Jo Fassié
William Fleming High School
Roanoke, Virginia

Regina Grammatico
Amity Regional Senior High School
Woodbridge, Connecticut

Helen Grenier
Baton Rouge Magnet High School
Baton Rouge, Louisiana

Michaele P. Hawthornthwaite
Hillcrest High School
Simpsonville, South Carolina

Marion E. Hines
District of Columbia Public Schools
Washington, D.C.

Katy Hoehn
Troy High School
Fullerton, California

Lannie B. Martin
Jefferson-Huguenot-Wythe High School
Richmond, Virginia

David M. Oliver
Bureau of Foreign Language
Chicago Board of Education
Chicago, Illinois

Eunice T. Pavageau
Zachary High School
Baton Rouge, Louisiana

Zelda Penzel
Southside Senior High School
Rockville Centre, New York

John Peters
Cardinal O'Hara High School
Springfield, Pennsylvania

James L. Reed
Orange High School
Cleveland, Ohio

Charlene Sawyer
J. L. Mann High School
Greenville, South Carolina

James J. Shuster
Olney High School
Philadelphia, Pennsylvania

Alice Stanley
Southfield-Lathrup High School
Lathrup Village, Michigan

Mary Margaret Sullivan
George Washington High School
Charleston, West Virginia

Nina von Isakovics
South Lakes High School
Reston, Virginia

Marie S. Wallace
Tilden Intermediate School
Rockville, Maryland

The authors would like to thank Jeanne M. Driscoll for preparing the end vocabulary.
The authors would also like to thank the following persons and organizations for permission to include the following photographs:

3:(bl), **3:**(br) Stuart Cohen; **3:**(tr) Richard Hackett; **3:**(tl) Gillas Peress/Magnum; **5:**(br) stuart Cohen; **5:**(tl) Richard Hackett; **7:**(br) Stuart Cohen; **7:**(tr) Gilles Peress/Magnum; **9:** Beryl Goldberg; **10:**(bl) Owen Franken/Stock, Boston; **10:**(br) Glynn Cloyd/Taurus Photo; **10:**(ml) J. Pavlovsky/Sygma; **10:**(m) Beryl Goldberg; **10:**(mr) Hugh Rogers/Monkmeyer Press Photo; **10:**(ml) Frank Grant/Intl. Stock Photo; **10:**(mr) Sid Nolan/Taurus Photo; **10:**(tl) Dennis Stock/Magnum; **10:**(tr) David Burnett/Woodfin Camp; **15:** Richard Hackett; **17:**(bl), **17:**(bm) Peter Menzel; **17:**(br) Ira Lipsky/Intl. Stock Photo; **17:**(mt) Robert Clark/Photo Researchers; **17:**(ml) Jean Gaumy/Magnum; **17:**(mr) Bernard Pierre Wolff/Photo Researchers; **17:**(tl) Vance Henry/Taurus Photo; **17:**(tr) Hugh Rogers/Monkmeyer Press Photo; **20:**(tl) Frank Siteman/Stock, Boston; **20:**(t) Beryl Goldberg; **21:**(tl) Costa Manos/Magnum; **21:**(tr) Arthur Grace/Stock, Boston; **22:**(bl) Pam Hasegawa/Taurus Photo; **22:**(r), **24:**(l), **24:**(r) Richard Hackett; **25:**(l) Beryl Goldberg; **25:**(mr) Richard Hackett; **27:**(l) Peter Menzel/Stock, Boston; **27:**(r) Beryl Goldberg **28:**(b), **28:**(r) Peter Menzel; **29:**(b), **29:**(t) Beryl Goldberg; **30:**(t) Dana Jennings; **32:** Richard Hackett; **33:** Rapho-Durey/Photo Researchers Inc.; **37:**(l) Owen Franken/Stock, Boston; **37:**(r), **38:**(b), **38:**(t) Peter Menzel; **39:**(b) John Lei/Stock, Boston; **40:**(r), **41:**(b), **41:**(m), **45:**(b), **45:**(t) Richard Hackett; **46:** Hugh Rogers/Monkmeyer; **48:**(l) Beryl Goldberg; **48:**(t) Richard Hackett; **49:**(b) Hugh Rogers/Monkmeyer Press Photo; **49:**(l) Pascal Parrot/Sygma; **52:** Peter Menzel; **53:** Arthur Grace/Stock, Boston; **54:**(l) Peter Menzel; **54:**(m) Len Speier; **54:**(r) Helen Marcus/Photo Researchers; **55:**(l) Beryl Goldberg; **55:**(m) Bob Capece/MGH; **55:**(r) Palmer/Brilliant; **56:** Rapho-Fournier/Photo Researchers Inc.; **58–59:** Jean Gaumy/Magnum; **58:**(bl) Peter Menzel; **58:**(b) Beryl Goldberg; **58:**(t) Gordon W. Gahan/Photo Researchers Inc.; **59:**(b) Peter Menzel; **59:**(mr), Beryl Goldberg; **60:** Peter Menzel; **62:** Beryl Goldberg; **74:**(l) Tom and Michelle Grimm/Intl. Stock Photo; **74:**(r) Gordon Johnson/Photo Researchers Inc.; **76:**(bl) Berlitz/Kay Reese; **76:**(br) Barbara Cooper/Photo Researchers; **76:**(t) C.J. Collins/Photo Researchers; **77:**(b) Peter Menzel; **85:** Richard Hackett; **86:**(l) Chris Brown/Stock, Boston; **86:**(r) Richard Hackett; **88:** Dennis Stock/Magnum; **89:** C. Phelps/Rapho/Photo Researchers; **90:** Peter Menzel; **92:**(b) Katrina Thomas/Photo Researchers; **92:**(m) Peter Menzel; **93:** Hugh Rogers/Monkmeyer; **94:** Lincoln Russell/Stock, Boston; **98:**(l) Peter Menzel; **98:**(r) R. Rowan/Photo Researchers; **102:**(b) J.M. Charles/Rapho/Photo Researchers; **102:**(m) Beryl Goldberg; **102:**(t) Pierre Boulat/Woodfin Camp; **113:**(l) Jean Gaumy/Magnum; **113:**(r) Cary Wolinsky/Stock, Boston; **116:**(b), **116:**(t), **117:**(b) Hugh Rogers/Monkmeyer; **117:**(t), **118:**(bl) Peter Menzel; **118:**(br) Sid Nolan/Taurus Photos; **118:**(tr) Ira Lipsky/Intl. Stock Photo; **118:**(tl) Mike Yamashita/Woodfin Camp; **119:**(l) Bob Stern/Intl. Stock Photo; **119:**(r) Beryl Goldberg; **120:**(b) Stuart Cohen; **120:**(m) Robert Oei/Intl. Stock Photo; **120:**(tl) Summer Productions/Taurus Photo; **120:**(t) Hugh Rogers/Monkmeyer Press Photo; **121:**(m) Richard Kalvar/Magnum; **121:**(t) Gilles Peres/Magnum; **128:** Dana Jennings; **129:** Bois-Prevost/VIVA/Woodfin Camp; **139:**(l) George Zimbel/Monkmeyer; **139:**(r) Owen Franken/Stock, Boston; **141:** Hugh Rogers/Monkmeyer; **142:**(b) Beryl Goldberg; **142:**(m) Hugh Rogers/Monkmeyer Press Photo; **142:**(t), **143:**(tr) Peter Menzel; **145, 152, 153:**(l), **153:**(r) Gouvernement du Québec; **156:**(bl) Quebec Government House; **156:**(tl) Frederick Ayer/Photo Researchers; **156:**(tr) Quebec Government House; **157:**(b) Frederick Ayer/Photo Researchers; **157:**(t) French Embassy Press & Information Division; **165:**(l), **165:**(r) Hugh Rogers/Monkmeyer; **169:**(b) Jack Fields/Photo Researchers; **169:**(m) Richard Hackett; **169:**(t) Earl Roberge/Photo Researchers; **170:** Scott Thode/Intl. Stock Photo; **177:** M. Seraillier/Photo Researchers; **178:**(b) Hugh Rogers/Monkmeyer; **178:**(l) M. Seraillier/Photo Researchers; **178:**(r) Jeff Albertson/Stock, Boston; **180:** Peter Menzel; **181:**(b) Beryl Goldberg; **181:**(t) Susan McCartney/Photo Researchers; **182:** Richard Hackett; **185:** Gouvernement du Québec; **186:**(b) Gianfranco Gorgoni/Woodfin Camp; **186:**(t) M. Seraillier/Photo Researchers; **188:**(b) Alain Keller/Art Resource; **188:**(m) Martine Franck/Magnum; **188:**(t),

Preface

Bonjour! *Hello!* You have selected one of the most interesting studies available anywhere—a foreign language. Foreign language study is unique because it focuses not only on written language but also on spoken language. This is a communications course; therefore, *all* means of communication are a part of your study of French. Even gestures and body language play a significant role.

The "mystery" of things foreign is about to be revealed to you. Foreign sounds, foreign symbols, foreign customs, and foreign life-styles are all a part of your foreign language experience. This experience can become one of the most exciting, appealing, and long-lasting of your life.

French is the first language of 60 million people in France and in other parts of the world. It is spoken as a second language by an additional 90 million people, since it is either the official language or one of the official languages of more than 30 countries in Africa, North America, and Europe.

The French language is not new to you. You already know dozens of French words that have entered the English language in the field of fashion (**peau de soie, velours, blouson**), diplomacy (**laissez-faire, coup d'état**), food (**crêpe, restaurant, croissant**), common expressions (**R.S.V.P., bon voyage**), the arts (**ballet, troubadour, palette**); and place names (**Baton Rouge, Des Moines, Terre Haute**).

Many reasons can be given for encouraging you to learn a foreign language, but the most important reason of all is that a foreign language can open doors for you that you didn't know existed. You might choose a career using the language itself. The study of a foreign language may help you to enjoy life even more. You will gain a greater understanding of another culture; you will be able to communicate with the people coming from this culture; you will be able to read the many newspapers, magazines, and books written in the language. Many new facets will be added to your life which would not have been available to you before.

Welcome to a new study, a new language, a new life-style! Carry with you our hopes for success in this endeavor which could change your outlook on life.

about the authors

Jo Helstrom

Mrs. Helstrom is the former Chairperson of the Language Department of the public schools of Madison, New Jersey. She has taught French and Spanish at the junior and senior high school levels. For a number of years she was Lecturer in French at Douglass College, Rutgers, the State University of New Jersey, where she taught methods of teaching French. She has been a Field Consultant in Foreign Languages for the New Jersey State Department of Education and a member of the Executive Committee of the New Jersey Foreign Language Teacher's Association. Mrs. Helstrom was presented the New Jersey Foreign Language Teachers' Association Award for Outstanding Contribution to Foreign language Education. Mrs. Helstrom is co-author of *La France: Une Tapisserie* and *La France: Ses Grandes Heures Littéraires*. She has studied at the Université de Paris and the Universidad Nacional de México and has traveled extensively in France, Mexico, Canada, Puerto Rico, and South America.

Conrad J. Schmitt

Mr. Schmitt was Editor-in-Chief of Foreign Language, ESL, and bilingual publishing with McGraw-Hill Book Company. Prior to joining McGraw-Hill, Mr. Schmitt taught languages at all levels of instruction, from elementary school though college. He has taught Spanish at Montclair State College, Upper Montclair, New Jersey; French at Upsala College, East Orange, New Jersey; and Methods of Teaching a Foreign Language at the Graduate School of Education, Rutgers University, New Brunswick, New Jersey. He also served as Coordinator of Foreign Languages for the Hackensack, New Jersey, Public Schools. Mr. Schmitt is the author of *Schaum's Outline of Spanish Grammar*, *Schaum's Outline of Spanish Vocabulary*, *Español: Comencemos*, *Español: Sigamos*, and the *Let's Speak Spanish* and *A Cada Paso* series. He is also coauthor of *Español: A Descubrirlo*, *Español: A Sentirlo, McGraw-Hill Spanish: Saludos* and *Amistades, La Fuente Hispana, Le Français: Commençons, Le Français: Continuons*, and *Schaum's Outline of Italian Grammar*. Mr. Schmitt has traveled extensively throughout France, Martinique, Guadeloupe, Haiti, and North Africa.

Contents

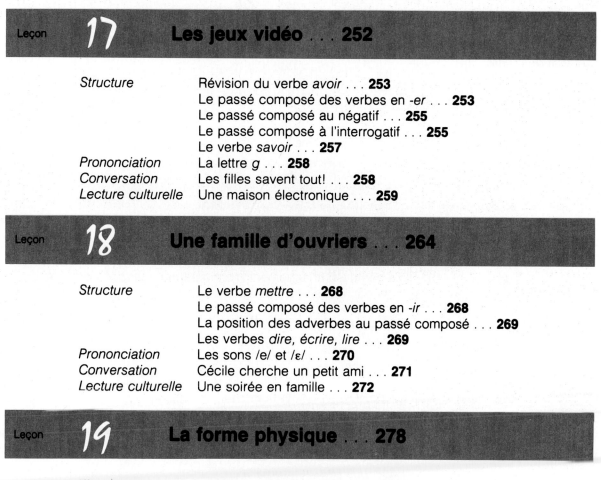

Le monde du français

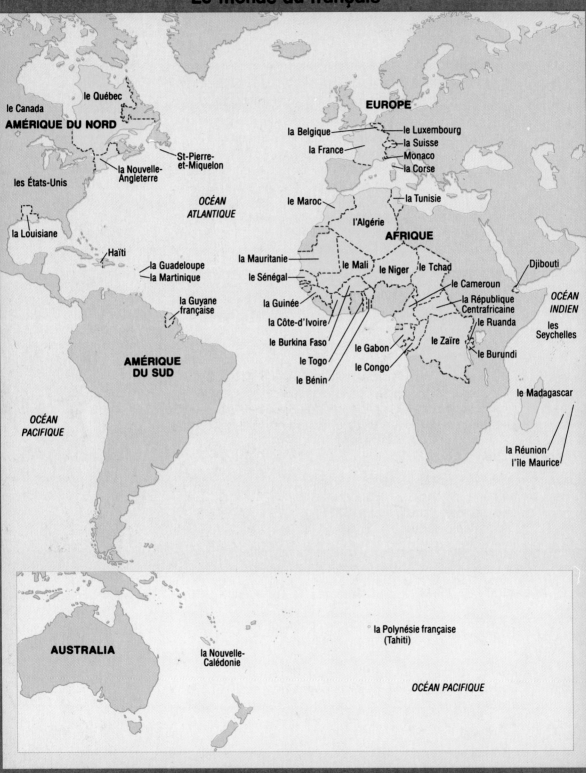

le Canada

le Québec

AMÉRIQUE DU NORD

St-Pierre-et-Miquelon

la Nouvelle-Angleterre

les États-Unis

la Louisiane

Haïti

la Guadeloupe

la Martinique

la Guyane française

AMÉRIQUE DU SUD

OCÉAN ATLANTIQUE

OCÉAN PACIFIQUE

EUROPE

la Belgique

le Luxembourg

la France

la Suisse

Monaco

la Corse

le Maroc

la Tunisie

l'Algérie

AFRIQUE

la Mauritanie

le Mali

le Niger

le Tchad

Djibouti

le Sénégal

le Cameroun

la Guinée

la République Centrafricaine

la Côte-d'Ivoire

le Ruanda

le Burkina Faso

le Gabon

le Zaïre

le Burundi

le Togo

le Congo

le Bénin

OCÉAN INDIEN

les Seychelles

le Madagascar

la Réunion

l'île Maurice

AUSTRALIA

la Nouvelle-Calédonie

la Polynésie française (Tahiti)

OCÉAN PACIFIQUE

XVI

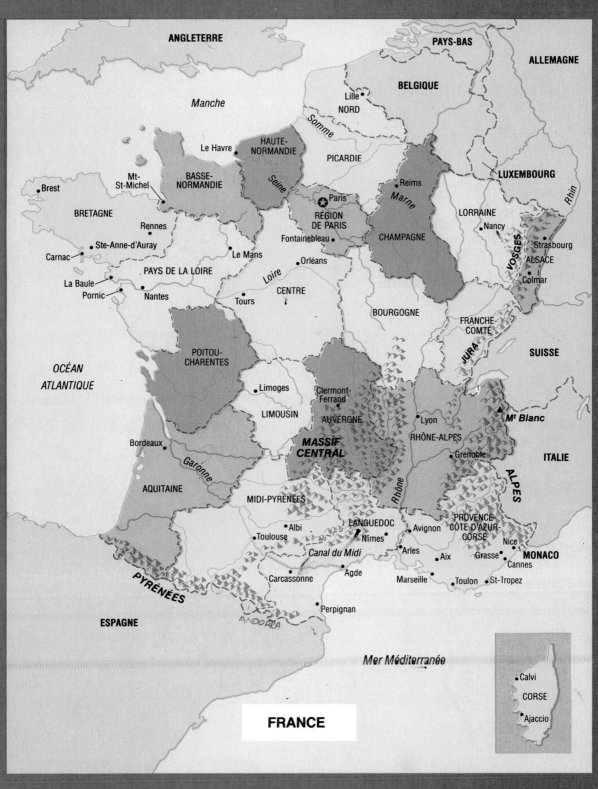

ANGLETERRE

Manche

PAYS-BAS

ALLEMAGNE

BELGIQUE

Lille
NORD

Somme

LUXEMBOURG

Le Havre

HAUTE-
NORMANDIE

PICARDIE

Reims

Rhin

Mt-
St-Michel

BASSE-
NORMANDIE

Seine

Paris

Marne

LORRAINE

Brest

RÉGION
DE PARIS

Nancy

BRETAGNE

Rennes

CHAMPAGNE

VOSGES

Strasbourg

ALSACE

Ste-Anne-d'Auray

Fontainebleau

Colmar

Carnac

Le Mans

Orléans

FRANCHE-
COMTÉ

PAYS DE LA LOIRE

Loire

CENTRE

BOURGOGNE

SUISSE

La Baule

Pornic

Nantes

Tours

JURA

OCÉAN
ATLANTIQUE

POITOU-
CHARENTES

Limoges

Clermont-
Ferrand

Lyon

Mt Blanc

LIMOUSIN

AUVERGNE

RHÔNE-ALPES

Bordeaux

MASSIF
CENTRAL

Grenoble

ITALIE

Garonne

ALPES

AQUITAINE

MIDI-PYRÉNÉES

Rhône

PROVENCE-
CÔTE D'AZUR-
CORSE

Albi

LANGUEDOC

Avignon

Nice

Toulouse

Nîmes

Arles

Aix

Grasse

MONACO

Canal du Midi

Agde

Cannes

PYRÉNÉES

Carcassonne

Marseille

Toulon

St-Tropez

ESPAGNE

Perpignan

ANDORRA

Mer Méditerranée

Calvi

CORSE

Ajaccio

FRANCE

XVII

Activité 1

Say "hello" to your friends seated near you. Use their French names when you address them.

Activité 2

Say "hi" to several of your friends. Use their French names.

Voilà M. Le Grand. Voilà Mlle Dumas. Voilà Mme Papineau.

French speakers tend to be slightly more formal when addressing one another than we are here in the United States. Among friends, the informal greeting **Salut!** is used frequently. When young people address adults, however, they use the more formal **Bonjour!** with the person's title: **monsieur, mademoiselle,** or **madame.** The title is usually used without the person's family name.

Activité 3

Say "hello" to each of your teachers using his/her appropriate title.

Activité 4

Which greeting is being used in the photographs? **Bonjour** or **Salut?**

Note

In the French-speaking world, people tend to shake hands far more frequently than we do here in the United States. People will often shake hands when they meet and again when they take leave of one another. Female friends usually greet each other with a kiss on both cheeks. A boy and girl who are friends will also greet each other this way.

Activité 1

Say "hi" to several friends in class. Use their French names.

Activité 2

Choose friends in your class and ask them how things are going.

Activité 3

Make up a short conversation with a classmate. Say "hi" to each other, ask how things are going, and respond that things are going very well or not so badly.

LEÇON C Au revoir!

PRÉLIMINAIRE

Note

In English we use one of several expressions when we take leave of a person. We may use the more formal "good-bye," or we may say "So long. I'll be seeing you." We have the same option in French.

Formal   *Informal*

Au revoir!   **À bientôt.**

Another frequently used expression is **À tout à l'heure! À tout à l'heure** is used when you know that you will be seeing the person again in a very short time that same day.

Activité 1

Say "hi" to several of your friends.

Activité 2

Ask a friend in class how things are going. Have him/her answer you.

Activité 3

Say "good-bye" to a friend.

Activité 4

Tell a friend you'll be seeing her/him.

Activité 5

Tell a friend you'll be seeing him/her very soon.

Activité 6

What do you think the people in the photographs are saying to each other?

LEÇON PRÉLIMINAIRE D — Qui est-ce?

8

Activité 1

Ask a friend in class who someone else is.

Activité 2

Introduce one friend to another friend.

Activité 3

Ask a friend how things are going.

Activité 4

Make up a conversation with a classmate.

1. Say "hi" to your friend.
2. Ask your friend who someone else is.
3. Let your friend introduce you to the new person.
4. Say "hello" to the new person.
5. Ask her/him how things are going.
6. Say "good-bye" to each other.

9

Les nombres

Les nombres 1–69

1	un	11	onze	21	vingt et un	31	trente et un
2	deux	12	douze	22	vingt-deux	32	trente-deux
3	trois	13	treize	23	vingt-trois		
4	quatre	14	quatorze	24	vingt-quatre	40	quarante
5	cinq	15	quinze	25	vingt-cinq		
6	six	16	seize	26	vingt-six	50	cinquante
7	sept	17	dix-sept	27	vingt-sept		
8	huit	18	dix-huit	28	vingt-huit	60	soixante
9	neuf	19	dix-neuf	29	vingt-neuf		
10	dix	20	vingt	30	trente		

Note

Note that in the numbers **21, 31,** etc., the word **et** is used. With the numbers **2** through **9**, a hyphen is used.

quarante et un	**quarante-deux**
cinquante et un	**cinquante-trois**

Activité 1

Here's a batch of test papers. What grades did the students receive?

Marcelle Devenet 12

Jean-Luc Godard 17

André Renault 11

Adrienne Beauchamp 19

Armand Cousteau 15

Sabine Talon 13

Activité 2

Quel nombre est-ce?

1. 7
2. 14
3. 4
4. 18
5. 3
6. 16
7. 54
8. 29
9. 65
10. 42

Les nombres 70–99

After the number **69**, French speakers do a little arithmetic as they count. Observe the following.

70	soixante-dix	80	quatre-vingts	90	quatre-vingt-dix
71	soixante et onze	81	quatre-vingt-un	91	quatre-vingt-onze
72	soixante-douze	82	quatre-vingt-deux	92	quatre-vingt-douze
73	soixante-treize	83	quatre-vingt-trois	93	quatre-vingt-treize
74	soixante-quatorze	84	quatre-vingt-quatre	94	quatre-vingt-quatorze
75	soixante-quinze	85	quatre-vingt-cinq	95	quatre-vingt-quinze
76	soixante-seize	86	quatre-vingt-six	96	quatre-vingt-seize
77	soixante-dix-sept	87	quatre-vingt-sept	97	quatre-vingt-dix-sept
78	soixante-dix-huit	88	quatre-vingt-huit	98	quatre-vingt-dix-huit
79	soixante-dix-neuf	89	quatre-vingt-neuf	99	quatre-vingt-dix-neuf

The number **80** takes an **-s** when it stands alone: **quatre-vingts**. When followed by another number, it does not take an **-s**: **quatre-vingt-six**.

Activité 3

Quel nombre est-ce?

1. 74	5. 98	9. 80
2. 88	6. 82	10. 90
3. 71	7. 95	
4. 93	8. 79	

Les nombres 100–999

100	cent	101	cent un
200	deux cents	202	deux cent deux
300	trois cents	303	trois cent trois
400	quatre cents	404	quatre cent quatre
500	cinq cents	505	cinq cent cinq
600	six cents	606	six cent six
700	sept cents	707	sept cent sept
800	huit cents	808	huit cent huit
900	neuf cents	909	neuf cent neuf

Note

When no other number follows **cent**—such as **deux cents, trois cents,** etc.—the word **cent** takes an **-s.** When it is followed by another number, however, there is no **-s.**

deux cent trois
trois cent quatre-vingts

Activité 4

Quel nombre est-ce?

1. 300
2. 108
3. 425
4. 650
5. 841
6. 275
7. 590
8. 736
9. 150
10. 999

Note

When giving a telephone number, French speakers will frequently break the number as follows:

734-25-60
sept cent trente-quatre, vingt-cinq, soixante

Activité 5

Give your telephone number in French.

Activité 6

Here are some numbers from the **Guide téléphonique de Paris.** Give the numbers highlighted in blue.

...em Perri...
...MMERCE - - - - - - - - - - - - - - (6)901.12.51
...AU 61 rte Orléans - - - - - - - - -(6)901.23.05
...AU J ruelle des Bois

...ILLEAU JACQUES
LE 3 ÉTOILES DU LUMINAIRE
61 Rte Orléans - - - - - - - - - *(6)901.12.51
CAILLET René 14 r Saulx - - - - -(6)901.68.92
CAISSE EPARGNE PRÉVOYANCE
8 pl Marche - - - - - - - - - - - - -(6)901.25.57
CAISSE NATIONALE D'EPARGNE
ET CHÈQUES POSTAUX (PTT) - - -(6)901.01.97
bd Mouchy - - - - - - - - - - - - -(6)901.86.65
CALIE Jean-Michel 5 r Nozay - - -(6)901.83.68
CALLIGARO Rosine 5 r Pichots - - -(6)901.83.11
CALVEZ Ludivine 3 r Bordet - - - -(6)901.71.96
CAMILO Antonio r Bourguignons - -(6)490.92.16
CAMP MILITAIRE quart St Eutrope -(6)901.54.07
CAMPION Jean-Pierre 63 rte Sablons -(6)901.64.90
CANALE Joseph 32 r Nozay - - - -(6)449.04.66
CANELAS José 35 pl Paix - - - - -(6)901.01.25
CANNET R 18 r Christophe Desaulx -(6)901.18.31
CANTELOUP H 20 all Pommiers - -(6)901.82.45
CAPETTE Alain 3 all Maraichers - -(6)901.78.83
CAPETTE Christine 8bis r Maillé
CAPICCHIONI Armelle - - - - - - -(6)901.11.94
13 r Christpophe de Saulx - - - -(6)449.03.39
...13 r Maillé - - - - - - - - -(6)901.87.66

BERGERAT MONNOYEUR
CATERPILLAR
DÉPARTEMENT MOTEURS - - - - - *(6)901.52.15
r Longpont - - - - - - - - - - - - -(6)901.45.01
BERGOUIGNAN Claude 2 chem Justice -(6)901.44.04
BERGOUIGNAN JF chem Voirie - - -(6)901.88.89
BERNARD Dominique 8 r Plaine - -(6)901.16.60
BERNARD Lucie 60 r Pichots - - - -(6)901.06.18
BERNEUIL A 93 chem Moulin à Vent -(6)901.09.61
BERTANI A 47 rte Nozay - - - - - -(6)901.88.52
BERTANI Aimé 53 rte Templiers
BERTANSETTI Jacques
17 r Ernest Chesneau - - - - - - -(6)901.65.84
BERTANSETTI Marie 101 rte Orléans -(6)901.08.63
BERTANSETTI Patrick 3 r Bordet - -(6)901.15.98
BERTAUX 12 rté Orléans - - - - - -(6)901.03.39
...(6)901.05.92
...r Luisant - - - - - - - -(6)901.83.32
BERTHELOT D 7 r Luisant
...9 bd Mouchy - - - - - - -(6)901.17.31

BEREAU... Lucie 16 Grand...
13 r...- - - - - - - - -(6)449.0...

LEÇON F Quelle est la date?

PRÉLIMINAIRE

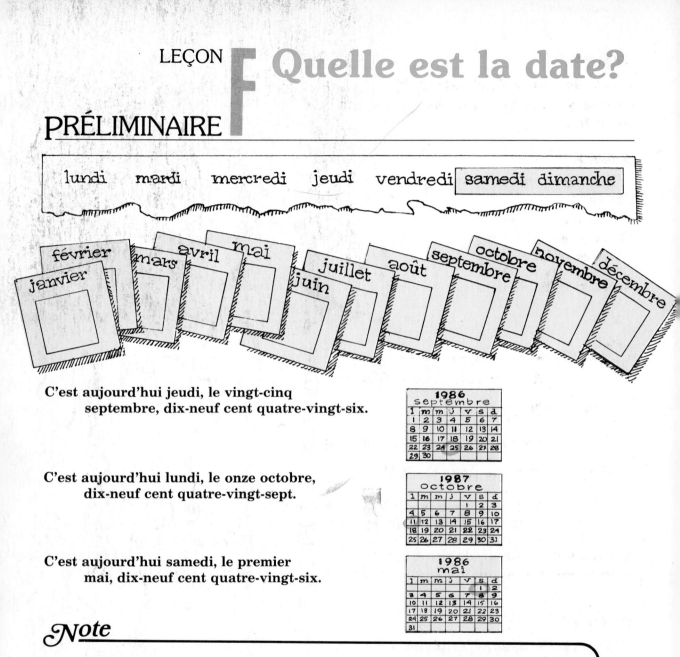

lundi   mardi   mercredi   jeudi   vendredi   samedi   dimanche

février   mars   avril   mai   juin   juillet   août   septembre   octobre   novembre   décembre

janvier

C'est aujourd'hui jeudi, le vingt-cinq
   septembre, dix-neuf cent quatre-vingt-six.

1986 septembre

l	m	m	j	v	s	d
1	2	3	4	5	6	7
8	9	10	11	12	13	14
15	16	17	18	19	20	21
22	23	24	25	26	27	28
29	30					

C'est aujourd'hui lundi, le onze octobre,
   dix-neuf cent quatre-vingt-sept.

1987 octobre

l	m	m	j	v	s	d
				1	2	3
4	5	6	7	8	9	10
11	12	13	14	15	16	17
18	19	20	21	22	23	24
25	26	27	28	29	30	31

C'est aujourd'hui samedi, le premier
   mai, dix-neuf cent quatre-vingt-six.

1986 mai

l	m	m	j	v	s	d
					1	2
3	4	5	6	7	8	9
10	11	12	13	14	15	16
17	18	19	20	21	22	23
24	25	26	27	28	29	30
31						

Note

The numbers you have already learned (*one,* **un;** *two,* **deux;** etc.) are called
the cardinal numbers. Adjectives that are formed from these numbers (such as
first, fourth, tenth) are called ordinal numbers. In French the cardinal numbers
rather than the ordinal numbers are used to give the day of the month. The
only exception is the first of the month, when the ordinal number **premier** is
used.

   **le premier janvier, le deux janvier, le trois janvier
   le premier octobre, le deux octobre, le trois octobre**

Activité 1

Quelle est la date aujourd'hui?

Give today's date. Include the day, month, and year.

Activité 2

Give the following important dates in French.*

1. December 25, 800
2. July 14, 1789
3. June 18, 1814
4. November 11, 1918
5. August 25, 1944

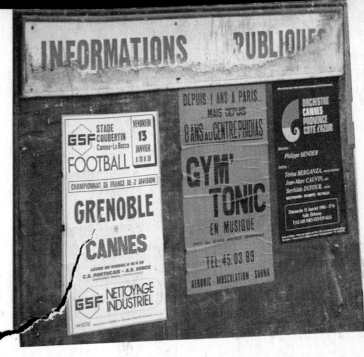

Note

In English we write the date at the top of a letter as follows.

September 25, 1986

In French the same place and date would be written:

Paris, le 25 septembre 1986

In both French and English, sometimes numbers alone are used to convey the date. In French and English, September 25, 1986, would be 9/25/86. Note that in French, however, the day comes before the month. **Le vingt-cinq septembre dix-neuf cent quatre-vingt-six** would be **25/9/86**.

Activité 3

Write the following dates in numbers according to the French system.

1. Janua...
2. November 23, 1955
3. July September 29, 1968
4. March 12, 1973
5. October 9, 1985
   ...er 4, 1989

* The following events occurred on these dates: (1) Charlemagne was crowned emperor; (2) storming of the Bastille; (3) Battle of Waterloo; (4) armistice ending World War I; (5) liberation of Paris from the Nazi occupation.

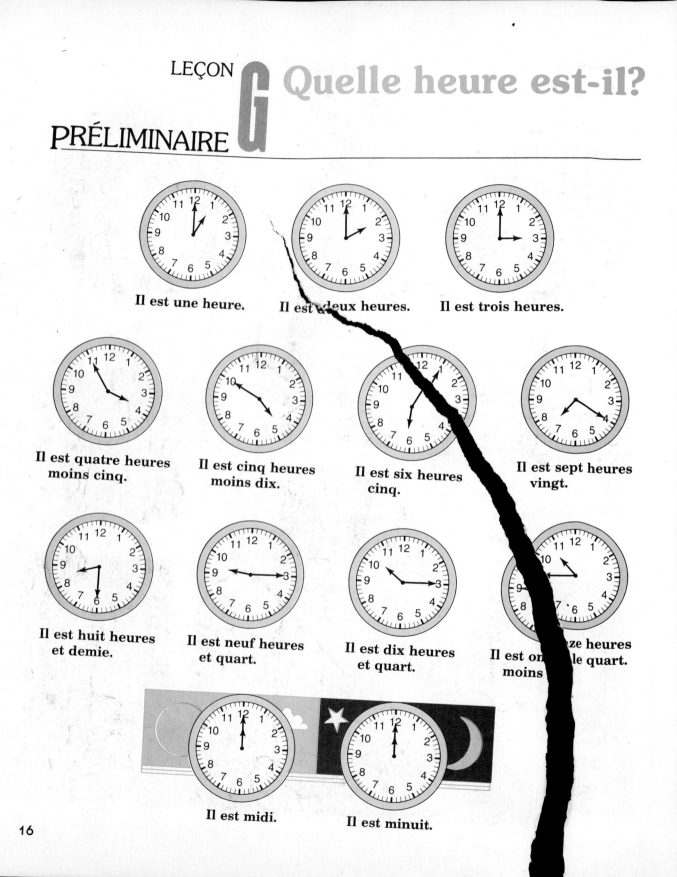

Il est une heure.

Il est deux heures.

Il est trois heures.

Il est quatre heures
moins cinq.

Il est cinq heures
moins dix.

Il est six heures
cinq.

Il est sept heures
vingt.

Il est huit heures
et demie.

Il est neuf heures
et quart.

Il est dix heures
et quart.

Il est onze heures
moins le quart.

Il est midi.

Il est minuit.

Activité 1

Quelle heure est-il?

Il est six heures du matin.

Il est deux heures de l'après-midi.

Il est dix heures du soir.

Activité 2

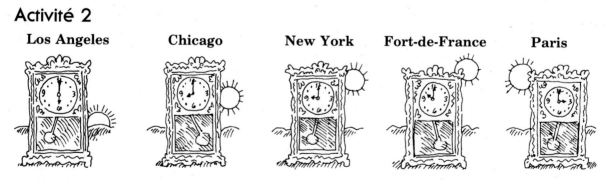

| Los Angeles | Chicago | New York | Fort-de-France | Paris |

Il est six heures du matin à Los Angeles.

- Quelle heure est-il à Chicago?
- Quelle heure est-il à New York?

- Quelle heure est-il à Fort-de-France?
- Quelle heure est-il à Paris?

To express at what time something is, the word **à** is used.

À une heure.   **À trois heures et quart.**
À deux heures.   **À cinq heures et demie.**

Activité 3

Read this busy school schedule.

- À quelle heure est la classe de mathématiques?
- À quelle heure est la classe d'histoire?
- À quelle heure est la classe de français?
- À quelle heure est la classe de biologie?
- À quelle heure est la classe d'anglais?
- À quelle heure est la classe de géographie?

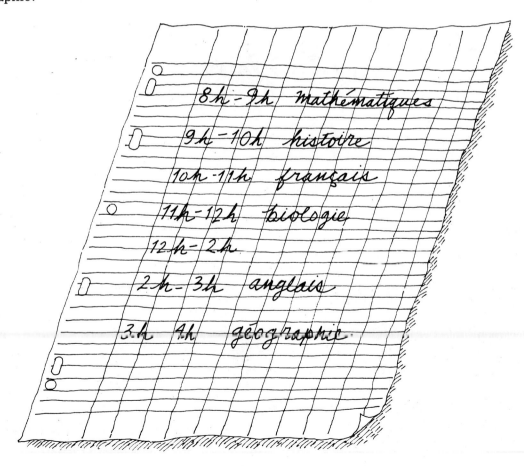

8h – 9h mathématiques
9h – 10h histoire
10h – 11h français
11h – 12h biologie
12h – 2h
2h – 3h anglais
3h – 4h géographie

1 Elle est française!

une élève

un lycée

Voilà Marie-France Gaudin.
Elle est française.
Elle est élève.
Elle est élève **dans**
un lycée **à** Paris.

Comment est-elle?

brune

grande   petite

intelligente

Exercice 1   Marie-France est française?
Répondez avec *oui*. (Answer with **oui**.)

1. Marie-France est française?
2. Elle est brune?
3. Elle est élève?

4. Elle est intelligente?
5. Elle est grande?

Exercice 2   Qui est française?
Répondez avec le nom. (Answer with the name.)

1. Qui est française?
2. Qui est brune?

3. Qui est élève?
4. Qui est intelligente?

un élève

une école

Voilà Alain Chambers.
Il est américain.
Il est élève dans une école à Chicago.

Comment est-il?

blond

grand   petit

intelligent

Exercice 3 Alain est américain?

Répondez avec *oui*. (*Answer with **oui**.*)

1. Alain Chambers est américain?
2. Il est blond?
3. Il est élève?
4. Il est intelligent?
5. Il est élève dans une école américaine?

Exercice 4 Qui est américain?

Répondez avec le nom. (*Answer with the name.*)

1. Qui est américain?
2. Qui est blond?
3. Qui est élève?
4. Qui est intelligent?

21

Structure

The name of a person, place, or thing is a noun. Every French noun has a gender, either masculine or feminine. A definite article (*the* in English) often accompanies a noun. Study the following examples.

la fille	le garçon	l'élève
	le lycée	l'école

Note that:

The definite article **la** accompanies a feminine noun.

The definite article **le** accompanies a masculine noun.

The definite article **l'** accompanies a masculine or feminine noun that begins with a vowel. The vowels are **a e i o u.**

Exercice 1 Un garçon et une fille

Complétez avec *le, la* ou *l'*. *(Complete with le, la, or l'.)*

1. _____ garçon est américain.
2. _____ fille est française.
3. _____ garçon est blond et _____ fille est brune.
4. _____ fille est grande et _____ garçon est grand aussi.
5. _____ élève est petit.
6. _____ élève est intelligent aussi.
7. _____ lycée Duhamel est à Paris.
8. _____ école William Howard Taft est à Chicago.

Les articles indéfinis *une, un*

The English word *a (an)* is an indefinite article. In French the indefinite article **une** accompanies a feminine noun, and the indefinite article **un** accompanies a masculine noun. Observe the following.

une fille   **un garçon**
une élève   **un élève**

Exercice 2   Alain et Marie-France
Complétez avec *une* ou *un*.   *(Complete with *une* or *un*.)*

1. Alain Chambers est _____ garçon.
2. Marie-France est _____ fille.
3. Alain est _____ garçon américain et Marie-France est _____ fille française.
4. Le lycée Duhamel est _____ lycée français.
5. Marie-France est élève dans _____ lycée à Paris.
6. L'école William Howard Taft est _____ école américaine.
7. Alain est élève dans _____ école à Chicago.

L'accord des adjectifs au singulier

A word that describes a noun is an adjective. Study the following sentences. The words in bold type are adjectives.

La fille est **française.**   Le garçon est **français.**
Marie-France est **intelligente.**   Alain est **intelligent.**

In French an adjective must agree with the noun it describes or modifies. If the noun is masculine, then the adjective must be in the masculine form. If the noun is feminine, the adjective must be in the feminine form.

une fille blonde   **un garçon blond**

Feminine adjectives end in **-e.** When the **-e** follows a consonant, the consonant is pronounced.

Many masculine adjectives end in a consonant. Since the consonant is not followed by an e in the masculine form, the final consonant is not pronounced. For example, the s is pronounced in the word **française** (feminine) but not in the word **français** (masculine).

Certain feminine adjectives end in **-ne,** such as **brune.** The n is pronounced in these words. The masculine form is written without the **e,** and the vowel that goes before the **n** is nasal.

une fille brune   **un garçon brun**

Exercice 3   Féminin et masculin
Prononcez.   *(Pronounce.)*

1. française, français
2. intelligente, intelligent
3. blonde, blond

4. petite, petit
5. grande, grand
6. brune, brun

23

Exercice 4 Marie-France
Répondez. *(Answer.)*

1. Est-ce que Marie-France Gaudin est française ou américaine?
2. Est-elle brune ou blonde?
3. Est-elle grande ou petite?
4. Est-elle élève dans un lycée ou dans une école américaine?

Exercice 5 Deux élèves
Complétez. *(Complete.)*

1. Marie-France Gaudin est _____ .   **français**
2. Alain Chambers est _____ .   **américain**
3. Marie-France est _____ .   **intelligent**
4. Elle est _____ .   **brun**
5. Alain Chambers est _____ aussi.   **intelligent**
6. Il est _____ .   **blond**
7. Marie-France est _____ et Alain est _____ aussi.   **grand**

La position des adjectifs

Note that unlike English adjectives, many French adjectives follow the noun they modify.

> **Alain est un garçon américain.**
> **La fille brune est française.**

Exercice 6 Un Américain et une Française
Mettez la forme convenable de l'adjectif dans la phrase. *(Put the correct form of the adjective in the sentence.)*

1. Le garçon est américain.   **brun**
2. La fille est française.   **brun**
3. Le lycée Duhamel est un lycée à Paris.   **français**
4. L'école William Howard Taft est une école à Chicago.   **américain**

℘rononciation   **Les lettres muettes**

In certain English words there are letters that are not pronounced.

    ofte̸n
    althou̸g̸h
    nig̸ht

In French, too, there are silent letters.

Final *e*	**Most final consonants**
madamé	Gilbert̸
Marié	salut̸
Jacqueliné	bientôt̸
Francé	là-bas̸
quatré	deux̸
onzé	Leclerc̸
douzé	Legrand̸

Careful! There are some exceptions. Very often the final *c*, *r*, *f*, or *l* is pronounced. Other final consonants are occasionally sounded.

parc̲	avril̲
Luc̲	cinq̲
bonjour̲	six̲
cher̲	dix̲
neuf̲	sept̲
œuf̲	mars̲
mal̲	

Lecture culturelle

Marie-France Gaudin

Marie-France Gaudin est une fille française. Elle est brune. Marie-France est élève. Elle est élève dans un lycée à Paris. Elle est très* intelligente.

Alain Chambers est un garçon américain. Il est blond. Il est très* grand. Alain est élève. Il est élève dans une école à Chicago.

Exercice Choisissez. *(Choose.)*

1. Marie-France est _____ .
   a. une fille
   b. un garçon
   c. américaine

2. Elle est _____ .
   a. blonde
   b. brune
   c. américaine

3. Elle est élève _____ .
   a. dans une école américaine
   b. dans un lycée à Chicago
   c. dans un lycée à Paris

4. Alain Chambers est _____ .
   a. français
   b. américain
   c. petit

5. Il est _____ .
   a. brun
   b. blond
   c. petit

6. Il est _____ .
   a. élève
   b. élève dans un lycée à Paris
   c. très brun

---

très *very*

26

Activités

1 Here is Jean-Claude. He is a French student from Paris. Tell all you can about him.

2 Here is Debora Andrews. She is an American student from Miami. Tell all you can about her.

galerie vivante

Voici Jean-Luc Duval.
Il est français.
Il est élève dans un lycée à Paris.
Est-il intelligent?

Voici Louis Berthollet.
Louis est élève au lycée Jeanne d'Arc aussi.
Il est très intelligent.
Est-ce que Louis est français ou américain?

Voici Catherine Roissy.
Elle est française.
Elle est élève au lycée Jeanne d'Arc.
Le lycée Jeanne d'Arc est à Rouen.
Est-ce que Catherine est blonde ou brune?

Voici le lycée Arago.
Le lycée Arago est à
Perpignan.
Est-ce que le lycée
Arago est grand ou
petit?

2 Je suis Nicole

un ami   une amie

☆ PARIS

Bonjour, **tout le monde.**
Je suis Nicole Toussaint.
Je suis française.
Je suis **de** Paris.

contente   triste

$\mathscr{N}$ote

As you continue with your study of French you will be amazed at how many French words you already know or whose meaning you can guess. Do you have any trouble understanding these words?

Voilà Alain. Comment est-il?

Il est **intelligent, intéressant, sincère, fantastique, magnifique, populaire.**

Words such as those above that look alike and mean the same thing in both languages are called cognates. Be careful, however. Although they look alike and mean the same thing in both languages, they are pronounced differently in each language.

There are also many French words for which there is no exact translation. Such a word is **sympathique.** This word has no exact English equivalent. It has the meanings *nice, pleasant, warm, friendly,* all conveyed in one word.

Exercice 1   Nicole
Répondez. *(Answer.)*

1. Est-ce que Nicole est française?
2. Est-elle de Paris?
3. Est-ce que Nicole est une amie de Marie-France?
4. Est-elle sympathique?
5. Est-elle sincère aussi?

Exercice 2   Marie-France
Voilà Marie-France, l'amie de Nicole Toussaint. Comment est-elle?

1. Elle est _____ .
2. Elle est _____ .
3. Elle est _____ .
4. Elle est _____ .
5. Elle est _____ .

Exercice 3   Personnellement
Complétez. *(Complete.)*

Je suis _____ . *(name)*
Je suis _____ . *(nationality)*
Je suis de _____ . *(place)*
Je suis _____ . *(student)*

Structure

Le verbe *être* au singulier

The verb *to be* in French is **être.** Study the singular forms of the verb **être** in the present tense.

Infinitive	être
Singular	je suis
	tu es
	il est
	elle est

Exercice 1   Alain et Nicole

Pratiquez la conversation. *(Practice the conversation.)*

Alain   Qui es-tu?
Nicole   Moi, je suis Nicole. Nicole Toussaint.
Alain   Es-tu américaine, Nicole?
Nicole   Non, je ne suis pas américaine. Je suis française. Tu es américain, n'est-ce pas?
Alain   Oui, je suis américain. Je suis de Chicago.

Exercice 2   Une interview

Répondez avec *je suis.* *(Answer with *je suis.*)*

1. Es-tu américain(e) ou français(e)?
2. Es-tu brun(e) ou blond(e)?
3. Es-tu petit(e) ou grand(e)?
4. Es-tu élève dans un lycée ou dans une école américaine?
5. Es-tu un(e) ami(e) de _____?

Exercice 3   Mais non!

Répondez avec *Non, je ne suis pas.* *(Answer with *Non, je ne suis pas.*)*

1. Es-tu français(e)?
2. Es-tu élève dans un lycée français?
3. Es-tu de Paris?
4. Es-tu un(e) ami(e) de Victor Hugo?

Exercice 4   Jean-Claude

Here's a photograph of Jean-Claude. He is from Lyon, in France. Ask him if he is:

français
Jean-Claude, es-tu français?

1. français   3. élève   5. élève dans un
2. blond   4. de Lyon   lycée à Lyon

Exercice 5 Ginette

Here's a photograph of Ginette. She is from Nice. Ask her if she is:

1. américaine
2. française
3. élève
4. de Nice
5. une amie de Marie-France

Exercice 6 Nicole Toussaint

Complétez avec la forme convenable du verbe *être*. *(Complete with the correct form of the verb **être**.)*

1. Je _____ Nicole Toussaint.
2. Je _____ française.
3. Je _____ une amie de Marie-France.
4. Elle _____ élève, et moi aussi je _____ élève.
5. Marie-France _____ une amie très sincère.
6. Elle _____ sympathique.
7. Elle _____ très intelligente.
8. Moi aussi, je _____ intelligente.
9. Tu _____ intelligent(e) aussi, n'est-ce pas?
10. _____-tu élève?
11. Tu _____ blond(e) ou brun(e)?

La négation *ne... pas*

The sentences in the first column are in the affirmative. The sentences in the second column are in the negative.

Affirmative (Yes)	Negative (No)
Je suis américain.	Je ne suis pas français.
Tu es blond.	Tu n'es pas brun.
Il est grand.	Il n'est pas petit.
Elle est française.	Elle n'est pas américaine.

A statement is made negative by placing **ne** before the verb and **pas** after the verb.

Je <u>ne</u> suis <u>pas</u> français.

Ne becomes **n'** before a vowel:

Il <u>n'</u>est <u>pas</u> américain.

Exercice 7 Elle n'est pas américaine!

Écrivez à la forme négative. *(Write in the negative.)*

1. Marie-France est américaine.
2. Elle est élève dans une école américaine à New York.
3. Elle est de New York.
4. Moi, je suis français(e).
5. Je suis élève dans un lycée à Paris.
6. Tu es français?

Exercice 8 Marie-France est française!

Écrivez à la forme négative et complétez. *(Write in the negative and complete.)*

1. Marie-France est américaine.
   Elle est _____ .
2. Elle est élève dans une école américaine.
   Elle est élève dans _____ .
3. Elle est de New York.
   Elle est de _____ .
4. Moi, je suis français(e).
   Je suis _____ .
5. Je suis triste.
   Je suis _____ .
6. Je suis élève dans un lycée à Paris.
   Je suis élève dans une _____ .

L'interrogation

You have already encountered three ways of forming a question in French. One way is by intonation. You merely raise the tone of your voice at the end of the sentence.

> **Marie-France est française?**
> **Il est français aussi?**

Another way to form a question in French is to put **est-ce que** before the statement. Note that **est-ce que** becomes **est-ce qu'** before a vowel.

> **Est-ce que Marie-France est française?**
> **Est-ce qu'elle est grande?**

The third way of forming a question is to add **n'est-ce pas?** to the statement. When you use **n'est-ce pas,** you are really asking for confirmation of the statement. In the following sentences, **n'est-ce pas** is equivalent to the English *isn't she?* and *aren't you?*

> **Marie-France est française, n'est-ce pas?**
> **Tu es américain, n'est-ce pas?**

There is a fourth way of forming a question. It is less frequently used in spoken French than intonation and **est-ce que.** It is called inversion. Look at the word order in the following sentences.

Statement	*Question*
Il est français.	**Est-il français?**
Elle est grande.	**Est-elle grande?**
Tu es américaine.	**Es-tu américaine?**

In the question, the subject and verb are inverted, and a hyphen is placed between them.

The **t** of **est** in **est-il** and **est-elle** is pronounced in spoken French because it is followed by a vowel. This is called a *liaison*. In your study of French, you will encounter other instances where a liaison must be made between a consonant and a vowel.

Exercice 9 Des questions
Posez une question. *(Ask a question.)*

Jacques / français
Est-ce que Jacques est français?

1. Marie / américaine
2. François / blond
3. Carole / brune
4. Thomas / intelligent

Exercice 10 Alain et Nicole
Complétez. *(Complete.)*

Alain   Bonjour.
Nicole   Bonjour.
Alain   _____ _____ Nicole Toussaint?
Nicole   Oui, je suis Nicole Toussaint.
Alain   _____ _____ une amie de Marie-France Gaudin?
Nicole   Oui.
Alain   _____ _____ à Paris maintenant?
Nicole   Non, elle n'est pas à Paris. Elle est à Nice. Elle est en vacances.

Les adjectifs avec une seule forme

Study the following sentences.

> **Alain Chambers est un garçon très sincère. Il est sympathique.**
> **Marie-France est une fille très sincère. Elle est sympathique.**

Many French adjectives that end in an **-e** have only one singular form. The same form is used with both masculine and feminine nouns.

Exercice 11 Nicole et Paul
Complétez. *(Complete.)*

1. Nicole Toussaint est une amie _____ . Elle est _____ .   **sincère, sympathique**
2. Paul n'est pas _____ . Il est content.   **triste**
3. Un lycée est une école _____ française.   **secondaire**
4. Je suis élève dans une école _____ américaine.   **secondaire**

Prononciation

French vowels are shorter and more clearly pronounced than English vowels.
When you pronounce **i,** do not add a _y_ sound to the end, as one does in the English
word _see._

a	e	i	u
ah	le	six	salut
va	Leclerc	Henri	Dumas
la	Legrand	lundi	Luc
madame	revoir	dimanche	duc

Pratique et dictée

Salut, Henri! Ça va?   C'est Luc Dumas.
À lundi, Mme Leclerc.   Au revoir! À lundi!

Expressions utiles

A very useful expression to know in French when you would like to get a
friend's attention is **Dis donc!**

When French speakers wish to agree with something that someone has just
said, they will very often use the following expressions.

> **C'est vrai.**
> **D'accord. (D'ac.)**
> **C'est l'essentiel.**

When French speakers want to say that something is very nice they will
frequently say:

> **Oh là là!**
> **C'est chouette!**

Conversation

Alain et Nicole

Alain   Bonjour. Tu es Nicole Toussaint?
Nicole   Oui, je suis Nicole Toussaint. Tu es Alain, n'est-ce pas?
Alain   Oui, je suis Alain Chambers.
Nicole   Tu es l'ami américain de Marie-France Gaudin?
Alain   Oui. Elle est très sympa, n'est-ce pas?
Nicole   Je suis complètement d'accord. Elle est formidable.

Alain	Et elle est très sincère. C'est l'essentiel.
Nicole	C'est vrai.
Alain	Dis donc! Est-elle à Paris maintenant?
Nicole	Non, elle est justement à Nice. Elle est en vacances.
Alain	Oh là là! À Nice? C'est très chouette.

Exercice Répondez. *(Answer.)*

1. Est-ce que Nicole Toussaint est française?
2. Alain Chambers, est-il français aussi?
3. Qui est l'ami américain de Marie-France?
4. Qui est très sympa?
5. Est-ce que Nicole est d'accord?
6. Est-ce que Marie-France est à Paris maintenant?
7. Est-elle en vacances à Nice?

Activités

1 You have just received this photo from your new pen pal in France. Write her a letter in French. Tell her who you are, your nationality, where you are from, and where you are a student. Give a brief description of yourself.

2 Look at the photograph of this boy. Ask him as many questions about himself as you can.

37

galerie vivante

Bonjour, tout le monde.
Je suis Thérèse Poireau.
Je suis de Paris.
Je suis française.
Est-ce que tu es américain(e)?

Bonjour.
Je suis Philippe Michelet.
Moi aussi, je suis de Paris.
Je suis un ami de Thérèse.
Est-ce que tu es un(e) ami(e)
de Thérèse?

Bonjour.
Je suis Arlette Picard.
Je suis française aussi.
Mais je ne suis pas de Paris.
Je suis de Rouen.
Es-tu de Rouen?
Non?
D'où es-tu alors?

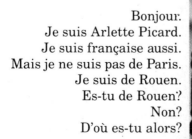

Salut!
Je suis Henri Garnier.
Je suis de Lyon.
Je suis élève dans un lycée à Lyon.
Es-tu élève dans une école américaine?

Bonjour.
Je suis Charles Caumartin.
Je suis de Fort-de-France.
Je suis martiniquais.

Bonjour.
Je suis Claudine Lanier.
Je ne suis pas française.
Je suis de Québec.
Je suis canadienne.

3 Deux copines

les sœurs

les copines

Voilà Marie-France et Thérèse.
Les deux filles **ne sont pas** sœurs.
Elles sont copines.
Elles sont très **enthousiastes pour les sports.**
Elles sont **sportives.**

forte

faible

Exercice 1 Marie-France et Thérèse
Répondez. *(Answer.)*

1. Est-ce que Marie-France et Thérèse sont sœurs ou amies?
2. Sont-elles très enthousiastes pour les sports?
3. Sont-elles sportives?
4. Sont-elles fortes?

Expressions utiles

You have already learned several expressions that French speakers use when they agree with something that has just been said. When they disagree with something that has just been said, they are apt to use the following expressions.

Mais non.
Pas du tout.
Au contraire.

In order to request a clarification of the disagreement and to find out what the other person thinks, French speakers will frequently ask:

Alors?

Exercice 2   Sont-elles blondes?
Répondez d'après le modèle. *(Answer according to the model.)*

Sont-elles blondes?
Mais non. Pas du tout. Au contraire.

Alors? Comment sont-elles?
Elles sont brunes.

1. Sont-elles petites?
2. Sont-elles faibles?
3. Sont-elles tristes?
4. Sont-elles brunes?

les frères

les copains

Voilà Jean-Claude et Paul. Les deux garçons ne sont pas frères. Ils sont copains. Ils sont très enthousiastes pour les sports. Ils sont sportifs. Ils sont très forts. Ils ne sont pas faibles.

41

Exercice 3   Jean-Claude et Paul
Répondez. *(Answer.)*

1. Les deux garçons sont frères?
2. Sont-ils copains?
3. Sont-ils très enthousiastes pour les sports?
4. Sont-ils forts ou faibles?

Exercice 4   Comment sont-ils?
Répondez. *(Answer.)*

1. Sont-ils faibles? Non. Alors? Comment sont-ils?
2. Sont-ils blonds? Non. Alors? Comment sont-ils?
3. Sont-ils petits? Non. Alors? Comment sont-ils?

Exercice 5   Une conversation
Conversez d'après le modèle. *(Converse according to the model.)*

Sont-ils faibles?
Qui? Jean-Claude et Paul? Mais non.
  Pas du tout. Au contraire.

Alors? Comment sont-ils?
Ils sont très forts.

1. Sont-ils faibles?
2. Sont-ils petits?
3. Sont-ils blonds?
4. Sont-ils tristes?

Structure

Les noms et les pronoms au pluriel

Most nouns in French are made plural by adding an **-s** to the singular form. The **-s** is not pronounced. Look at the following words.

Singular	Plural
le garçon	les garçons
la fille	les filles
l'ami	les amis
l'amie	les amies

The plural form of the definite articles **le, la,** and **l'** is **les.** The final **-s** of **les** is pronounced /z/ when followed by a vowel. This is another example of liaison.

A pronoun is a word that replaces a noun.

	Noun	Subject pronoun
Masculine singular	Jean le garçon le lycée	il
Feminine singular	Marie-France la fille l'école	elle
Masculine plural	Paul et Jean-Claude les garçons les lycées	ils
Feminine plural	Thérèse et Marie-France les filles les écoles	elles

When both a masculine and a feminine noun are the subject, **ils** is used as the subject pronoun.

> **Paul et Marie-France sont élèves.**
> **Ils sont amis.**

When speaking about more than one person, the plural form of the verb **être** is used: **ils sont** or **elles sont.**

> **Les deux garçons sont copains.**
> **Ils sont copains.**

> **Marie-France et Thérèse sont copines.**
> **Elles sont copines.**

In the inverted question (interrogative) form, liaison is made and the **t** is pronounced.

> **Sont-ils copains?**
> **Sont-elles copines?**

Exercice 1   Comment sont-ils?
Complétez avec l'article défini. *(Complete with the definite article.)*

1. _____ deux frères de Louis sont blonds.
2. Mais au contraire, _____ deux sœurs de Louis sont brunes.
3. _____ copains de Louis sont très enthousiastes pour _____ sports. Ils sont sportifs.
4. _____ deux garçons ne sont pas du tout faibles. Au contraire, ils sont forts.

Exercice 2 Deux filles et deux garçons
Complétez. *(Complete.)*

1. Marie-France et Thérèse sont _____ .
2. _____ deux filles sont françaises.
3. _____ sont élèves dans un lycée.
4. Les deux copines _____ très enthousiastes pour les sports.
5. _____ sont très fortes et elles _____ intelligentes aussi.
6. Alain et Robert ne _____ pas français. _____ sont américains.
7. Les deux _____ sont élèves dans une école secondaire américaine.
8. _____ sont très enthousiastes pour les sports.
9. Les deux copains _____ grands, forts et intelligents.

L'accord des adjectifs au pluriel

Study the following sentences.

> **Les deux filles sont américaines.**
> **Les garçons aussi sont américains.**
> **Les deux filles sont très sympathiques.**
> **Les garçons aussi sont très sympathiques.**

To form the plural of most French adjectives, an **-s** is added to the masculine or feminine singular form. This **-s** is not pronounced.

Note that if an adjective already ends in **-s**, such as **français**, no additional **-s** is added for the masculine plural.

> **Les deux garçons français sont très enthousiastes pour les sports.**

If an adjective modifies both a feminine and a masculine noun, the adjective is in the masculine plural.

> **Alain et Nathalie sont américains.**

Exercice 3 Deux copines et deux copains
Complétez. *(Complete.)*

1. Les deux copines sont _____ . **français**
2. Elles sont très _____ pour les sports. **enthousiaste**
3. Elles sont très _____ et elles sont aussi très _____ . **intelligent, sympathique**
4. Voilà Paul et Robert. Les deux copains ne sont pas _____ . Ils sont _____ . **français, américain**
5. Ils sont élèves dans une école secondaire américaine. Les deux garçons sont très _____ . **intelligent**
6. Ils sont aussi très _____ . **fort**
7. Les deux garçons sont très _____ pour les sports. **enthousiaste**
8. Ils sont très _____ . C'est l'essentiel! **sincère**

Exercice 4 Comment sont les filles?
Décrivez les deux filles. *(Describe the two girls.)*

1. _____
2. _____
3. _____
4. _____

Exercice 5 Comment sont les garçons?
Décrivez les deux garçons. *(Describe the two boys.)*

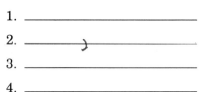

1. _____
2. _____
3. _____
4. _____

45

𝒫rononciation   **Les sons *an, on, un***

Nasal vowels do not exist in English. They are formed by letting air go out through the mouth and the nose at the same time.

an	**on**	**un**
France	bonjour	un
étudiant	blond	brun
dans	garçon	lundi
grand	montre	

𝒫ratique et dictée

L'étudiant est grand.	Bonjour, Chantal.
Il est en France.	Il est brun.
Le garçon est blond.	C'est lundi.

𝓛ecture culturelle

Deux filles françaises

Marie-France et Thérèse sont deux filles françaises. Elles sont élèves dans un lycée à Paris. Les deux copines sont très intelligentes. Sont-elles faibles? Non, pas du tout. Au contraire! Elles sont sportives. Les deux filles sont très enthousiastes pour les sports. Elles sont aussi très sympathiques et sincères. C'est l'essentiel!

Marie-France n'est pas maintenant à Paris. Où˚ est-elle alors? Elle est en vacances. Où ça? À Nice. C'est très chouette, n'est-ce pas?

ZONE RÉSERVÉE AUX BAIGNEURS

˚**Où** *Where*

46

Exercice 1 Complétez. *(Complete.)*

1. Les deux copines ne sont pas américaines. Elles sont _____ .
2. Comment sont-elles? Elles sont _____ et _____ . Et elles sont aussi _____ et _____ . Et c'est l'essentiel.

Exercice 2 Répondez. *(Answer.)*

1. Le lycée de Marie-France et Thérèse n'est pas à Chicago. Où est-il?
2. Marie-France n'est pas à Paris. Où est-elle?
3. Où est-elle en vacances?

Activités

1 Rewrite the story from the **Lecture.** Change **Marie-France et Thérèse** to **Jean-Claude et Gilbert.**

2 Tell all you can about the people in the illustration below.

galerie vivante

Jean-Paul et Richard sont de Cannes. Ils sont copains. Les deux garçons sont sportifs, n'est-ce pas?

Voici le lycée Henri IV à Paris. Les élèves sont dans la cour.

Voici Gilbert et Carole. Les deux élèves sont amis. Sont-ils français? Non, ils ne sont pas français. Ils sont américains.

Gérard est très enthousiaste pour les sports. Il est en vacances près de Marseille. Est-ce que Gérard est faible?

Les copains ne sont pas en classe. Ils sont à Nice. C'est chouette! Sont-ils en vacances?

4 Nous sommes américains

Vocabulaire

Nous sommes américains.
Nous sommes dans **la classe de français.**
Nous sommes très forts **en** français.
Pourquoi pas? Nous sommes très
  intelligents.
Et **de plus,** le français est **assez facile.**
Il n'est **pas du tout difficile.**

Note

   You have already seen that many words in French and English look very much alike. For this reason it is easy to guess their meanings. Such words, you remember, are called cognates.
   To guess the meaning of certain cognates, we must stretch our imaginations a little. As an example, let's look at the French word **facile.** This word also exists in English, but its usage is not very common. Do you happen to know the meaning of the English word *facile*? If you do not, this English word would not assist you in guessing the meaning of the French **facile.** A more commonly used word that is related to *facile* is *facilitate.* To facilitate means *to make easy.* The French word **facile** means *easy.* Its opposite is **difficile.** What does **difficile** mean?

Exercice 1 Comment sont les élèves?
Répondez. *(Answer.)*

1. Est-ce que les élèves sont américains?
2. Sont-ils intelligents?
3. Sont-ils forts en français?
4. Est-ce que le français est facile ou difficile?

Expressions utiles

When French speakers wish to express disbelief of what they have just heard, they may say:

Sans blague!
Ce n'est pas vrai.

In order to reinforce the truth of what has been said, the speaker may say:

C'est vrai.
Incroyable mais vrai.

To disagree with a negative statement, French speakers say: **Mais si.**

Ce n'est pas vrai.
Mais si. C'est vrai.

Exercice 2 Personnellement
Complete about a friend and yourself.

Je suis _____ . *(your name)*
Je suis un ami de _____ . *(your friend's name)*
Nous sommes élèves dans la classe de _____ . *(your teacher's name)*
Nous sommes très forts en _____ . *(subject)*
C'est vrai. Incroyable mais vrai.
Mais pourquoi pas? Nous sommes _____ . *(smart)*
Et _____ *(subject)* n'est pas très _____ . Il (Elle) est assez _____ .

Exercice 3 Sans blague!
Conversez d'après le modèle. *(Converse according to the model.)*

Tu es dans la classe de français? Sans
   blague! Ce n'est pas vrai.
Mais si. C'est vrai. Incroyable mais vrai.

1. Tu es dans la classe de français? Sans blague! Ce n'est pas vrai.
2. Tu es fort en français? Sans blague! Ce n'est pas vrai.
3. Tu es dans la classe de _____? Sans blague! Ce n'est pas vrai.
4. Le français est facile? Sans blague! Ce n'est pas vrai.

Structure

Le verbe *être* au présent

You have already learned the singular forms of the verb **être**. Study the plural forms of **être**.

Infinitive		être	
Singular	je suis tu es il est elle est	**Plural**	nous sommes vous êtes ils sont elles sont

Remember to make a liaison when you say **vous êtes**. The **s** in **vous** is pronounced /z/.

Exercice 1 Dans la classe de français
Pratiquez la conversation. *(Practice the conversation.)*

Nicole Richard et Anne, où êtes-vous?

Anne Où nous sommes? Ici, dans la classe de français.

Nicole Vous êtes dans la classe de français? Sans blague!

Richard Mais bien sûr. Et nous sommes très forts en français.

Exercice 2 Personnellement

Répondez avec *nous sommes*. *(Answer with **nous sommes**.)*

1. Vous êtes élèves?
2. Vous êtes américains?
3. Vous êtes dans la classe de français?
4. Vous êtes forts en français?
5. Vous êtes intelligents?
6. Vous êtes élèves dans une école américaine?
7. Vous êtes dans la classe de Mme (Mlle, M.) _____?

Exercice 3 Des questions

Posez des questions d'après le modèle.
(Ask questions according to the model.)

Paul et Marie / américains
Paul et Marie, êtes-vous américains?

1. Paul et Marie / américains
2. Paul et Marie / dans la classe de Mme
   (Mlle, M.) _____
3. Paul et Marie / dans la classe de français
4. Paul et Marie / forts en français

Exercice 4 Êtes-vous blonds?

Pick out several friends in class. Ask them questions about themselves using the following words and have them respond.

1. blonds
2. bruns
3. américains
4. français
5. enthousiastes pour les sports
6. élèves
7. contents
8. assez forts en français
9. dans la classe de français

Exercice 5 Je suis un(e) ami(e) de Jean.

Complétez avec *être*. *(Complete with **être**.)*

1. Je _____ un(e) ami(e) de Jean.
2. Il _____ très sympathique.
3. Nous _____ très enthousiastes pour les sports.
4. Nous _____ élèves dans une école secondaire.
5. Nous ne _____ pas français.
6. Nous _____ américains.
7. _____-vous américains aussi?
8. _____-vous forts en français?
9. Les élèves _____ dans la classe de français.
10. Ils _____ très intelligents.
11. Ils _____ très forts en français.

Tu et vous

In French there are two ways to say *you*. **Tu** is used only when addressing someone you know very well. You would use **tu** with a close friend, a classmate, a family member, or a child. For this reason **tu** is called the familiar form.

Vous is used whenever you address more than one person. **Vous** is also used to address any person whom you do not know well enough to address using the **tu** form. For this reason it is called the formal form of address.

> **Madame Gaudin, êtes-vous française?**
> **Monsieur Smith, êtes-vous américain?**
> **Marie-France, es-tu française?**
> **Barbara, es-tu américaine?**

Exercice 6 Sont-ils français?

*Look at the following pictures. Ask each person if he or she is French. Use **tu** or **vous** as appropriate.*

1.

2.

3.

Prononciation

Les sons *in/ain* et *en/em*

These two sounds are also nasal.

in/ain		en/em	
cinq	intelligent	en	essentiel
vingt	américain	content	intelligent
Gaudin	certain	Henri	novembre
sincère		vendredi	

Pratique et dictée

Laurent Gaudin est sincère et intelligent.
Il y a vingt Américains.
Il est certain.

Henri est content en novembre.
C'est l'essentiel.
C'est aujourd'hui vendredi.

4.

5.

6.

Lecture culturelle

Une lettre de Gilbert

Nice, le 15 août 19

Chers amis,

Je suis Gilbert Dumas. Je suis français et je suis de Paris. Maintenant je suis à Nice avec la famille de Roger Goldfarb. Roger et moi, nous sommes copains. Nous sommes élèves dans un lycée à Paris. Nous sommes très forts en français et en anglais. L'anglais n'est pas très difficile. Maintenant nous ne sommes pas à Paris. Nous sommes en vacances à Nice. Les vacances sont toujours formidables. D'accord?

Bien affectueusement,
Gilbert

Exercice Répondez. *(Answer.)*

1. De qui est la lettre?
2. Est-ce que Gilbert est américain?
3. D'où est-il?
4. Où est-il maintenant?
5. Avec qui est-il?
6. Qui est le copain de Gilbert?
7. Sont-ils élèves?
8. Où sont-ils élèves?
9. Où sont-ils en vacances?
10. Comment sont les vacances?
11. Êtes-vous d'accord?

°**Chers** *Dear* °**moi** *I* °**anglais** *English* °**toujours** *always*
°**Bien affectueusement** *Affectionately*

56

Activités

1 Write a postcard to Gilbert. Tell him all you can about yourself and one of your best friends.

2 Say all you can about the illustration.

galerie vivante

Nous sommes élèves dans un lycée à Paris.
Maintenant nous sommes dans la classe d'anglais.
Nous sommes très forts en anglais. Êtes-vous dans
la classe de français?

Nous sommes élèves au lycée
Jeanne d'Arc à Rouen. Maintenant
nous sommes dans la classe de
chimie. La chimie est assez difficile.
Êtes-vous très forts en sciences?

Une classe de géographie dans une école rurale à Saint-Pierre-et-Miquelon

Une classe d'espagnol au lycée Montaigne à Paris

Nous sommes élèves au lycée Henri IV à Paris. Le lycée Henri IV est une école excellente. Les élèves sont très intelligents. Vous aussi, vous êtes très intelligents, n'est-ce pas?

Dans la bibliothèque du lycée Jeanne d'Arc à Rouen

Révision

Une fille française

    Bonjour, tout le monde! Je suis Monique Lavalle. Je suis française. Je suis de Paris. Je suis une amie de Charles Lecoté. Charles est français aussi mais il n'est pas de Paris. Il est de Lyon.

    Charles est un ami très sincère. Il est aussi très sympa. Charles et moi, nous sommes très sportifs. Nous sommes très enthousiastes pour les sports.

    Charles est élève dans un lycée à Lyon. Moi, je suis élève dans un lycée à Paris. Charles et moi, nous sommes assez forts en anglais. Mais, pourquoi pas? L'anglais n'est pas très difficile et nous sommes assez intelligents.

Exercice 1 Répondez. (Answer.)

1. D'où est Monique Lavalle?
2. Est-elle américaine?
3. Qui est l'ami de Monique?
4. Est-il de Paris?
5. D'où est-il?
6. Comment est-il?
7. Charles et Monique sont très sportifs?
8. Qui est élève dans un lycée à Lyon?
9. Et Monique, où est-elle élève?
10. Monique et Charles, sont-ils forts en anglais?
11. L'anglais est facile ou difficile?
12. Est-ce que Monique et Charles sont intelligents?

Le verbe *être*

Review the following forms of the irregular verb **être**.

Infinitive		être	
Present tense	je suis		nous sommes
	tu es		vous êtes
	il/elle est		ils/elles sont

Exercice 2 Tu es Monique?

Complétez la conversation. (*Complete the conversation.*)

— Pardon, tu _____ Monique Lavalle, n'est-ce pas?
— Oui, je _____ Monique. Et tu _____ Robert, n'est-ce pas? Tu _____ l'ami américain de Claudine?
— Oui, je _____ l'ami de Claudine. Elle _____ très sympa.
— Ah, oui. Je _____ d'accord.

Exercice 3 Monique et Charles

Complétez. (*Complete.*)

1. Monique Lavalle _____ de Paris. Elle _____ française.
2. Charles Lecoté n'_____ pas de Paris mais il _____ français aussi. Il _____ de Lyon.
3. Charles et Monique _____ amis. Ils _____ très enthousiastes pour les sports.
4. — Monique et Charles, _____-vous très forts en anglais?
5. — Mais, bien sûr! Nous _____ très forts en anglais. Mais l'anglais n'_____ pas très difficile et nous _____ aussi assez intelligents.

61

Les adjectifs

Adjectives must agree with the noun they describe or modify. Most adjectives that end in a consonant have four written forms. Observe the following.

	Masculine	**Feminine**
Singular	Le garçon est **blond.**	La fille est **blonde.**
Plural	Les garçons sont **blonds.**	Les filles sont **blondes.**

Review the following adjectives that have four written forms.

américain	**intéressant**
brun	**content**
grand	**fort**
petit	**blond**
intelligent	

Adjectives that end in **-e** have only two written forms, singular and plural. Observe the following.

	Masculine	**Feminine**
Singular	Charles est un ami **sincère.**	Monique est une amie **sincère.**
Plural	Charles et René sont **sincères.**	Monique et Marie sont **sincères.**

Review the following adjectives that have two written forms.

triste	**sympathique**
fantastique	**faible**
magnifique	**enthousiaste**
populaire	**difficile**
sincère	**facile**

Exercice 4 Comment sont-ils?

Choose adjectives to describe the following people. Use as many as you can.

1. Voilà Monique. Elle est...

3. Voilà Paul et Alain. Ils sont...

2. Voilà René. Il est...

4. Voilà Monique et Thérèse. Elles sont...

5 Une surprise-partie

Vocabulaire

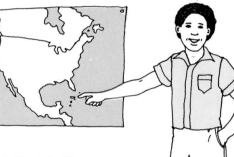

Voilà René.
René **habite** à Fort-de-France.

René **donne une fête.**
Il donne **une surprise-partie.**
Il donne une surprise-partie pour
   l'anniversaire de Monique.
Les amis **dansent.**
Ils **aiment** les surprises-parties.

Activités pendant la fête

parler

**regarder la télé
(la télévision)**

**chanter
une chanson**

**préparer
une salade**

**écouter un disque
de jazz**

Exercice 1 René donne une fête.
Répondez. *(Answer.)*

1. Est-ce que René habite à Fort-de-France?
2. Est-ce que René donne une fête?
3. Donne-t-il une surprise-partie?
4. Est-ce que les amis dansent pendant la fête?
5. Est-ce qu'ils parlent français ou anglais?
6. Regardent-ils la télé?
7. Est-ce qu'ils écoutent un disque?
8. Est-ce qu'ils chantent?
9. Est-ce qu'ils aiment les surprises-parties?

Exercice 2 La fête de René

Répondez aux questions. *(Answer the "what" questions.)*

1. Qu'est-ce que René donne?
2. Qu'est-ce que les amis regardent?
3. Qu'est-ce que les amis chantent?
4. Qu'est-ce que les amis préparent?
5. Qu'est-ce que les amis écoutent?
6. Qu'est-ce que les amis aiment?

Structure

Les verbes réguliers en *-er* au présent

As you know, a verb is a word that describes an action or a state of being. **Être** (*to be*) and **parler** (*to speak*) are verbs. **Être** is an irregular verb because its forms are different from all other verbs. **Parler** is a regular verb. It takes the same endings as all other regular verbs that end in **-er**. These regular verbs are called **-er** verbs because the infinitive (**parler,** *to speak;* **chanter,** *to sing*) ends in **-er.** Study the present tense forms of **parler** and **chanter.** You will notice that the endings are added to the stem, which is found by dropping **-er** from the infinitive.

Infinitive	parler	chanter	ENDINGS
Stem	parl-	chant-	
Present tense	je parle	je chante	-e
	tu parles	tu chantes	-es
	il parle	il chante	-e
	elle parle	elle chante	-e
	nous parlons	nous chantons	-ons
	vous parlez	vous chantez	-ez
	ils parlent	ils chantent	-ent
	elles parlent	elles chantent	ont

Notice that in spoken French, the **je, tu, il/elle,** and **ils/elles** forms of **-er** verbs all sound the same even though they are spelled differently.

65

When a verb begins with a vowel or a silent **h, je** is shortened to **j'**. In the plural forms, liaison is made in the **nous, vous, ils,** and **elles** forms.

Infinitive	aimer	habiter
Present tense	j'aime	j'habite
	tu aimes	tu habites
	il/elle aime	il/elle habite
	nous aimons	nous habitons
	vous aimez	vous habitez
	ils/elles aiment	ils/elles habitent

In the negative form, **ne** is shortened to **n'** before a vowel or a silent **h**.

Il n'aime pas le jazz.
Ils n'écoutent pas la musique.
Je n'habite pas à Paris.

In the inverted question or interrogative form of all **-er** verbs, a **-t-** is inserted with **il** and **elle**.

Parle-t-il?	**Parle-t-elle?**		**Parles-tu?**
Chante-t-il?	**Chante-t-elle?**	BUT:	**Chantent-ils?**
Écoute-t-il?	**Écoute-t-elle?**		**Écoutez-vous?**

Note

As you continue with your study of French, you will be amazed at how many cognates you encounter. Here are some more **-er** verbs, for example, whose meaning you can easily guess.

danser	**réserver**	**adorer**
préparer	**désirer**	**arriver**
téléphoner	**détester**	**inviter**

(handwritten: to bake / ae hicken)

Exercice 1   Marie et Paul aussi!
Suivez le modèle. *(Follow the model.)* *(handwritten: translate)*

Gilbert danse.
Marie et Paul dansent aussi.

1. Gilbert habite à Fort-de-France.
2. Gilbert parle français.
3. Gilbert chante bien.
4. Gilbert regarde la télé.
5. Gilbert écoute un disque de jazz.

Exercice 2   Dans la cuisine

Pratiquez la conversation. *(Practice the conversation.)*

Hélène   René, tu es dans la cuisine?
René   Oui.
Hélène   Qu'est-ce que tu prépares?
René   Je prépare les sandwiches pour la fête.
Hélène   Tu prépares une salade aussi?
René   Oui.
Hélène   Ah, bien. J'aime beaucoup la salade.

Translate

Exercice 3   Tu danses?

Répondez avec *je*. *(Answer with **je**.)*

1. Tu danses?
2. Tu chantes?
3. Tu regardes la télé?
4. Tu parles avec les copains?
5. Tu arrives chez un ami?

Exercice 4   Des questions

Posez une question avec *tu*. *(Ask a question with **tu**.)*

Ask a question to the person in the picture

1.
2.
3.
4.
5.

Exercice 5 Et vous?

Posez des questions d'après le modèle. *(Ask questions according to the model.)*

Nous regardons la télévision.
Et vous? Qu'est-ce que vous regardez?

1. Nous regardons la télévision.
2. Nous préparons les sandwiches.
3. Nous donnons une fête.
4. Nous aimons la salade.
5. Nous écoutons la musique.

Translate

Exercice 6 Vous donnez une fête?

Répondez avec nous. *(Answer with nous.)*

1. Vous donnez une surprise-partie pour l'anniversaire d'un ami?
2. Pendant la surprise-partie, vous dansez?
3. Vous chantez aussi?
4. Vous parlez avec les copains?
5. Vous regardez la télévision?
6. Vous écoutez un disque de jazz?
7. Vous aimez le jazz?

Exercice 7 Tu aimes danser?

Répondez d'après le modèle. *(Answer according to the model.)*

Tu aimes danser?
Mais bien sûr. J'aime beaucoup danser.

Translate

1. Tu aimes danser?
2. Tu aimes chanter?
3. Tu aimes parler au téléphone?
4. Tu aimes regarder la télé?
5. Tu aimes écouter la radio?

Exercice 8 Mais non!

Répondez d'après le modèle. *(Answer according to the model.)*

Tu aimes danser?
*Mais non! Pas du tout! Au contraire! Je
  déteste danser.*

1. Tu aimes danser?
2. Tu aimes chanter?
3. Tu aimes parler au téléphone?
4. Tu aimes regarder la télé?
5. Tu aimes écouter le jazz?

Exercice 9 Une surprise-partie

Complétez. *(Complete.)*

1. René _____ une surprise-partie. **donner**
2. Il _____ une surprise-partie pour l'anniversaire de Monique. **donner**
3. Les amis _____ chez René. **arriver**
4. Pendant la fête, nous _____ . **danser**
5. Nous _____ avec les amis. **parler**
6. Moi, j'_____ beaucoup les fêtes. **aimer**
7. Pendant la fête, nous ne _____ pas la télévision. **regarder**
8. Est-ce que tu _____ les fêtes? **aimer**
9. Qui _____-tu à la fête? **inviter**
10. Qu'est-ce que vous _____ pour la fête? **préparer**

Exercice 10 Il ne parle pas anglais.

Écrivez les phrases à la forme négative. *(Write the sentences in the negative.)*

1. Jean-Paul parle anglais.
2. Il habite à New York.
3. Les amis aiment le jazz.
4. Je parle italien.
5. J'habite à Rome.
6. Nous parlons anglais dans la classe de français.

Exercice 11 Des questions

Formez des questions. *(Form questions.)*

1. Vous parlez français.
2. Elle donne une fête.
3. Il prépare les sandwiches.
4. Ils chantent très bien.
5. Elle aime la salade.
6. Tu écoutes la radio.

L'impératif

The command form of the verb is called the imperative. The command form for **tu** of **-er** verbs is exactly the same as the **il/elle** form of the verb. In the command the subject pronoun is omitted. Observe the following.

Danse!	*Dance!*
Chante!	*Sing!*
Parle!	*Speak!*

The command forms for **nous** and **vous** are exactly the same as the conjugated form of the verb. The subject pronoun is not used with the command.

Dansons!	*Let's dance!*
Écoutons!	*Let's listen!*
Regardez!	*Look!*
Écoutez!	*Listen!*

Exercice 12 Dites.

Dites à un(e) ami(e) de... *(Tell a friend to . . .)*

1. Dites à un(e) ami(e) de chanter.
2. Dites à un(e) ami(e) de regarder.
3. Dites à un(e) ami(e) d'écouter.
4. Dites à un(e) ami(e) de parler français.

Exercice 13 Dites à deux ami(e)s...

Répétez les impératifs de l'exercice 12 au pluriel (vous). *(Repeat the commands from exercise 12 in the vous form.)*

Exercice 14 Dansons!

Suivez le modèle. *(Follow the model.)*

Tu aimes danser?
Oui, j'adore danser. Dansons alors!

1. Tu aimes danser?
2. Tu aimes regarder la télé?
3. Tu aimes écouter la radio?
4. Tu aimes chanter?

Prononciation   La lettre *r*

To pronounce a French **r,** allow air to pass through the small opening at the back of the mouth, between the back of the tongue and the back of the roof of the mouth.

Initial position	Middle position	Final position
revoir	Marie	bonjour
répondez	garçon	revoir
Roger	Henri	hiver
René	mardi	accord
répétez	aujourd'hui	sincère
	Paris	Gilbert

Pratique et dictée

Roger, répondez à René!
René, voilà le restaurant.
Marie et Henri admirent le garçon.
Aujourd'hui, c'est Paris!
Bonjour, Gilbert, et au revoir!
D'accord! Elle est très sincère!

Expressions utiles

There are several very useful expressions that French speakers use to express their emotions or feelings about something. When French-speaking people think that something is really great, they will say:

C'est fantastique!
C'est merveilleux!
C'est formidable!

On the contrary, when they think something is a shame or too bad, they will say:

Dommage!
C'est dommage!
C'est dommage ça!

Conversation

Une surprise-partie

Chantal Dis donc, Ginette! Tu invites Roger à la surprise-partie?

Ginette Non. Je n'invite pas Roger.

Chantal Pourquoi pas? Il est très sympa.

Ginette Oui, c'est vrai. Je suis d'accord. Mais il n'aime pas danser.

Chantal Oh là là! Roger ne danse pas?

Ginette Non. Il ne danse pas du tout. Il déteste danser.

Chantal C'est dommage ça.

Exercice Vrai ou faux?

Corrigez les phrases fausses. *(Correct the false statements.)*

1. Ginette invite Roger à la surprise-partie.
2. Roger n'est pas sympathique.
3. Roger danse avec Ginette.
4. Roger aime danser.
5. Ginette déteste danser.

72

Le temps

Le temps en été  **ou dans une île tropicale:**

le soleil

le ciel

Oh là là! Il fait chaud.

la mer

Il fait beau.
Le soleil brille.
Le soleil brille très fort dans le ciel.

𝔔ecture culturelle

Un garçon martiniquais

René habite à la Martinique. Il habite à Fort-de-France, ville° principale de la Martinique. Il parle français. René est martiniquais et il parle français? Bien sûr! Les Martiniquais parlent français. La Martinique est une île française dans la mer des Caraïbes. La Martinique est une île tropicale. Il fait toujours chaud à la Martinique. Le soleil brille très fort. C'est toujours l'été à la Martinique.

Exercice **Répondez.** *(Answer.)*

1. Où habite René?
2. Qu'est-ce qu'il parle?
3. Est-ce que les Martiniquais parlent français?
4. Est-ce que la Martinique est une île française?
5. Où est-elle?
6. Quel temps fait-il à la Martinique?

° **ville** *city*

Activités

INVITATION

Une surprise-partie

en l'honneur de...

Monique Fauchon

chez... René Le Clos

18 rue Ste-Anne

à... Fort-de-France

le... 20 heures

2 octobre

R.S.V.P.

1 Qui donne une surprise-partie?
Pour qui donne-t-il la surprise-partie?
Où est la surprise-partie?
Où habite René?
À quelle heure est la surprise-partie?
Quelle est la date de la surprise-partie?

2 Interview a friend in class about his/her after-school activities. Ask him/her the following questions and have your friend respond.

- Où habites-tu?
- Après (*After*) les classes, regardes-tu la télé?
- Écoutes-tu la radio?
- Parles-tu au téléphone avec un(e) ami(e)?
- Avec qui parles-tu?
- Est-ce que vous parlez français ou anglais?

3 Look at the illustration and say all you can about it.

75

Voici Dominique et Philippe. Ils sont martiniquais. Dominique et Philippe habitent Fort-de-France. Sont-ils des amis de René Leclos?

Fort-de-France est la ville principale de la Martinique. Fort-de-France est une petite ville pittoresque. Est-ce que le soleil brille très fort à la Martinique? Quel temps fait-il toujours?

76

TÉLÉ POCHE

les trucages GUERRE TOILES"

Télé Poche est un magazine qui annonce les programmes de télévision en France. À quelle heure est-ce que la troisième chaîne (FR3) présente le film *Cabaret* avec Liza Minelli?

CETTE SEMAINE SUR VOTRE ECRAN

	SAMEDI	DIMANCHE	LUNDI	MARDI	MERCREDI	JEUDI	VENDREDI
1 TF1	20.35 SERIE DALLAS Le petit Christopher est officiellement l'enfant de Pam et de Bobby. ★★★ (p.61) / 21.35 DIRECT DROIT DE REPONSE Revue de presse. La droite est-elle tentée par les extrêmes ★★★ (p.62)	20.35 CINEMA LA FEMME D'A COTE Fanny Ardant Une tragique histoire d'amour ★★★ (p.79)	14.25 LA BELLE ET LA BETE 16.60 EDITH PIAF ★★★ (p.89) / 20.35 CINEMA L'ENIGME DU CHICAGO EXPRESS Une passagère insoupçonnable ★★★ (p.92)	20.35 DIVERTISSEMENT SALUT LES MICKEY ★★★ (p.112)	20.35 MAGAZINE LES MERCREDIS DE L'INFORMATION La menace bio-chimique ★★★ (p.125) / 21.40 MUSIQUE REVES D'IMAGES Concert Debussy par l'Orchestre national de France dirigé par Lorin Maazel ★★★ (p.126)	TELEFILM LA MARTINGALE Omar Sharif Dans le monde du jeu ★★★ (p.136)	20.25 VARIETES PORTE-BONHEUR Les cadeaux de Patrick Sabatier. ★★★ (p.146) / 21.40 SERIE LES UNS ET LES AUTRES (3) Les années 60. La guerre d'Algérie, riches et les pauvres. ★★★ (p.147)
2 A2	20.35 VARIETES CHAMPS-ELYSEES Invité d'honneur : Pierre Bachelet. Avec Dorothée, Barbara Hendrix, Ph. Lavil. ★★★ (p.66) / 22.05 VARIETES LES ENFANTS DU ROCK Concert Pat Benatar. ★★★ (p.67)	20.35 JEU DES CHIFFRES ET DES LETTRES Finale du Grand tournoi 1983. En direct de Nîmes. ★★★ (p.83) / 22.30 DOCUMENT CHEFS-D'ŒUVRE EN PERIL L'art des Vikings. ★★★ (p.84)	20.35 VARIETES LE GRAND ECHIQUIER Jean Cocteau Anniversaire de la mort du poète. ★★★ (p.96)	20.40 CINEMA IL FAUT TUER BIRGITT HAAS Philippe Noiret Services secrets et terrorisme. ★★★ (p.116)	20.35 TELEFILM LES CINQ DERNIERES MINUTES Marion Peterson Au marché aux puces. ★★★ (p.128)	20.35 SERIE MASSADA (3) Une violente tempête éprouve le camp romain. ★★★ (p.139) / 22.05 MAGAZINE MUSIQUES AU CŒUR Montserrat Caballe en tournée, à Orange et en Espagne. ★★★ (p.140)	20.35 SERIE LES BRIGADES DU TIGRE Les années folles Rita et le cold. ★★★ / 23.00 CINE-CLUB LE MOTE DE CAMBRO Cycle Sacha ★★
3 FR3	20.35 SERIE POLICIERE AGATHA CHRISTIE (2) Le démon de midi. ★★★ (p.73) / 22.15 MAGAZINE CONFRONTATIONS Invité : Anicet Le Pors, secrétaire d'État à la Fonction publique ★★★ (p.74)	20.35 MAGAZINE SCIENTIFIQUE A LA RECHERCHE DU TEMPS PRESENT Bébés de l'an 2000. ★★★ (p.86) / 22.30 CINEMA DE MINUIT FRONTIERE CHINOISE Film de John Ford. Avec Ann Bancroft. ★★★ (p.88)	20.35 CINEMA UN SOIR, UN TRAIN Yves Montand Drame dans les brumes flamandes. ★★★ (p.100)	20.35 CINEMA COURS APRES MOI QUE JE T'ATTRAPE Une drôle d'histoire d'amour. ★★★ (p.121) / 22.25 SERIE DOCUMENTAIRE DONNEZ-MOI L'INSECURITE Le monde de la For... ★★★ (p.122)	20.35 VARIETES CADENCE 3 Julien Clerc Emission de Guy Lux direct et duplex ★★★ (p.133)	20.35 CINEMA CABARET Liza Minelli Berlin dans les années 30. ★★★ (p.143)	20.25 MAGA... VENI... Le S.I.D... siècle. Me... Me... Histoi... graph...

Martine Thibaut habite Paris. Elle est à la maison. Est-ce qu'elle regarde la télé? Qu'est-ce qu'elle écoute?

6 Au restaurant

Vocabulaire

Jean **va en ville**.
Il va **au restaurant**.
Il ne va pas au restaurant **tout seul**.
Il va au restaurant **avec** Hélène.
Ils vont au restaurant **à pied**.
Ils vont **dîner**.

Exercice 1   Jean va en ville.
Répondez. *(Answer.)*

1. Est-ce que Jean va en ville?
2. Va-t-il au restaurant?
3. Va-t-il au restaurant tout seul?
4. Va-t-il au restaurant avec une copine?
5. Est-ce que les deux amis vont au restaurant à pied?
6. Vont-ils dîner au restaurant?

Exercice 2   Où va-t-il?
Répondez aux questions. *(Answer the following "where" questions.)*

1. Où va-t-il?
2. Où va-t-il en ville?
3. Où est-ce qu'Hélène va avec Jean?
4. Où vont-ils dîner?

Structure

Le verbe *aller* au présent

All verbs whose infinitives end in **-er** are regular verbs with only one exception. That exception is the verb **aller** (*to go*). The verb **aller** does not conform to a regular pattern—it is an irregular verb. Study the following forms.

Infinitive		aller
Present tense	je vais	nous allons
	tu vas	vous allez
	il/elle va	il/elles vont

The command forms of the verb **aller** are:

Va!   **Allons!**   **Allez!**

Aller is used in expressions pertaining to health.

La santé

Comment vas-tu?	*How are you?*
Très bien, merci. Et toi?	*Very well, thank you. And you?*
Comment allez-vous?	*How are you?*
Très bien, merci. Et vous?	*Very well, thank you. And you?*
Je vais très bien.	*I'm very well.*
Pas mal.	*Not bad.*
Comme ci, comme ça.	*So-so.*

Exercice 1 Où vas-tu?

Pratiquez la conversation. *(Practice the conversation.)*

Ginette Jean, où vas-tu ce soir (*tonight*)?
Jean Je vais au restaurant.
Ginette Tout seul?
Jean Non, avec Hélène. Et après le dîner, nous allons au théâtre.
Ginette Ah, vous allez aussi au théâtre!

Exercice 2 Oui ou non

Répondez avec *Oui, je vais...* ou *Non, je ne vais pas...* (Answer with *Oui, je vais...* or *Non, je ne vais pas...*)

1. Vas-tu au restaurant?
2. Vas-tu au restaurant à pied?
3. Vas-tu au restaurant avec un(e) ami(e)?
4. Et après le dîner, vas-tu au théâtre ou au cinéma?

Exercice 3   Vas-tu au cinéma?

Ask a friend in class if he/she goes to the place in the illustration. Have your friend answer.

au cinéma
Vas-tu au cinéma?

1. au cinéma

2. au restaurant

3. au lycée

5. à la fête de René

6. à la classe de français

7. à la maison

4. à l'école

80

Exercice 4 Où allez-vous?

Répondez avec *nous allons*. *(Answer with **nous allons**.)*

1. Le lundi, allez-vous à l'école?
2. Allez-vous à la classe de français?
3. Allez-vous à la classe de mathématiques?
4. Après les classes, allez-vous à la maison?
5. Vendredi soir, allez-vous au restaurant?
6. Après le dîner, allez-vous au théâtre ou au cinéma?

Exercice 5 Des questions

Posez des questions d'après le modèle. *(Ask questions according to the model.)*

Nous allons au restaurant.
Et où allez-vous?

1. Nous allons au restaurant.
2. Nous allons au cinéma.
3. Nous allons à la maison.
4. Nous allons à la fête de René.
5. Nous allons à la classe de français.

Exercice 6 Je vais au restaurant.

Complétez avec la forme convenable du verbe *aller*. *(Complete with the correct form of the verb **aller**.)*

1. Ce soir je _____ au restaurant.
2. Je ne _____ pas seul au restaurant.
3. Je _____ au restaurant avec un ami.
4. Nous _____ dîner dans un restaurant en ville.
5. Et après le dîner, nous _____ au cinéma.
6. Et après le cinéma, nous _____ à la maison.

Exercice 7 Les amis vont en ville.

Complétez le paragraphe. *(Complete the paragraph.)*

Ce soir Jean et Hélène ne _____ pas dîner à la maison. Ils _____ au restaurant en ville. Ils _____ au restaurant à pied. Après le dîner, les deux amis _____ au cinéma.

Exercice 8 Allons au restaurant!

Complétez la conversation. *(Complete the conversation.)*

Patrick Ce soir je _____ dîner "Chez la Mère Michelle." Où _____-tu, Claude?
Claude Moi aussi, je _____ au restaurant. Gérard _____ au restaurant aussi.
Patrick _____-vous au restaurant, "Chez la Mère Michelle"?
Claude Pourquoi pas? _____ au même restaurant!
Patrick D'accord! Je _____ téléphoner pour réserver une table.

Les contractions *au, aux*

The preposition **à** can mean *to, in,* or *at.* It remains unchanged in front of the definite articles **la** and **l'**, but it contracts with **le** to form the word **au** and with **les** to form the word **aux.** Study the following.

à + la = à la   **Je vais à la maison.**
à + l' = à l'   **Je vais à l'école.**
à + le = au   **Je vais au lycée.**
à + les = aux   **Je parle aux élèves.**

A liaison is made with **aux** and any word beginning with a vowel or silent **h.** When a liaison is made, the **x** is pronounced /z/.

Take note of the following expressions in which **à** is *not* used.

Je vais chez René.
Je vais en ville.
Je vais en classe.   BUT: **Je vais à la classe de français.**

Exercice 9   Je ne vais pas au lycée.
Complétez. Suivez le modèle. *(Complete. Follow the model.)*

(le lycée)   Aujourd'hui je ne vais pas _____ .
Aujourd'hui je ne vais pas au lycée.

1. (l'école)   Aujourd'hui je ne vais pas _____ .
2. (le restaurant)   Ce soir je ne vais pas _____ .
3. (le cinéma)   Je ne vais pas _____ .
4. (la fête)   Pourquoi pas? Je vais _____ de René.
5. (les amis)   Pendant la fête je vais parler _____ .
6. (la maison)   Après la fête je vais _____ .

Exercice 10   Je ne vais pas à la fête.
Complétez. *(Complete.)*

Ce soir je ne vais pas _____ (le concert), je ne vais pas _____ (le parc), je ne vais pas _____ (le lycée), je ne vais pas _____ (le restaurant), je ne vais pas _____ (le cinéma) et je ne vais pas _____ (la fête) de René. Alors, où est-ce que je vais aller? Je vais aller _____ (la maison).

Aller + l'infinitif

The following sentences tell what is going to happen in the near future.

René va donner une fête.
Il va inviter les amis.
Je vais aller à la fête.
Nous allons danser.

To express what is going to happen in the near future, you can use the verb **aller** plus an infinitive. This is equivalent to the English expression *to be going to*. Study the following sentences in the negative.

> **Je ne vais pas danser.**
> **Il ne va pas parler.**

Note that **ne** goes before the verb **aller**. **Pas** goes after **aller** and before the infinitive.

Exercice 11 Personnellement

Répondez avec *oui* ou *non*. *(Answer with **oui** or **non**.)*

1. Est-ce que tu vas regarder la télé?
2. Est-ce que tu vas parler avec un ami au téléphone?
3. Est-ce que tu vas dîner au restaurant?
4. Est-ce que tu vas préparer le dîner?
5. Est-ce que tu vas aller au cinéma?

Prononciation   La lettre *c*

The letter **c** is pronounced like a *k* when it is followed by a consonant or by the vowels **a, o,** or **u.** It is pronounced like an *s* when it is followed by **e, é,** or **i.** A cedilla (ç) is always pronounced like an *s.*

c = k	**c = s**	**ç (cédille) = s**
cassette	ce	ça
café	c'est	français
canadien	lycée	garçon
comment	France	commençons
copain	central	
contraire	centre	
cuisine	commencer	
Claude	ici	

Pratique et dictee

Comment va le copain?
Le lycée est français.
Nous commençons les vacances.
C'est la cassette de Claude.
Le café est en France.
Au contraire, il est canadien.

Expressions utiles

Dans un restaurant

demander l'addition

commander un steak frites

laisser un pourboire

le garçon

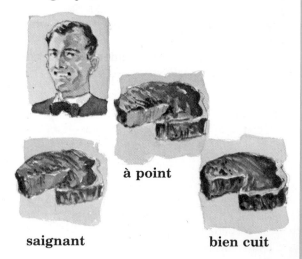

saignant

à point

bien cuit

Conversation

Un dîner exquis

Jean va au restaurant avec une copine.
Le garçon arrive à la table. Il donne un
menu à Jean et il donne un autre à Hélène.

Jean	Tu vas commander, Hélène?
Hélène	Pas encore. Je vais regarder le menu un moment.
Jean	Moi, je vais commander un steak frites.
Hélène	Ah, c'est bien ça. Moi, j'aime beaucoup le steak saignant.
Jean	Oh là là! Pas moi! Au contraire! J'aime le steak bien cuit.
Le garçon	Bonsoir. Qu'est-ce que vous désirez?
Hélène	Un steak frites, s'il vous plaît. Et le steak saignant.
Jean	Pour moi un steak frites aussi. Mais le steak bien cuit, s'il vous plaît.
Le garçon	D'accord!

Après un dîner exquis, les deux copains demandent l'addition. Ils payent et ils laissent un pourboire pour le garçon. Le service est compris,° c'est vrai. Mais Jean et Hélène laissent un peu plus.° Pourquoi pas?

Exercice 1 Vrai ou faux?
Corrigez les phrases fausses. *(Correct the false statements.)*

1. Jean va tout seul au restaurant.
2. Il va dîner avec la famille à la maison.
3. Il va préparer le dîner.
4. Jean et Hélène commandent une salade.
5. Hélène aime le steak bien cuit.

Exercice 2 Au restaurant
Complétez d'après la conversation. *(Complete according to the conversation.)*

Jean va au _____ avec une _____, Hélène. Dans le restaurant le _____
arrive à la table. Il donne un _____ à Jean et il donne un autre à Hélène. Les
deux amis regardent le _____ . Tous les deux commandent un steak frites.
Hélène aime le steak _____ . Mais Jean? Pas du tout! Il aime le steak _____ .
Après un dîner exquis, les deux copains demandent l'_____ . Le service est _____
mais ils laissent un peu _____ pour le garçon. Le _____ est content du _____,
n'est-ce pas?

° **compris** *included*   ° **un peu plus** *a little more*

ℚecture culturelle

Les restaurants français

La France est un pays° de restaurants. Les Français aiment beaucoup dîner au restaurant. Pour aller au restaurant, beaucoup de gens réservent une table à l'avance. Comme° les restaurants sont très populaires, ils sont presque° toujours combles.° Et la cuisine est presque toujours exquise. La cuisine est très importante pour les Français.

Mais, attention!° Le dimanche beaucoup de restaurants sont fermés.° Pourquoi ça? Le dimanche les Français aiment dîner à la maison avec la famille.

Exercice Répondez. *(Answer.)*

1. Est-ce que les Français aiment dîner au restaurant?
2. Réservent-ils une table à l'avance?
3. Est-ce que la cuisine est assez importante pour les Français?
4. Quel jour est-ce que les restaurants sont fermés?
5. Où est-ce que les familles françaises dînent le dimanche?

° **pays** *country* ° **comme** *since* ° **presque** *almost* ° **combles** *crowded*
° **attention!** *take note! watch out!* ° **fermés** *closed*

86

Activités

1 Voilà un restaurant à Paris.

- Est-il fermé?
- Quel jour est-ce?
- Est-ce que le restaurant est fermé le dimanche?
- Est-ce que beaucoup de restaurants français sont fermés le dimanche?
- Pourquoi ça?

2 Look at the illustration and tell all you can about it.

galerie vivante

C'est le café des Deux Magots à Paris. Le garçon arrive à la table. Monsieur Malherbe a un sandwich au fromage. Qui a une omelette?

Restaurant Henry
27, RUE DE LA MARTINIÈRE
69001 LYON
Téléphone (7) 828-26-08

Date 30 Septembre 1983   Table N° 10.

1 Menu à fr. 160	160
1/2 Fleurie La Madone 82	40
1 Café	8
	208
Service	31
	239

Où est le restaurant Henry? Combien coûte le dîner? Est-ce que le service est compris?

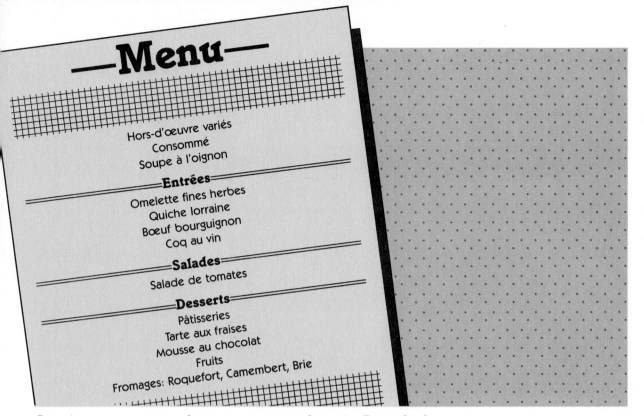

—Menu—

Hors-d'œuvre variés
Consommé
Soupe à l'oignon

—Entrées—

Omelette fines herbes
Quiche lorraine
Bœuf bourguignon
Coq au vin

—Salades—

Salade de tomates

—Desserts—

Pâtisseries
Tarte aux fraises
Mousse au chocolat
Fruits
Fromages: Roquefort, Camembert, Brie

Imaginez que vous êtes dans un restaurant français. Regardez le menu.
Qu'est-ce que vous désirez?

Après le dîner, allez-vous au cinéma ou au théâtre?

Et les copains,
vont-ils au théâtre ou au cinéma?

7 Une famille française

une famille

la mère   la fille   le père   le fils

un chien

un chat

M. et Mme Dupont **ont** deux **enfants:** une fille et un fils.
La famille Dupont **a un appartement** à Paris.
Ils ont un chien.

90

Il y a six **pièces** dans l'appartement.

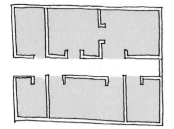

Il y a quatre **personnes** dans la famille.

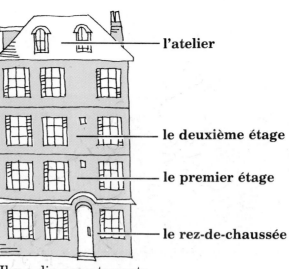

l'atelier

le deuxième étage

le premier étage

le rez-de-chaussée

Il y a dix appartements dans **l'immeuble.**

Exercice 1 La famille Dupont

Répondez. *(Answer.)*

1. Est-ce que la famille Dupont a un appartement à Paris?
2. Est-ce que Monsieur Dupont a deux enfants?
3. Est-ce que la famille Dupont a un chien?
4. Est-ce qu'ils ont un appartement dans un immeuble?
5. Est-ce qu'ils ont un appartement au deuxième étage?

Exercice 2 Combien?

Dites combien. *(Tell how many.)*

1. Combien de personnes est-ce qu'il y a dans la famille Dupont?
2. Combien d'enfants est-ce qu'il y a dans la famille?
3. Combien de pièces est-ce qu'il y a dans l'appartement?
4. Combien d'appartements est-ce qu'il y a dans l'immeuble?
5. Combien d'étages est-ce qu'il y a dans l'immeuble?

Exercice 3 Les Dupont

Complétez l'histoire. *(Complete the story.)*

Voici la famille Dupont. Dans la ＿＿＿＿ Dupont il y a quatre ＿＿＿＿ . Monique est la ＿＿＿＿ et Philippe est le ＿＿＿＿ . Monique est la ＿＿＿＿ de Philippe et Philippe est le ＿＿＿＿ de Monique.

La famille Dupont a un ＿＿＿＿ à Paris. L'appartement est dans un ＿＿＿＿ . Il y a six ＿＿＿＿ dans l'appartement. L'appartement n'est pas au rez-de-chaussée. Il est au deuxième ＿＿＿＿ .

Structure

Le verbe irrégulier *avoir* au présent

The verb **avoir,** like the verb **aller,** is an irregular verb because it follows a pattern of its own. Study the present tense forms. Note the /z/ sound (liaison) in the plural forms.

Infinitive		avoir	
Present tense	j'ai	nous avons	
	tu as	vous avez	
	il/elle a	ils/elles ont	

Remember that a **-t-** must be inserted with **il/elle** in the inverted question or interrogative form.

> **A-t-il un chien?**
> **A-t-elle une sœur?**

The verb **avoir** is used to express age.

L'âge
— Quel âge avez-vous?   — Quel âge as-tu?
— J'ai vingt-deux ans.   — J'ai seize ans.

Exercice 1 Les Dupont
Répondez. *(Answer.)*

1. Est-ce que Madame Dupont a deux enfants?
2. Est-ce que Monique a un frère?
3. Est-ce que Philippe a une sœur?
4. Est-ce que Monsieur et Madame Dupont ont deux enfants?
5. Est-ce qu'ils ont une fille?
6. Est-ce qu'ils ont un appartement à Paris?
7. Est-ce qu'ils ont un chien?

Exercice 2 As-tu une sœur?
Pratiquez la conversation. *(Practice the conversation.)*

Annie Gilbert, as-tu une sœur?
Gilbert Oui, j'ai une sœur et j'ai un frère aussi.
Annie Est-ce que vous avez un chien?
Gilbert Non, nous n'avons pas de chien. Nous avons un chat.

Exercice 3 As-tu un frère?

Répondez avec J'ai. *(Answer with J'ai.)*

1. As-tu un frère?
2. Combien de frères as-tu?
3. As-tu une sœur?
4. Combien de sœurs as-tu?
5. As-tu une cousine?
6. Combien de cousines as-tu?
7. As-tu un cousin?
8. Combien de cousins as-tu?

Exercice 4 Des questions

Posez une question à un ami avec Est-ce que tu as. *(Ask a question of a friend with Est-ce que tu as.)*

1. un frère
2. une sœur
3. un cousin
4. une cousine

5. un chien
6. un chat
7. un copain français

Exercice 5 Nous avons une maison.

Suivez le modèle. *(Follow the model.)*

Nous avons une maison à Nice.
Pardon? Qu'est-ce que vous avez?

1. Nous avons un appartement à Paris.
2. Nous avons une maison à Saint-Malo.

3. Nous avons un chien adorable.
4. Nous avons un chat adorable.

Exercice 6 Avez-vous un chien?

Répondez avec Nous avons. *(Answer with Nous avons.)*

1. Avez-vous un chien?
2. Avez-vous un chat?
3. Avez-vous un disque?

4. Avez-vous une maison ou un appartement?

Exercice 7 La famille Dejarnac

Complétez avec avoir. *(Complete with avoir.)*

Voici la famille Dejarnac. Ils _____ un appartement à Paris. Ils _____ aussi une maison à Nice. L'appartement _____ six pièces et la maison _____ six pièces aussi.

Dans la famille Dejarnac il y a quatre personnes: la mère, le père et deux enfants. Guillaume, le fils, _____ une sœur. Jacqueline, la fille, _____ un frère. Guillaume _____ seize ans et Jacqueline _____ dix-huit ans.

Quel âge _____-tu? Combien de frères et combien de sœurs _____-tu? _____-vous un chat? _____-vous un chien?

Moi, je suis Alexandre. J'_____ quinze ans. J'_____ deux sœurs et un frère. Nous _____ un chien adorable mais nous n'_____ pas de chat.

L'article indéfini au pluriel: affirmatif et négatif

The plural of the indefinite articles **un** and **une** is **des.** The plural of the indefinite article means *some* or *any* in English. Note the liaison with **des** before any noun beginning with a vowel or silent **h.**

Singular	Plural
J'ai un copain français.	J'ai des copains français. J'ai des amies.

In English the word *some* can sometimes be omitted. However, the French **des** is never omitted.

French	English
J'ai des amis français.	*I have French friends.* *I have some French friends.*

Un, une, or des become de when they follow a verb in the negative. De contracts to d' when the noun begins with a vowel or silent h.

J'ai une guitare.	**Je n'ai pas de guitare.**
J'ai un chien.	**Je n'ai pas de chien.**
Nous avons des disques.	**Nous n'avons pas de disques.**
Nous avons des amis français.	**Nous n'avons pas d'amis français.**

Exercice 8 Avez-vous un frère?
Répondez avec *Oui.* *(Answer with **Oui.**)*

1. Avez-vous un frère?
2. Avez-vous une sœur?
3. Avez-vous des cousins?
4. Avez-vous des copains?

Exercice 9 Je n'ai pas de chien.
Répondez avec *Non.* *(Answer with **Non.**)*

1. Avez-vous un chien?
2. Avez-vous un chat?
3. Avez-vous un appartement à Paris?
4. Avez-vous une maison à Nice?
5. Avez-vous des disques?
6. Avez-vous des cousins français?
7. Avez-vous des amis français?

Exercice 10 La famille de Robert

Choisissez. (Choose.)

1. J'ai _____ frère. **un, des**
2. Robert n'a pas _____ frères. **des, de**
3. Il a _____ sœurs. **des, une**
4. La famille de Robert a _____ appartement à Paris. **un, d'**

Exercice 11 Robert et moi

Complétez. (Complete.)

1. Robert a _____ disques mais moi, je n'ai pas _____ disques.
2. Robert a _____ copains français mais moi, je n'ai pas _____ copains français. Moi, j'ai _____ copains américains.
3. Robert a _____ sœurs mais moi, je n'ai pas _____ sœurs. J'ai _____ frères.

L'expression *il y a*

The expression **il y a** can mean either *there is* or *there are*. Therefore, **il y a** can be followed by either a singular or a plural noun.

Singular	Plural
Il y a un chien dans le parc.	Il y a deux chiens dans le parc.
Il y a une fille dans la famille.	Il y a deux filles dans la famille.

To form a question, **est-ce qu'** can be used with **il y a.**

Est-ce qu'il y a un chien dans le parc?

Il y a can also be inverted to form a question. A **-t-** must be inserted in the inverted form.

Y a-t-il un chien dans le parc?

The expression **combien de** (*how many, how much*) is often used with **est-ce qu'il y a** or **y a-t-il. Combien de** becomes **combien d'** before a noun that begins with a vowel or an **h.**

Combien de garçons est-ce qu'il y a dans la classe de français?
Combien de filles est-ce qu'il y a dans la classe de français?
Combien d'amis est-ce qu'il y a à la fête?

Exercice 12 La famille Grandjean
Répondez d'après l'illustration. *(Answer according to the illustration.)*

1. Combien de personnes est-ce qu'il y a
   dans la famille?
   Combien d'enfants y a-t-il?
   Combien de fils y a-t-il?
   Combien de filles y a-t-il?

3. Combien d'appartements est-ce qu'il y
   a dans l'immeuble?

2. Combien de pièces y a-t-il dans
   l'appartement?

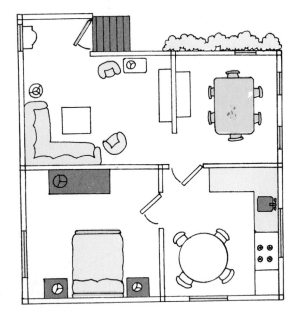

4. Combien d'étages est-ce qu'il y a
   dans l'immeuble?

Prononciation

Liaison avec *s*

Silent *s*	*s* = *z* (liaison)
les copains	les amis
vous dansez	vous êtes
les garçons	les élèves
dans le lycée	dans un lycée
ils donnent	ils écoutent
nous chantons	nous aimons

Accent et intonation

Voilà!
Voilà Marie!
Voilà Marie-Ange!
Voilà Marie-Ange et Suzanne Dupont!

Il parle.
Il parle français.
Il parle français avec Luc.
Il parle français avec Luc et Gilbert.

Dansez!
Dansez avec moi!
Dansez avec moi à la fête!
Dansez avec moi à la fête de Suzanne!

Conversation

Qui es-tu?

Complete the conversation. Use personal responses.

— Bonjour. Qui es-tu?

— _____

— Es-tu américain(e) ou français(e)?

— _____

— Où habites-tu?

— _____

— Quel âge as-tu?

— _____

— Combien de sœurs as-tu?

— _____

— Combien de frères as-tu?

— _____

— Avez-vous un appartement ou une maison?

— _____

— Avez-vous un chien?

— _____

— Avez-vous un chat?

— _____

ℓecture culturelle

La famille Dupont

Voilà la famille Dupont. Ils habitent Paris. Comme° beaucoup de familles à Paris, ils habitent un appartement. Ils ont un appartement dans un immeuble dans le septième arrondissement. Dans l'appartement il y a six pièces. L'appartement de la famille Dupont n'est pas au rez-de-chaussée. Il est au deuxième étage.

Dans la famille Dupont il y a quatre personnes: la mère, le père, un fils et une fille. Le fils est Philippe et la fille est Monique. Monique a seize ans et Philippe a dix-huit ans.

Ce soir° la famille Dupont ne va pas dîner à la maison. Ils vont dîner dans un restaurant du quartier.° Mais voilà Médor. Médor est un chien. Va-t-il rester° à la maison tout seul? Non, Médor aussi va au restaurant avec la famille.

°**Comme** *Like*   °**Ce soir** *Tonight*   °**du quartier** *neighborhood*   °**rester** *to stay*

98

Exercice Choisissez. *(Choose.)*

1. La famille Dupont est _____ .
   a. française
   b. américaine
   c. de Nice

2. Beaucoup de familles à Paris habitent _____ .
   a. des lycées
   b. des appartements
   c. des maisons privées (*private*)

3. Dans l'appartement de la famille Dupont il y a _____ .
   a. six pièces
   b. six étages
   c. six immeubles

4. L'appartement est _____ .
   a. dans une maison
   b. au deuxième étage
   c. au rez-de-chaussée

5. Monsieur et Madame Dupont ont _____ .
   a. deux chiens
   b. un frère et une sœur
   c. deux enfants

6. _____ de Monsieur et Madame Dupont est Monique.
   a. La sœur
   b. Le fils
   c. La fille

7. Phillippe est _____ de Monique.
   a. le fils
   b. le chien
   c. le frère

8. Ce soir la famille va dîner _____ .
   a. à sept heures
   b. dans un restaurant
   c. à la maison

9. Médor va _____ .
   a. rester à la maison
   b. être tout seul
   c. aller au restaurant avec la famille

Activités

1 **Vrai ou faux? Regardez le plan.**
(True or false? Look at the map.)

- Les quartiers de Paris sont des arrondissements.
- La Seine divise Paris en deux.
- Les quartiers de Paris au sud de la Seine sont sur la rive droite.
- Le septième arrondissement est sur la rive gauche.

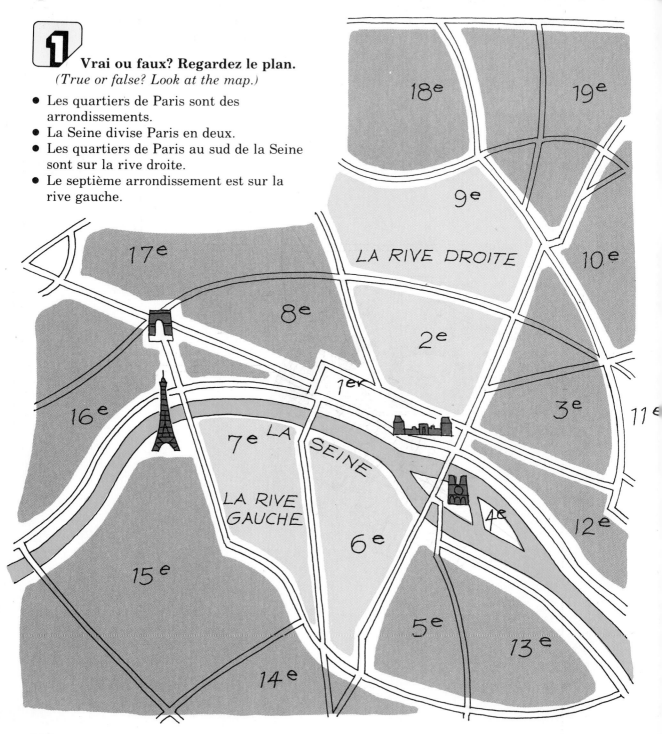

2 Start to write your autobiography. Keep your autobiography—for you will add to it as you continue your study of French. As a reminder, some of the things you can tell about yourself are: your name, your nationality, where you are from, your age, how many people there are in your family, a brief description of yourself, your school, the subjects you are good in, whether or not you like sports, some of your daily activities, whether or not you have a pet.

3 Look at the illustration. Say as much as you can about it.

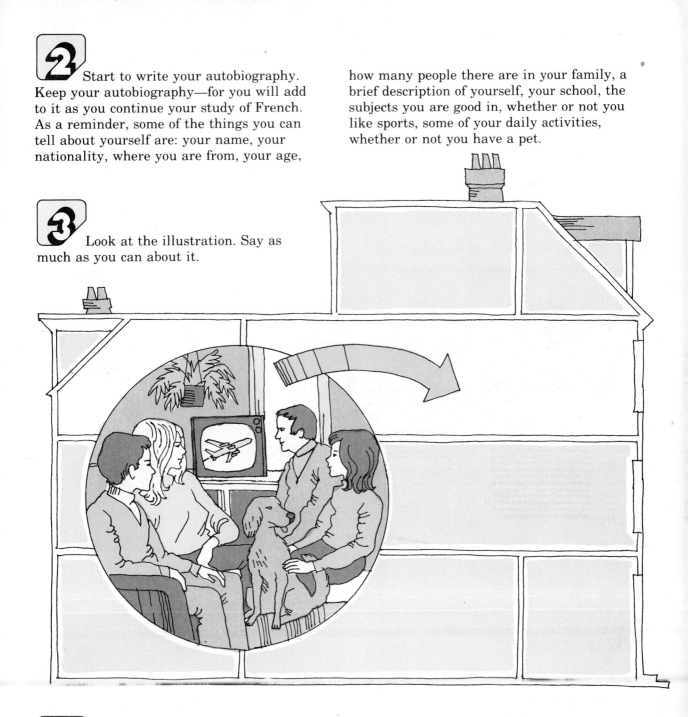

4 Look at the illustration again and make up as many questions as you can about it. Ask your questions of other members of the class to see if they can answer.

galerie vivante

La famille Kerbirio n'habite pas la ville. Ils ont une maison à la campagne. Combien d'enfants est-ce qu'il y a dans la famille?

Voici des immeubles typiques du 18e arrondissement de Paris. Combien d'étages est-ce qu'il y a dans les immeubles?

Voici le modèle d'une petite maison individuelle. Est-ce que le couple va acheter la maison?

Cette maison prete a finir pour 135.000F SERVITEC

REZ-DE-CHAUSSEE

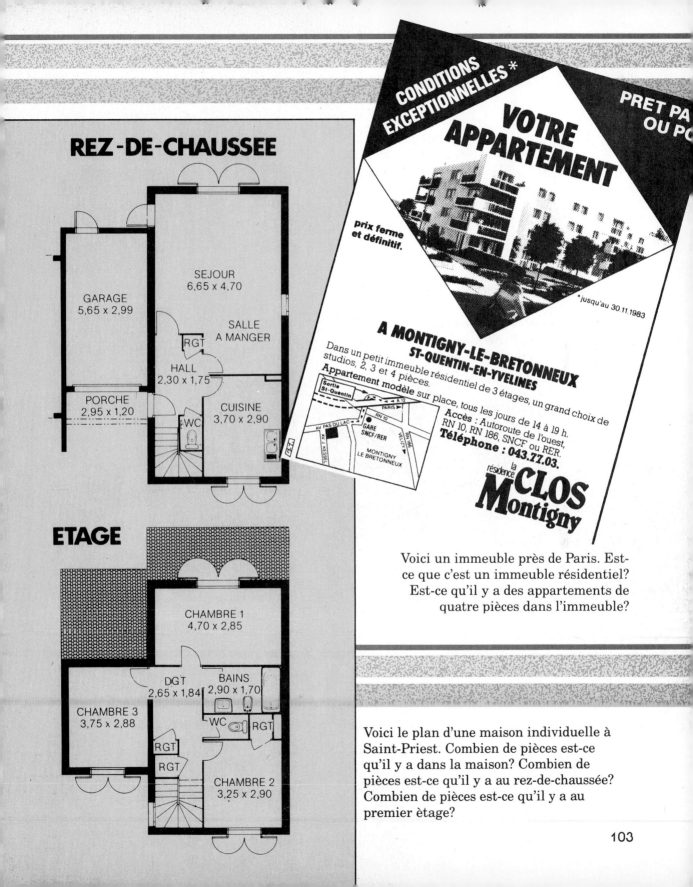

GARAGE
5,65 x 2,99

SEJOUR
6,65 x 4,70

SALLE
A MANGER

RGT

HALL
2,30 x 1,75

CUISINE
3,70 x 2,90

PORCHE
2,95 x 1,20

WC

ETAGE

CHAMBRE 1
4,70 x 2,85

DGT
2,65 x 1,84

BAINS
2,90 x 1,70

CHAMBRE 3
3,75 x 2,88

WC

RGT

RGT

RGT

CHAMBRE 2
3,25 x 2,90

Voici un immeuble près de Paris. Est-ce que c'est un immeuble résidentiel? Est-ce qu'il y a des appartements de quatre pièces dans l'immeuble?

Voici le plan d'une maison individuelle à Saint-Priest. Combien de pièces est-ce qu'il y a dans la maison? Combien de pièces est-ce qu'il y a au rez-de-chaussée? Combien de pièces est-ce qu'il y a au premier ètage?

103

8 On fait les courses

le boulanger

la vendeuse

le pain

la baguette

l'argent

Jacques est **chez** le boulanger.
Il **achète du** pain.
Il achète une baguette.
Il donne **de** l'argent à la vendeuse.

Jacques **fait les courses.**
Il fait les courses **le matin.**
Il ne fait pas les courses dans **un supermarché.**
Il fait les courses **au marché.**

Exercice 1 Jacques fait les courses.
Répondez. *(Answer.)*

1. Qui fait les courses?
2. Fait-il les courses le matin?

3. Fait-il les courses dans un supermarché?
4. Où fait-il les courses?

Exercice 2 Chez le boulanger
Complétez. *(Complete.)*

Jacques est chez le boulanger. Il achète du _____ . Il achète une _____ . Il donne de l'_____ à la vendeuse. La vendeuse donne la _____ à Jacques.

Mme Leclerc fait les courses.
Qu'est-ce qu'elle achète et où?

Elle achète **du pain**  chez **le boulanger** ou **la boulangère**.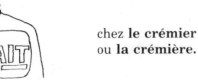

Elle achète **du lait** chez **le crémier** ou **la crémière**.

Elle achète **de la viande** chez **le boucher** ou **la bouchère**.

Elle achète **des gâteaux** chez **le pâtissier** ou **la pâtissière**.

Elle achète **du poisson** 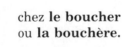 chez **le poissonnier** ou **la poissonnière**.

Elle achète **des fruits**  chez **la marchande de légumes**.

Elle achète **des légumes**  chez **le marchand de légumes**.

Exercice 3   Madame Leclerc fait les courses.
Qu'est-ce qu'elle achète?

1. Elle achète du _____ .

3. Elle achète du _____ .

5. Elle achète du _____ .

2. Elle achète de la _____ .

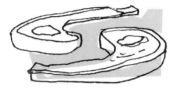

4. Elle achète des _____ .

Exercice 4   Madame Leclerc fait les courses.
Où va-t-elle?

1. Elle achète du lait. Elle va chez _____ _____ .

2. Elle achète des légumes. Elle va chez _____ _____ .

3. Elle achète des gâteaux. Elle va chez _____ _____ .

106

4. Elle achète du pain.
   Elle va chez _____ _____ .

5. Elle achète de la viande.
   Elle va chez _____ _____ .

Note

Pay special attention to the verb **acheter.** The **e** of the stem becomes **è** in the **je, tu, il/elle,** and **ils/elles** forms.

Infinitive	acheter	
Present tense	j'achète	nous achetons
	tu achètes	vous achetez
	il/elle achète	ils/elles achètent

Note the use of the preposition **chez** when referring to food stores. When one says **Je vais chez le boucher,** the meaning is *I am going to the butcher's.* The emphasis is on the person who owns the establishment. One can also use the preposition **à** and say **Je vais à la boucherie.** The meaning of this sentence is *I am going to the butcher shop,* and the emphasis is on the establishment rather than the proprietor. Here are the names of the various shops.

Les magasins

Un boulanger a une boulangerie.
Un crémier a une crémerie.
Un boucher a une boucherie.
Un pâtissier a une pâtisserie.
Un poissonnier a une poissonnerie.

Exercice Les magasins

Complétez. *(Complete.)*

1. Je vais à la _____ où j'_____ du pain.
2. Nous allons à la _____ où nous _____ de la viande.
3. Ils vont à la _____ où ils _____ des gâteaux.
4. Vous allez à la _____ où vous _____ du poisson.

Structure

Le verbe *faire* au présent

The verb **faire** is another irregular verb. Study the present tense forms.

Infinitive	faire	
Present tense	je fais	nous faisons
	tu fais	vous faites
	il/elle fait	ils/elles font

Faire is a very useful verb since it is used quite frequently in French. The literal meaning of the verb **faire** is *to do* or *to make*.

Je fais un sandwich.   *I'm making a sandwich.*
Qu'est-ce que vous faites?   *What are you doing?* or *What do you do?*

The verb **faire** is also used in many idiomatic expressions. An idiomatic expression is one that does not translate directly from one language to another. The expression **faire les courses** is an example. It is an idiomatic expression because in French the verb **faire** is used, whereas in English we would use the verb *to go*. **Faire les courses** means *to go shopping*.

Here are some other expressions that use the verb **faire**. You should be able to guess what they mean.

faire attention   **faire de la guitare**
faire du sport   **faire de la photographie**
faire du français (de l'anglais)   **faire un voyage**
faire du piano

Exercice 1 Les garçons font les courses.

Pratiquez la conversation. *(Practice the conversation.)*

Luc   Salut, Paul. Qu'est-ce que tu fais?
Paul Moi, je fais les courses.
Luc   Nous aussi, nous faisons les courses.
Paul Vous faites les courses aussi au marché de la rue Cler?
Luc   Bien sûr!
Paul Vous aimez faire les courses?
Luc   Oui.
Paul Sans blague! Pas moi. Tout au contraire. Je déteste faire les courses.

Exercice 2 Les amis font les courses.

Répondez d'après la conversation de l'exercice 1. *(Answer according to the conversation of exercise 1.)*

1. Est-ce que Paul fait les courses?
2. Fait-il les courses au marché de la rue Cler?
3. Est-ce que les amis de Paul font les courses aussi?
4. Font-ils les courses au même marché?

Exercice 3 Personnellement

Répondez. *(Answer.)*

1. À l'école, est-ce que tu fais du français?
2. Tu fais de l'anglais?
3. Tu fais de la gymnastique?
4. Tu fais des mathématiques?

Exercice 4 Vous aussi

Complétez d'après le modèle. *(Complete according to the model.)*

Nous faisons les courses...
Nous faisons les courses, et vous aussi,
  vous faites les courses.

1. Nous faisons les courses...
2. Nous faisons les courses le matin...
3. Nous faisons les courses dans un supermarché...

Exercice 5 Mon copain Gilbert

Complétez. *(Complete.)*

Voilà Gilbert, un copain du lycée. Il est très sportif. Il _fait_ toujours du sport. Moi aussi, je _fais_ du sport. Gilbert et moi, nous _faisons_ du volley. Nous _faisons_ aussi de la gymnastique. Gilbert est aussi très fort en français. Il parle toujours français avec une copine, Debbi. Les deux _font_ du français avec Madame Benoît. Ils aiment beaucoup le cours de français. Qu'est-ce qu'ils _font_ dans la classe de Madame Benoît? Ils parlent beaucoup et ils chantent des chansons françaises. Vous _faites_ du français aussi, n'est-ce pas? Avec qui _faites_-vous du français?

Mais il y a une chose que Gilbert ne _fait_ pas. Il déteste _faire_ les courses. Pas moi. J'aime _faire_ les courses.

Exercice 6 Qu'est-ce que vous faites?

Look at each picture. Ask the person or persons in the picture what they are doing and give their answer.

109

Le partitif

In French the definite article **(le, la, l', les)** is used when speaking of a specific object:

> **Le poisson est dans la cuisine.** *The fish is in the kitchen.* (A specific fish is in the kitchen.)
> **Voilà le dessert.** *Here's the dessert.* (meaning a specific dessert)

The definite article is also used when speaking of a noun in a general sense:

> **Elle aime le lait.** *She likes milk.* (meaning she likes milk in general)
> **Il aime le dessert.** *He likes dessert.* (dessert in a general sense)

However, when only a quantity of the noun is referred to, the partitive construction is used. The partitive is usually expressed in English by *some* or *any,* or sometimes by no word at all. Look at these sentences:

> **As-tu du lait?** *Do you have any milk?*
> **Je vais commander du dessert.** *I'm going to order (some) dessert.*

In the sentences above, the partitive construction is used because only a certain quantity of the item is referred to, even though we don't know exactly what the quantity is.

The partitive in French is expressed by **de** plus the definite article. **De** combines with the definite article **le** to form **du** and with the definite article **les** to form **des. De l'** and **de la** remain unchanged.

de + le = du	**J'ai du pain.**
de + la = de la	**Avez-vous de la crème?**
de + l' = de l'	**Nous avons de l'argent.**
de + les = des	**Il achète des légumes.**

Exercice 7   Qu'est-ce que les amis vont faire?

Complétez avec le partitif. *(Complete with the partitive.)*

1. Je vais préparer _____ salade.

2. Jean va faire les courses. Il va acheter _____ pain, _____ lait et _____ gâteaux.

3. Il va chez le boucher où il va acheter _____ viande.

4. Il y a _____ fruits sur la table.

5. Jeannette va commander _____ pommes frites.

6. Thérèse prépare _____ sandwiches dans la cuisine.

7. Je vais donner _____ argent à Robert.

Exercice 8 Écoutes-tu de la musique?

Répondez d'après le modèle. *(Answer according to the model.)*

Écoutes-tu de la musique?
Oui, j'écoute de la musique.
J'aime beaucoup la musique.

1. Écoutes-tu du jazz?
2. Vas-tu acheter du pain?
3. Achètes-tu des gâteaux?
4. Commandes-tu du dessert?
5. Commandes-tu de la soupe aussi?

Exercice 9 Avez-vous de la viande?

Posez une question d'après le modèle. *(Ask a question according to the model.)*

J'aime beaucoup la viande.
Avez-vous de la viande, madame?

1. J'aime beaucoup le lait.
2. J'aime beaucoup la salade.
3. J'aime beaucoup les gâteaux.
4. J'aime beaucoup le pain français.
5. J'aime beaucoup les fruits.

Le partitif à la forme négative

Compare the following affirmative and negative sentences.

Affirmative	Negative
Commandes-tu du dessert?	Non, je ne commande pas de dessert.
J'ai de l'argent.	Je n'ai pas d'argent.
Je vais préparer des légumes.	Je ne vais pas préparer de légumes.

Note that the partitive articles **du, de l', de la,** and **des** all become **de** when they follow a negative verb. **De** shortens to **d'** before a noun that begins with a vowel or a silent **h.**

The same rule holds true for the expressions with **faire** that take **de.**

Je fais du français.　　**Je ne fais pas de latin.**

Exercice 10 Elle fait les courses.

Répondez d'après le modèle. *(Answer according to the model.)*

Achète-t-elle du pain chez le boucher?
Non, elle n'achète pas de pain chez le
  boucher.
Elle achète du pain chez le boulanger.

1. Achète-t-elle de la viande chez le boulanger?
2. Achète-t-elle du poisson chez le boucher?
3. Achète-t-elle du lait chez le marchand de légumes?
4. Achète-t-elle des gâteaux chez le poissonnier?

Exercice 11 Les sœurs de Charles

Complétez avec la forme convenable du partitif. *(Complete with the
appropriate partitive form.)*

Charles a _____ sœurs mais il n'a pas _____ frères. Les deux sœurs de
Charles sont Cassandre et Catherine. Cassandre fait _____ anglais mais
Catherine ne fait pas _____ anglais, elle fait _____ latin.
  Quand la famille va au restaurant Catherine commande toujours _____
viande. Cassandre ne commande pas _____ viande. Elle n'aime pas du tout la
viande. Elle commande toujours _____ poisson. Cassandre aime beaucoup la
salade et elle commande toujours _____ salade. Mais pas _____ salade pour
Catherine! Elle commande toujours _____ légumes. Elle adore les pommes de
terre frites. Les préférences sont différentes, mais c'est la vie.

𝔓rononciation   *O fermé et o ouvert*

Be sure to distinguish between the two *o* sounds of French. To pronounce the **o
fermé,** the lips should be rounded and thrust forward slightly, as in whistling. To
pronounce the **o ouvert,** the jaws should be open fairly wide.

o fermé	*o ouvert*
radio	fort
bientôt	formidable
maillot	Robert
posez	professeur
beaucoup	Nicole
au	dommage
aussi	joli

𝒫ratique et dictée

Bientôt j'écoute la radio.   Robert est formidable!
Posez beaucoup de questions au professeur. Dommage! Il n'est pas fort!

Expressions utiles

In English the expression *I would like* (*I'd like*) is a polite way to say *I want*. It is used in conversation when *I want* would be too abrupt. There is an exact equivalent in French for *I would like*.

Je voudrais une baguette, s'il vous plaît.

In rich languages such as English and French, there is often more than one way to express basically the same idea. For example, in English there are several ways to express the idea *very*. We may say *That's very expensive*. We may also say *That's quite expensive*, *That's rather expensive*, or *That's pretty expensive*. There are similar options in French.

C'est très cher.
C'est bien cher.
C'est assez cher.

113

vocabulaire utile

Dans un marché ou un supermarché

le marchand

les conserves en boîtes

le savon

une bouteille
d'eau minérale

haricots verts
20F le kilo

½ kilo = une livre

fraises
15F la boîte

le papier
hygiénique

la marchande

Conversation

Chez un marchand de fruits au marché de la rue Cler

Marchand	Bonjour, madame.
Mme Dupont	Bonjour, monsieur.
Marchand	Comment allez-vous aujourd'hui?
Mme Dupont	Très bien, merci. Et vous?
Marchand	Très bien. Et qu'est-ce que madame désire aujourd'hui?
Mme Dupont	À combien sont les haricots verts?
Marchand	Dix francs le kilo.
Mme Dupont	Je voudrais une livre, s'il vous plaît.
Marchand	D'accord. Une livre.
Mme Dupont	Et à combien sont les fraises?
Marchand	Ah! Les fraises d'Israël. Douze francs la boîte.
Mme Dupont	Oh là là! C'est bien cher, ça.
Marchand	Oui, madame. Mais elles sont exquises.
Mme Dupont	Très bien. Une boîte, s'il vous plaît. Ça fait combien?
Marchand	Alors, les fraises et les haricots verts, ça fait dix-sept francs, madame. Merci, madame.
Mme Dupont	Au revoir, monsieur.
Marchand	Au revoir, madame.

Exercice Choisissez. *(Choose.)*

1. Madame Dupont _____ .
   a. va chez une amie
   b. fait les courses
   c. prépare une fête

2. Elle fait les courses _____ .
   a. au supermarché
   b. au marché de la rue Cler
   c. chez le boulanger

3. Les haricots verts coûtent dix francs _____ .
   a. la livre
   b. la boîte
   c. le kilo

4. Madame parle avec _____ .
   a. le marchand de fruits
   b. le boucher
   c. la famille

5. Madame achète _____ .
   a. une baguette de pain
   b. une boîte de fraises
   c. deux kilos de haricots verts

ℒecture culturelle

On fait les courses

Est-ce qu'il y a des supermarchés en France?
Oui, il y a des supermarchés. Mais les Français
ne vont pas souvent* au supermarché pour
faire les courses. Les Français aiment faire les
courses dans des magasins spécialisés. Ils
n'achètent pas tout* dans le même* magasin.
Ils font les courses dans plusieurs* magasins.
Pour acheter de la viande, ils vont chez le
boucher. Pour acheter du pain, ils vont chez le
boulanger.

Presque tous les matins* les Français vont
chez le boulanger. Chez le boulanger ils
achètent du pain et des croissants ou des
brioches*.

Pourquoi les Français aiment-ils aller dans
des magasins spécialisés? Premièrement, la
qualité est presque toujours* excellente.
Deuxièmement, les Francais aiment converser
un peu avec le marchand ou la marchande. Ils
trouvent ça* très sympa.

---

* **souvent** *often*   * **tout** *everything*   * **même** *same*   * **plusieurs** *several*   * **tous les**
matins *every morning*   * **brioche** *type of roll*   * **presque toujours** *almost always*
* **Ils trouvent ça** *They find this*

Et alors, qu'est-ce qu'ils achètent au supermarché? Au supermarché ils achètent, par exemple, des conserves en boîtes, des bouteilles d'eau minérale, du papier hygiénique et du savon.

Exercice Répondez. *(Answer.)*

1. Est-ce qu'il y a des supermarchés en France?
2. Est-ce que les Français vont souvent faire les courses au supermarché?
3. Aiment-ils faire les courses dans des magasins spécialisés?
4. Où vont-ils acheter de la viande?
5. Où vont-ils acheter du pain?
6. Vont-ils souvent chez le boulanger?
7. Dans les magasins spécialisés, est-ce que la qualité est excellente?
8. Est-ce que les Français aiment converser un peu avec les marchands?
9. Qu'est-ce que les Français achètent au supermarché?

Activités

1 Look at the photographs and tell
what the French people buy at each shop.

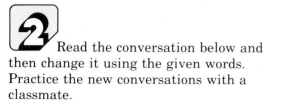

Read the conversation below and then change it using the given words. Practice the new conversations with a classmate.

— Qu'est-ce que tu vas faire, Carole?
— Je vais faire les courses.
— Qu'est-ce que tu vas acheter?
— **Du pain.**
— Ah, tu vas chez **le boulanger?**
— Oui.

Change **pain** to **viande; fraises; eau minérale; croissants.** Change **boulanger** to the appropriate merchant.

Tell whether the customs described are basically French or American.

- Tous les matins nous allons chez le boulanger pour acheter du pain.
- Nous achetons presque tout au supermarché.
- Nous faisons les courses tous les matins.
- Nous aimons faire les courses dans des magasins spécialisés.

galerie vivante

Une charcuterie à Paris

Madame Joubert est chez le marchand de légumes. À combien sont les carottes aujourd'hui?

Quand les Français vont au marché ils ne parlent pas de «pounds.» Il n'y a pas de «pounds» dans le système métrique. Il y a des kilos. Un kilo (un kilogramme) est l'équivalent de 2,2 «pounds.» Dans un kilo il y a mille (1,000) grammes. Un demi-kilo (1/2 kg) est une livre. Combien coûte une livre de tomates?

Madame Picard fait les courses au supermarché à Beaune. Est-ce que le chien de Madame Picard reste à la maison?

Au supermarché on paie à la caisse. Est-ce que Mme Martin et Brigitte achètent de l'eau minérale? Combien de bouteilles ont-elles?

Quand Madame Dupont va au marché à Paris, elle paie avec des francs français. Il y a des billets et des pièces.

Billets		Pièces	
10F	100F	1F	5F
20F	200F	2F	10F
50F	500F		

Le franc est divisé en centimes.

Pièces	
1c	20c
5c	50c
10c	

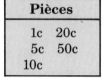

Révision

René a une sœur

— René, tu as des frères?

— Non, non. Je n'ai pas de frères mais j'ai une sœur, Ginette.

— Vous allez au même lycée?

— Non. Ginette ne va pas au lycée. Elle a douze ans et elle va au collège.

— Vous habitez la rue Berthollet, n'est-ce pas?

— Non. Nous habitons la rue de Grenelle dans le septième.

Exercice 1 La sœur de René

Complétez.

René Giraudoux n'_____ pas _____ frères, mais il _____ une sœur. La sœur de René est Ginette. René et Ginette ne _____ pas _____ même lycée. Ginette ne _____ pas _____ lycée. Elle _____ douze ans et elle _____ au collège.

La famille de René et Ginette _____ le septième arrondissement. Ils _____ un appartement dans la rue de Grenelle.

Les verbes en -er

Review the following forms of the present tense of regular **-er** verbs.

Infinitive	parler	aimer
Present tense	je parle	j'aime
	tu parles	tu aimes
	il/elle parle	il/elle aime
	nous parlons	nous aimons
	vous parlez	vous aimez
	ils/elles parlent	ils/elles aiment

Exercice 2 Qu'est-ce qu'on fait pendant la fête?
Complétez.

1. Moi, je _____ avec un copain.

2. André _____ une salade dans la cuisine.

3. Les amis _____ des disques de jazz.

4. Nous _____ .

5. Et vous? Est-ce que vous _____ la télé?

Exercice 3 Personnellement

Répondez.

1. Où habites-tu?
2. Parlez-vous anglais ou français à la maison?
3. Dînes-tu à la maison?
4. Après le dîner, regardez-vous la télévision?
5. Tu aimes regarder la télévision?

Les verbes irréguliers

Review the three irregular verbs that you have learned.

Infinitive	aller	avoir	faire
Present tense	je vais	j'ai	je fais
	tu vas	tu as	tu fais
	il/elle va	il/elle a	il/elle fait
	nous allons	nous avons	nous faisons
	vous allez	vous avez	vous faites
	ils/elles vont	ils/elles ont	ils/elles font

Exercice 4 Personnellement

Répondez.

1. As-tu des frères ou des sœurs?
2. Combien de frères ou de sœurs as-tu?
3. Allez-vous à la même école?
4. À quelle école vas-tu (allez-vous)?
5. Fais-tu du français?

Exercice 5 Parlons!

Tell what you or someone else studies, at what time the person goes to that class, and what he/she thinks of the teacher.

Robert / du latin
Robert fait du latin.
Il va à la classe de latin à neuf heures.
Il a un professeur très sympa.

1. Caroline / de l'histoire
2. Moi, je / du français
3. Claude et René / des maths
4. Nous / de l'anglais
5. Tu / de la biologie
6. Vous / de la gymnastique

L'article indéfini

The indefinite articles (a, an) are **un, une.** The plural (some) of **un, une** is **des.**

Singular	Plural
J'ai **un** frère.	J'ai **des** frères.
Eugénie a **une** sœur.	Eugénie a **des** sœurs.

Exercice 6 Un, une, des
Complétez.

1. Claudine va avoir _____ anniversaire. Roger va donner _____ fête. Il va inviter _____ amis.
2. Au restaurant je vais commander _____ steak saignant avec _____ pommes frites et _____ salade.
3. La famille Dejarnac a _____ appartement à Paris et _____ maison à Nice.

Le partitif

Remember that the partitive (some, any) is expressed by **de** plus the definite article in French. **De** contracts with **le** to form **du** and with **les** to form **des.** Remember, too, that in the negative **du, de la, de l',** and **des** all become **de.**

Affirmative	Negative
J'ai du pain.	Je n'ai pas de pain.
J'ai de la viande.	Je n'ai pas de viande.
J'ai de l'argent.	Je n'ai pas d'argent.
J'ai des gâteaux.	Je n'ai pas de gâteaux.

Un and **une** also become **de** when they follow a verb in the negative.

Ils ont une maison à Nice.   **Ils n'ont pas de maison à Nice.**

Exercice 7 Robert a de la viande.
Suivez le modèle.

Robert / viande, légumes
Robert a de la viande mais il n'a pas de légumes.

1. Robert / frères, sœurs
2. Robert / disques, argent
3. Robert / viande, salade
4. Robert / salade, pommes frites
5. Robert / poisson, fruits

ℒecture culturelle

Une surprise-partie

René va donner une surprise-partie. Mais qu'est-ce que c'est qu'une surprise-partie? Il y a une différence entre une surprise-partie américaine et une surprise-partie française. Aux États-Unis nous donnons une surprise-partie pour un(e) ami(e) ou un parent mais la personne n'est pas au courant de• la fête. Quand il/elle arrive à la fête, il/elle est complètement surpris(e).

Les Français donnent des surprises-parties aussi. Mais la surprise-partie française est une fête tout simple. Il n'y a pas de surprise. Quand les Français donnent une surprise-partie ils invitent des amis ou des parents mais la fête n'est pas une surprise pour une personne spéciale.

Exercice   Qui parle, un Français ou un Américain?

1. Je vais donner une surprise-partie pour Suzanne. Elle va être très contente. Et elle va être très surprise.
2. Vendredi je vais donner une surprise-partie. Je vais inviter des amis chez moi. Nous allons danser et écouter des disques.

•**n'est pas au courant de**   *doesn't know about*

126

qecture culturelle

Une famille ouvrière

la maison des Giraudoux

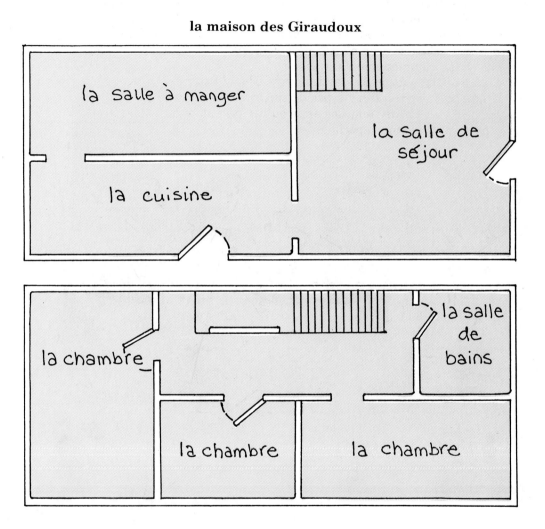

La famille Giraudoux est une famille ouvrière. M. Giraudoux travaille° dans une usine° et Mme Giraudoux travaille dans une banque. Dans la famille Giraudoux il y a trois enfants. Robert et Claudine ne travaillent pas. Ils vont à l'école. Monique a dix-huit ans. Elle ne va pas à l'école. Elle travaille. Elle est vendeuse° à la Samaritaine. La Samaritaine est un grand magasin.

°**travaille** *works*   °**usine** *factory*   °**vendeuse** *salesclerk*

127

Comme beaucoup de familles ouvrières, les Giraudoux n'habitent pas la ville. Ils habitent la banlieue. La famille Giraudoux a une maison à Boulogne-Billancourt dans la banlieue de Paris. Dans la maison il y a six pièces. La cuisine, la salle à manger et la salle de séjour sont au rez-de-chaussée. Au premier étage il y a trois chambres à coucher et bien sûr une salle de bains.

Exercice Choisissez. *(Choose.)*

1. M. Giraudoux travaille dans une usine. Il est _____ .
   a. ouvrier   b. banquier   c. vendeur

2. Monique a _____ .
   a. trois enfants   b. dix-huit ans   c. un grand magasin

3. Monique travaille dans _____ .
   a. une usine   b. un grand magasin   c. une banque

4. La Samaritaine est _____ .
   a. un marché   b. une boutique   c. un grand magasin

5. Beaucoup de familles ouvrières en France habitent _____ .
   a. la banlieue   b. la ville
   c. les arrondissements élégants de Paris

6. Les Giraudoux habitent _____ .
   a. une maison privée   b. un appartement   c. une villa

Lecture culturelle

Supplémentaire

La Martinique

    La Martinique est une île tropicale dans la mer des Caraïbes. Les habitants de la Martinique sont des Martiniquais. Les Martiniquais parlent français parce que la Martinique est un département français. À la Martinique il y a beaucoup d'influence française et il y a aussi beaucoup d'influence africaine. Beaucoup de Martiniquais sont d'origine africaine.

    Comme c'est une île tropicale, il fait toujours chaud à la Martinique. Beaucoup de Français, de Canadiens-français et d'Américains aiment passer les vacances d'hiver à la Martinique. Quand il fait froid dans le Nord, il fait chaud à la Martinique. Le tourisme est une industrie importante pour les Martiniquais.

Exercice **Répondez.**

1. Qu'est-ce que c'est que la Martinique?
2. Où est la Martinique?
3. Qui sont les habitants de la Martinique?
4. Parlent-ils français ou anglais?
5. Est-ce qu'il y a beaucoup d'influence africaine à la Martinique?
6. Pourquoi est-ce qu'il y a beaucoup d'influence africaine?
7. Quel temps fait-il à la Martinique?
8. Qui aime passer les vacances à la Martinique?
9. Aiment-ils aller à la Martinique en été ou en hiver?

9 À l'aéroport

À l'aéroport

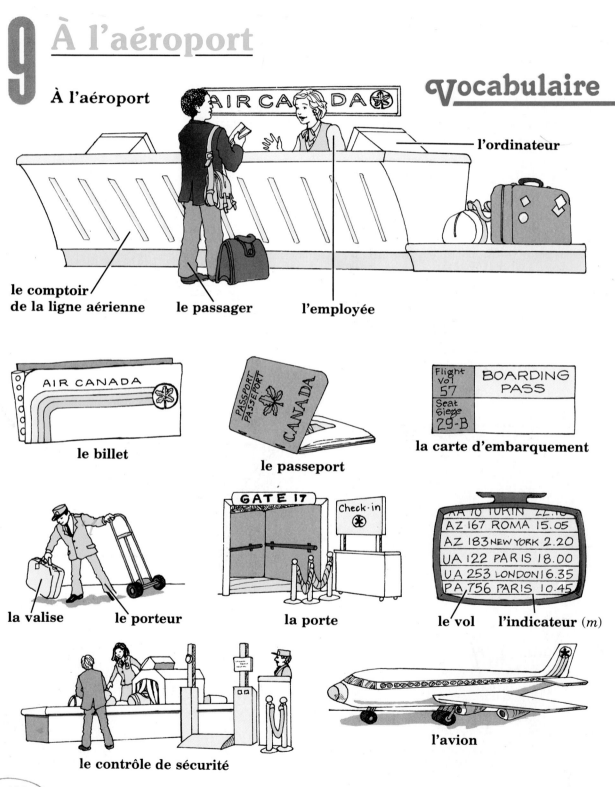

l'ordinateur

le comptoir
de la ligne aérienne

le passager

l'employée

le billet

le passeport

la carte d'embarquement

la valise le porteur

la porte

le vol l'indicateur (*m*)

le contrôle de sécurité

l'avion

Exercice 1   À l'aéroport
Répondez.

1. Est-ce que le passager est au comptoir de la ligne aérienne?
2. Parle-t-il avec l'employée?
3. Est-ce qu'il donne son billet et son passeport à l'employée?
4. Est-ce que l'employée donne une carte d'embarquement au passager?
5. Est-ce que les passagers passent par le contrôle de sécurité?
6. Après ça, vont-ils à la porte?

Exercice 2   Qu'est-ce que c'est?

1.

2.

3.

4.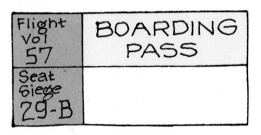

5.

6.

Le porteur aide le passager avec les bagages.

Le passager **montre** son billet à l'employée.

Il **choisit sa place.**

Il **fait enregistrer** ses bagages.

— **Bon voyage,** monsieur!

L'avion **atterrit.**
Les passagers **finissent leur** voyage.

Exercice 3 Un passager arrive.
Répondez.

1. Qui aide le passager avec les bagages?
2. Qu'est-ce que le passager montre à l'employée?
3. Qu'est-ce qu'il choisit?
4. Qu'est-ce qu'il fait enregistrer?

Exercice 4 À l'aéroport
Complétez.

1. Le porteur n'aide pas le passager avec son billet. Il aide le passager avec ses _____ .
2. Le passager ne montre pas son billet au porteur. Il montre son billet à _____ .
3. Le passager ne choisit pas ses bagages. Il choisit sa _____ .
4. Les passagers ne commencent (*begin*) pas leur voyage. Ils _____ leur voyage.

Structure

Les verbes en -ir au présent

Most French verbs are regular **-er** verbs. You already know how to use **-er** verbs in the present tense. Another group of regular verbs have infinitives ending in **-ir**. Study the present tense forms of regular **-ir** verbs. Pay particular attention to the endings.

choose

Infinitive	choisir	finir	ENDINGS
Stem	chois-	fin- *finish*	
Present tense	je choisis	je finis	-is
	tu choisis	tu finis	-is
	il/elle choisit	il/elle finit	-it
	nous choisissons	nous finissons	-issons
	vous choisissez	vous finissez	-issez
	ils/elles choisissent	ils/elles finissent	-issent
Imperative	Choisis!	Finis!	
	Choisissons!	Finissons!	
	Choisissez!	Finissez!	

Note that the final consonant of all the singular forms is silent.

Exercice 1 Madame fait un voyage.
Répondez.

1. Est-ce que Madame Lemoine choisit un vol d'Air France?
2. Choisit-elle le vol numéro quinze?
3. Choisit-elle sa place dans l'avion?
4. Après le voyage, est-ce que l'avion atterrit?
5. Atterrit-il à sept heures?
6. Est-ce que Madame Lemoine finit son voyage?

Exercice 2 Personnellement
Répondez.

1. Choisis-tu un restaurant cher ou économique?
2. Dans le restaurant, choisis-tu de la viande ou du poisson?
3. Choisis-tu un dessert?
4. Quand tu finis le dîner, laisses-tu un pourboire pour le garçon?

133

Exercice 3 Pardon?

Suivez le modèle.

Nous choisissons un restaurant
   économique.
Pardon? Qu'est-ce que vous choisissez?

1. Nous choisissons un steak frites.
2. Nous choisissons des légumes.
3. Nous choisissons une salade.

4. Nous choisissons un dessert.
5. Nous finissons le dîner.

Exercice 4 Au comptoir

Répondez.

1. Est-ce que les passagers choisissent leurs places?
2. Choisissent-ils leurs places au comptoir de la ligne aérienne?
3. Choisissent-ils un vol direct?

Les adjectifs possessifs

Possessive adjectives are used to express possession or ownership. Like other adjectives, a possessive adjective must agree with the noun it modifies. The adjectives **mon** (*my*), **ton** (*your*, familiar), and **son** (*his* or *her*) have three singular forms each.

Masculine singular	mon billet	ton billet	son billet
Feminine singular	ma carte	ta carte	sa carte
Masculine or feminine plural	mes billets mes cartes	tes billets tes cartes	ses billets ses cartes

Note that **son, sa, ses** can mean either *his* or *her*. The agreement is made with the item and not with the owner of the item.

Before a singular noun that begins with a vowel, the masculine form **mon, ton, son** is used even if the noun is feminine.

Masculine or feminine singular before a vowel	mon ami mon amie	ton ami ton amie	son ami son amie

The possessive adjectives **notre** (*our*), **votre** (*your* formal and plural), and **leur** (*their*) have only two forms—singular and plural:

Singular	notre billet	votre billet	leur billet
	notre carte	votre carte	leur carte
Plural	nos billets	vos billets	leurs billets
	nos cartes	vos cartes	leurs cartes

French speakers use **ton, ta, tes** with people whom they address as **tu.** They use **votre, vos** with people they address as **vous.**

Remember to make a liaison with **mon, ton, son,** and all the plural forms of the possessive adjectives when the following noun begins with a vowel or a silent **h.**

mon ami
ses élèves

Exercice 5 Où est ton passeport?
Répondez d'après le modèle.

Où est ton passeport?
Voici mon passeport.

1. Où est ton ami? — mon
2. Où est ton amie? — mon
3. Où est ton billet? — mon
4. Où est ta carte d'embarquement? — ma

5. Où est ta valise? — ma
6. Où est ta place? — ma
7. Où sont tes bagages? — mes
8. Où sont tes billets? — mes

Exercice 6 Tu as ton billet?
Suivez le modèle.

J'ai mon billet.
Richard, est-ce que tu as ton billet aussi?

1. J'ai mon passeport.
2. J'ai mon billet.
3. J'ai ma carte d'embarquement.

4. J'ai ma valise.
5. J'ai mes bagages.
6. J'ai mes disques.

Exercice 7 Où est le frère de Jacques?
Suivez le modèle.

Où est le frère de Jacques?
Son frère est là-bas.

1. Où est le cousin de Jacques? — son
2. Où est le copain de Jacques? — son
3. Où est la sœur de Jacques? — sa

4. Où est la copine de Jacques? — sa
5. Où sont les amis de Jacques? — ses
6. Où sont les copains de Jacques? — ses

135

Exercice 8   Son frère est sympa.
Suivez le modèle.

Voici le frère de Carole.
Son frère est très sympa.

1. Voici l'ami de Carole. — son
2. Voici le cousin de Carole. — son
3. Voici la mère de Carole. — sa

4. Voici la sœur de Carole. — sa
5. Voici les frères de Carole. — ses
6. Voici les copains de Carole. — ses

Exercice 9   Parlons de vous.
Répondez avec *Nous*.

1. Est-ce que vous parlez avec votre professeur de français?
2. Est-ce que vous faites un voyage avec votre classe de français?
3. Est-ce que vous montrez votre billet à l'employée?
4. Est-ce que vous choisissez vos places? — nos
5. Est-ce que vous faites enregistrer vos bagages? — nos

Exercice 10   La famille Dupont
Répondez.

1. Est-ce que leur appartement est à Paris?
2. Est-ce que leurs amis habitent Paris aussi?
3. Est-ce qu'ils font un voyage avec leurs amis?
4. Vont-ils à leur maison de Nice?
5. Vont-ils à leur maison de Nice en été?

Exercice 11   René n'a pas son billet!
Complétez la conversation.

136

Eh, Roger, est-ce que tu as _my_ billet?

Non, je n'ai pas _your_ billet. J'ai _my_ billet et j'ai aussi _my_ carte d'embarquement.

René, va demander à _your_ copine, Hélène. Elle a deux billets avec _her_ carte d'embarquement.

Exercice 12 Complétez.

René a une sœur. _his_ sœur a seize ans. René a un frère aussi. _his_ frère a dix-huit ans. Aujourd'hui René, _his_ sœur et _his_ frère vont à Nice avec _their_ amis. _their_ amis ont une maison à Nice.

Nous n'avons pas de maison à Nice. Nous avons un appartement à Paris. Nous aimons beaucoup _our_ appartement. Nous aimons _our_ six pièces.

Vous habitez à Chicago, n'est-ce pas? Où est _our_ maison ou _our_ appartement?

Les adjectifs en -en ou -on

Study the forms of the following adjectives.

Masculine singular	canadien	aérien	bon
Feminine singular	canadienne	aérienne	bonne
Masculine plural	canadiens	aériens	bons
Feminine plural	canadiennes	aériennes	bonnes

Many adjectives whose masculine form ends in **-n** will double the **n** in the feminine form. Notice the nasal pronunciation of the masculine singular and plural forms.

Exercice 13 Complétez.

La ligne _____ (aérien) _____ (canadien) organise des vols _____ (européen) et ils ont un très _____ (bon) service. Je voudrais bien avoir une _____ (bon) place sur un avion _____ (canadien) et faire un _____ (bon) voyage _____ (européen).

Prononciation

Le son é

Final er		Final ez		é	
dî<u>ner</u>	regar<u>der</u>	<u>chez</u>	complé<u>tez</u>	<u>é</u>té	théâtre
janvi<u>er</u>	ai<u>mer</u>	al<u>lez</u>	li<u>sez</u>	<u>té</u>lé	cinéma
févri<u>er</u>	prépa<u>rer</u>	répé<u>tez</u>	préfé<u>rez</u>	<u>R</u>ené	école

Pratique et dictée

René prépare le dîner.
Vous aimez regarder la télé?
Vous allez danser chez les Desroches.

Préférez-vous le cinéma?
En été vous n'allez pas à l'école.

Note

In French the word **on** is called an indefinite pronoun. It can mean *one, they, we, you, people*. It is used when the subject does not refer to any particular person. Note that the pronoun **on** takes the **il/elle** form of the verb.

Écoute! On annonce le départ de notre vol.
On parle français à Montréal.

Conversation

Au comptoir de la ligne aérienne

L'employé Bonsoir, madame. Où allez-vous ce soir?

Mme Benoît Je vais à Montréal.

L'employé Votre billet, s'il vous plaît. Très bien. Le vol 201 à destination de Montréal. Vous avez des bagages?

Mme Benoît Oui. Voici mes deux valises.

L'employé Très bien, madame. Voici votre carte d'embarquement. Ce soir on choisit les places à la porte. Malheureusement, notre ordinateur est en panne.*

Exercice Complétez.

1. Mme Benoît est au _____ .
2. Elle parle avec _____ .
3. Ce soir elle va à _____ .
4. Le numéro de son vol est _____ .
5. La destination de son vol est _____ .
6. Mme Benoît a deux _____ .
7. L'employée donne à Mme Benoît sa _____ .
8. Ce soir on ne choisit pas les places au comptoir. On choisit les places à la _____ .
9. _____ est en panne.

*en panne *out of order*

138

ℒecture culturelle

On va faire un voyage

La classe de Mme Benoît arrive à l'aéroport de leur ville. Les élèves sont très contents. Ils vont faire un voyage à Montréal. Ils vont à Montréal pour faire du ski et aussi pour pratiquer et perfectionner° leur français. Mais, est-ce qu'on parle français à Montréal? Bien sûr. Dans la province canadienne de Québec et aussi dans les provinces maritimes° on parle français.

Dans l'aéroport les élèves vont au comptoir de la ligne aérienne. Ils montrent leurs billets à l'employé. Ils font enregistrer leurs bagages. Ils choisissent leurs places. L'employé donne aux élèves leurs cartes d'embarquement.

Alors on annonce:

«Attention, s'il vous plaît. La compagnie aérienne annonce le départ de son vol 201 à destination de Montréal. Embarquement immédiat, porte numéro 12.»

— Écoutez! On annonce le départ de notre vol.

Mme Benoît explique° à sa classe qu'on va d'abord° au contrôle de sécurité. Ensuite° on va à la porte numéro douze.

Bon voyage, classe, et bienvenus° à bord!

°**perfectionner** *to improve*   °**Les provinces maritimes sont la Nouvelle-Écosse** (*Nova Scotia*), **le Nouveau-Brunswick et l'île du Prince-Édouard.**   °**explique** *explains*   °**d'abord** *first*
°**ensuite** *then*   °**bienvenus** *welcome*

139

Exercice Choisissez.

1. Qui arrive à l'aéroport?

    a. Les employés de la ligne aérienne.
    b. Mme Benoît et sa fille.
    c. La classe de Mme Benoît.

2. Comment sont les élèves de Mme Benoît?

    a. Très forts en français.
    b. Très tristes.
    c. Très contents.

3. Où sont-ils?

    a. À l'aéroport de leur ville.
    b. Dans l'avion.
    c. À Montréal.

4. Où vont-ils?

    a. À leur ville.
    b. À Montréal.
    c. À la porte numéro 201.

5. Qu'est-ce qu'ils vont faire à Montréal?

    a. Ils vont aller à une école canadienne.
    b. Ils vont faire du ski.
    c. Ils vont faire un voyage aux provinces maritimes.

6. Qu'est-ce qu'on parle à Montréal?

    a. Espagnol.
    b. Français.
    c. Anglais.

7. Qu'est-ce qu'ils montrent à l'employé de la ligne aérienne?

    a. Leurs bagages.
    b. Leurs billets.
    c. Leurs cartes d'embarquement.

8. Qu'est-ce que les élèves choisissent au comptoir de la ligne aérienne?

    a. Leurs billets.
    b. Leurs bagages.
    c. Leurs places.

9. Qu'est-ce qu'on annonce?

    a. L'arrivée de leur vol.
    b. Le départ de leur vol.
    c. Le départ d'un vol à destination de Paris.

10. D'abord, où vont les élèves?

    a. À la classe de Mme Benoît.
    b. À la porte.
    c. Au contrôle de sécurité.

Activités

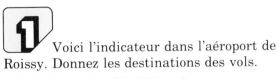

 Voici l'indicateur dans l'aéroport de Roissy. Donnez les destinations des vols.

- Le vol numéro PA 081 va à _____ .
- Le vol numéro _____ va à Ajaccio.

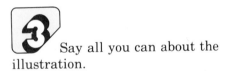

HOR.	VOL	DESTINATION	ZONE	OBSERVATIONS
0940	A06089	PALMA	3	
1000	A06063	PALMA	3	
1200	PA 081	LOS ANGELES	3	
1205	JR1561	DUBROVNIK	3	
1300	FQ 511	TEL-AVIV	4	
1400	CS 166	AJACCIO	4	
1400	CS 400	BASTIA	4	
1400	QH8805	NEW YORK	3	
1415	FQ 843	ATHENES	4	
1415	SF9134	AJACCIO	4	ZONE 4

2 Voici une carte d'embarquement. Donnez:

- le nom (*name*) du passager
- le numéro de son vol
- sa destination
- le numéro de sa place

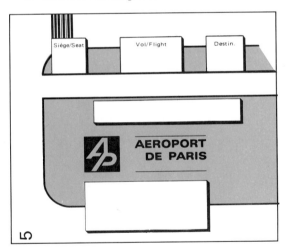

3 Say all you can about the illustration.

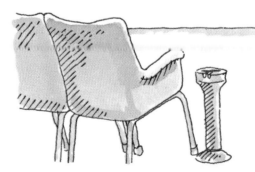

141

galerie vivante

L'aéroport Charles-de-Gaulle, Roissy (Paris)

Les passagers sont au comptoir de la ligne aérienne à l'aéroport d'Orly à Paris. Avec qui parlent-ils?

L'aéroport de Montréal

On annonce le départ des vols. Les vols vont de Paris à Mexico, New York, Tokyo, Rome, etc. Quel vol allez-vous choisir?

Au contrôle des passeports, l'agent vérifie et tamponne le passeport d'un passager qui arrive en France. Avez-vous un passeport?

Le Concorde, un avion supersonique, fait New York-Paris en trois heures et demie!

Voici une carte d'accès pour un vol Concorde. Quel est le numéro du vol? Quel est le numéro du siège?

143

10 Dans une station de ski

Dans une station de sports d'hiver

une montagne   une piste

une skieuse   un skieur

un télésiège

un ticket

un guichet

vendre

attendre

monter

descendre

144

Paul et Nathalie descendent la piste.
Ils descendent très **vite.**
Philippe monte sur la montagne.

Voici le parc du **mont** Sainte-Anne.
C'est **une station de ski.**

Les skieurs **attendent** le télésiège.
On vend les tickets pour le télésiège au
  guichet.

Exercice 1   Le mont Sainte-Anne
Complétez.

1. Le parc du mont Sainte-Anne est une _____ .
2. Les skieurs attendent le _____ .
3. Ils attendent le télésiège pour _____ la montagne.
4. On vend les tickets pour le télésiège au _____ .
5. Paul et Nathalie ne montent pas sur la montagne. Ils _____ la montagne.

un anorak

un bâton

un ski

une botte de ski

une boule de neige

une monitrice   un moniteur

ÉCOLE DE SKI

le sommet de la montagne

patiner

une patinoire

entendre

perdre

Exercice 2 À la station de ski
Répondez.

1. Est-ce que les skieurs montent au sommet de la montagne?
2. Est-ce qu'ils ont leurs skis et leurs bâtons?
3. Est-ce qu'ils ont des bottes de ski?
4. Est-ce que tout le monde a un anorak?
5. Est-ce que l'enfant fait une boule de neige?
6. Est-ce qu'on patine sur la patinoire?

Le temps en hiver

Il fait froid.

Il neige.

Il fait du vent.

Il fait deux degrés.
(Il fait zéro. [0°])
(Il fait moins deux. [−2°])

Exercice 3 En hiver
Répondez.

1. En hiver, fait-il chaud ou froid?
2. Est-ce qu'il neige?
3. Fait-il du vent?
4. Est-ce que les vents d'hiver sont forts?
5. Quelle température fait-il?

147

Structure

Les verbes en -re au présent

Another group of regular verbs have infinitives ending in **-re**. Study the present tense forms of regular **-re** verbs, paying special attention to the endings. The stem is found by dropping **-re** from the infinitive.

Infinitive	attendre	vendre	ENDINGS
Stem	attend-	vend-	
Present tense	j'attends	je vends	-s
	tu attends	tu vends	-s
	il/elle attend	il/elle vend	—
	nous attendons	nous vendons	-ons
	vous attendez	vous vendez	-ez
	ils/elles attendent	ils/elles vendent	-ent
Imperative	Attends!	Vends!	
	Attendons!	Vendons!	
	Attendez!	Vendez!	

Note that the **d** of the stem is silent in the singular forms. It is pronounced in the plural forms.

Since the **il/elle** form already ends in the consonant **d,** it is not necessary to add a **t** in the inverted question form. The **d** is pronounced /t/ in the inverted form.

/t/ /t/
vend-il **attend-elle**

You have already encountered the verb **répondre** (*to answer*). **Répondre** is one of the verbs that does not take a preposition in English but takes one in French.

L'élève répond à la question. *The student answers the question.*

On the other hand, some verbs take a preposition in English but not in French. *To wait for* (**attendre**) is such a verb.

Les skieurs attendent le télésiège. *The skiers are waiting for the chair lift.*

148

Exercice 1   Un petit accident
Répondez d'après l'illustration.

1. Est-ce que les skieurs attendent le télésiège?

4. Est-ce qu'un skieur perd un ski?

2. Descendent-ils la piste?
3. Descendent-ils vite?

5. Descend-il la piste à pied?
6. Entend-il le moniteur?

Exercice 2   Moi aussi
Suivez le modèle.

Gérard attend le moniteur.
Moi aussi, j'attends le moniteur.

1. Gérard attend le moniteur.
2. Il attend la leçon de ski.

3. Il entend la question du moniteur.
4. Il répond à la question.

Exercice 3   Nous descendons!
Suivez le modèle.

Nous attendons le télésiège...
Nous attendons le télésiège et vous attendez le télésiège aussi.

1. Nous attendons le moniteur...
2. Nous descendons la piste...

3. Nous descendons vite...
4. Hélas, nous perdons nos skis...

149

Exercice 4 C'est dangereux!
Complétez.

1. Les skieurs _____ le télésiège. **attendre**
2. On _____ les tickets pour le télésiège au guichet. **vendre**
3. Moi, j'aime beaucoup skier. Je _____ les pistes très vite. **descendre**
4. Voilà mon ami Charles. Oh là là! Il _____ un bâton. **perdre**
5. Charles! Tu _____ avec un seul bâton? **descendre**
6. Charles! C'est dangereux ça! _____ le moniteur! **attendre**
7. Charles, tu _____ ou non? **entendre**
8. Voici le moniteur. Nous _____ avec le moniteur sans problème. Pas d'accident. **descendre**

L'adjectif interrogatif: *quel, quels, quelle, quelles*

The word **quel** is the interrogative adjective that means *What* _____*?* or *Which* _____*?* All the forms of **quel** sound the same in spoken French. However, the spelling changes according to gender (masculine or feminine) and number (singular or plural).

Masculine singular	quel	Quel sport aimes-tu?
Masculine plural	quels	Quels sports aimes-tu?
Feminine singular	quelle	Quelle piste descends-tu?
Feminine plural	quelles	Quelles pistes descends-tu?

When one of the plural forms precedes a noun that begins with a vowel or a silent **h,** liaison is made and the **s** is pronounced /z/.

/z/
Avec quelles amies fais-tu du ski?

/z/
Avec quels amis fais-tu du ski?

Exercice 5 Je suis sportif.
Suivez le modèle.

J'aime beaucoup les sports.
Ah, oui? Quels sports aimes-tu?

1. J'aime beaucoup les sports d'hiver.
2. J'aime beaucoup le moniteur.
3. J'aime beaucoup le parc.
4. J'aime beaucoup les pistes.
5. J'aime beaucoup les bottes.
6. J'aime beaucoup la patinoire.
7. J'aime beaucoup les disques.

L'exclamation *Quel* _____ !

Quel can be used before a noun to convey the exclamation *What* _____ ! or *What a* _____ !

Quel athlète!   *What an athlete!*
Quelle jolie fête!   *What a nice party!*

Exercice 6   Suivez le modèle.

Oh là là! Quelle skieuse!

1.

2.

3.

4.

5.

6.

L'adjectif *tout, tous, toute, toutes*

The adjective **tout** is used with the definite article (**le, la, l', les**). **Tout le, toute la, tous les, toutes les** can mean *all the, the entire,* or *every.* Like other adjectives, **tout** must agree in gender and number with the noun it modifies. Study the forms of **tout.**

Masculine singular	tout	tout le magasin *the whole store*
Masculine plural	tous	tous les magasins *every store, all the stores*
Feminine singular	toute	toute la classe *the whole class, the entire class*
Feminine plural	toutes	toutes les classes *all the classes, every class*

Note that the expression **tout le monde** means *everyone* or *everybody.*

Exercice 7 **La classe fait un voyage.**
Complétez l'histoire avec la forme convenable de *tout*.

_____ la classe de Madame Benoît est à l'aéroport. _____ les élèves sont très contents. Ils vont faire un voyage. Ils vont à Montréal. _____ les matins ils vont faire du ski. _____ les garçons et _____ les filles ont leurs skis et leurs bâtons. Pendant _____ le voyage, _____ le monde va parler français.

Prononciation

Les lettres *j, ch, qu*

j	*ch* = "sh"	*qu* = "k"
je	chez	que
joli	chat	qui
jeune	chien	quel
janvier	chanter	quinze
juin	choisis	exquis
juillet	charmant	magnifique

Pratique et dictée

Je choisis juin et juillet.
Qui est cette jolie jeune fille?
Il y a un chat et deux chiens chez moi.
Qui chante cette chanson charmante?

Quel quartier exquis!
Les jeunes gens font de la
   gymnastique avec Georges.

Conversation

On aime les sports d'hiver!

Brigitte Tu aimes les sports d'hiver, Ginette?
Ginette Ah, oui. J'aime beaucoup faire du ski.
Brigitte Tu descends les pistes difficiles?
Ginette Mais oui. Bien sûr.
Brigitte Pas moi. Je ne skie pas très bien. Je suis débutante.
Ginette Mais quand même, il y a des pistes pour les débutants.

Exercice **Débutante et experte**
Faites une histoire d'après la conversation.

Ginette parle avec _____ amie, Brigitte. Ginette aime beaucoup les _____ _____ . Elle aime beaucoup faire _____ _____ . Elle _____ les pistes difficiles. Mais Brigitte _____ _____ pas les pistes difficiles. Elle ne _____ pas très bien. Elle est _____ . Mais il n'y a pas de problème. Dans les stations de ski il y a aussi des _____ pour les débutants.

ꞯecture culturelle

On fait du ski

Quel journée* splendide! Le soleil brille très fort dans le ciel bleu. Il fait froid et il y a de la neige partout.*

Après un voyage agréable en avion la classe de Mme Benoît est au mont Sainte-Anne. Le parc du mont Sainte-Anne est une station de sports d'hiver près de* la ville de Québec. Après leur arrivée les élèves vont tout de suite* à la montagne. Ils ont tout leur équipement, les skis, les bâtons, les bottes et les anoraks. Ils achètent leurs tickets pour le télésiège. Ils attendent un peu et ensuite ils commencent à monter. Ils montent jusqu'au* sommet de la montagne. Quelle vue splendide!

---

journée   *day*
partout   *everywhere*
près de   *near*
tout de suite   *immediately*
jusqu'au   *all the way to*

153

— On va descendre, crie° Thérèse.

Ils poussent° sur les bâtons et la descente commence. <u>Ils descendent très vite.</u>
Le pauvre Paul! Il est débutant. Regarde! Il perd un bâton. Va-t-il tomber?° Oh là
là! Oui, il tombe. Il commence à rouler.° Il roule et roule. Il roule deux cents mètres
jusqu'au bout° de la piste.

— Paul! Tout va bien? crient les autres.

— Oui, oui. Tout va bien, répond-il. Mais je suis couvert de neige. Je suis
couvert de la tête° aux pieds.

— Tu es une boule de neige, crie un copain.

— Une boule qui roule! Où est mon bâton? Je vais remonter.

— Tu es un vrai casse-cou,° Paul. Bonne chance!°

Exercice   Répondez.

1. Quel temps fait-il?
2. Où est la classe de Mme Benoît?
3. Qu'est-ce que c'est que le parc du mont Sainte-Anne?
4. Où vont les élèves tout de suite?
5. Qu'est-ce qu'ils ont?
6. Qu'est-ce qu'ils achètent?
7. Jusqu'où montent-ils dans le télésiège?
8. Comment descendent-ils la piste?
9. Qui est débutant?
10. Qu'est-ce qu'il perd?
11. Jusqu'où roule-t-il?
12. Qui est une boule de neige?
13. Qu'est-ce que Paul va faire?

| °**crie** *shouts* | °**poussent** *push* | °**tomber** *to fall* | °**rouler** *to roll* | °**bout** *end* |
| °**tête** *head* | °**casse-cou** *daredevil* | °**chance** *luck* | | |

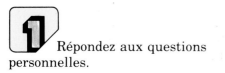

Activités

1 Répondez aux questions personnelles.

- Où habitez-vous?
- Habitez-vous près des montagnes?
- Est-ce qu'il y a une station de sports d'hiver près de votre ville?
- Aimez-vous les sports d'hiver?
- Aimez-vous faire du ski?

- Faites-vous du ski?
- Skiez-vous très bien ou êtes-vous débutant(e)?
- Aimez-vous patiner?
- Patinez-vous?
- Est-ce qu'il y a une patinoire dans votre ville?

2 Describe what you see in the picture.

3 Have a contest with three friends. See who can make up the most questions about the picture in five minutes.

galerie vivante

Des skieurs experts

Une piste avec tremplin
au Mont-Sainte-Anne au
Québec

Une classe de neige

En France les écoles élémentaires ont des classes de neige. Les enfants vont dans une station de sports d'hiver. Le matin les élèves ont des classes. L'après-midi des moniteurs donnent des leçons de ski aux enfants. Est-ce que nous avons des classes de neige aux Etats-Unis?

Voici un «skipass» pour skier dans la région du Mont Blanc dans les Alpes.

LE PASSEPORT UNIQUE : SKIPASS MONT-BLANC

Du 19 décembre 83 au 11 avril 84 cette carte personnelle plastifiée délivrée (avec photo) par les Offices du Tourisme de 13 stations de la région du Mt-Blanc, vous permet de skier en toute liberté sur la totalité de leur domaine skiable (soit 180 remontées mécaniques), d'utiliser les cars réguliers de liaisons entre les stations et les cars-navettes dans chaque station qui en est équipée.

Pour 6 jours consécutifs . . . . 485 FF
Pour 4 jours consécutifs . . . . 360 FF

From december 19 to april 11 1984, this pass sponsored by the tourist offices of Mont-Blanc district enables you to use 180 lifts in the area, and also free use of shuttle buses and regular bus services beetween resorts.
For 6 consecutive days . . . . 485 FF
For 4 consecutive days . . . . 360 FF

Diese persönliche Karte (mit Paßbild) erlaubt Ihnen vom 19 Dez. bis 11 April 84 freie Benützung der 180 Bergbahnen und lifts im 13 Skistationen des Mont-Blanc, sowie Buszubringerdienste und regelmässigen Busverbindungen zwischen dieser Stationen.
Für 6 aufeinander Tage . . . . 485 FF
Für 4 aufeinander Tage . . . . 360 FF

Vert   Rouge

Bleu   Noir

Les couleurs indiquent la difficulté des pistes. Voici les couleurs pour les pistes à Chamonix en France. Est-ce que les débutants descendent les pistes vertes ou rouges? Quelles pistes descendent les experts?

Les filles sont à Valmorel. Est-ce qu'elles montent au sommet de la piste dans une télécabine ou sur un télésiège?

157

11 À la gare

Le train part de **la voie** H, **quai numéro** six.
Le train part pour Marseille.
Le passager **sort** de **la gare.**

Le passager **dort** dans **une couchette.**

On **sert** le dîner dans **le wagon-restaurant.**

Exercice 1 Un voyage en train
Répondez.

1. Est-ce que le train part pour Marseille?
2. De quelle voie part-il? De quel quai?
3. Est-ce que le passager sort de la gare?
4. Est-ce que le passager dort dans le train?
5. Où dort-il?
6. Est-ce qu'on sert le dîner dans le train?
7. Où sert-on le dîner?

Exercice 2 On va à Marscille
Complétez.

1. Le train _____ pour Marseille.
2. Le passager _____ dans la couchette.
3. Le garçon _____ le dîner dans le wagon-restaurant.
4. Après le voyage, le passager _____ du wagon.

158

Structure

Les verbes *sortir, partir, dormir, servir* au présent

The verbs **sortir, partir, dormir,** and **servir** are irregular. Note the short forms in the singular.

Infinitive	sortir to go out	partir to leave	dormir to sleep	servir serve
Present tense	je sors	je pars	je dors	je sers
	tu sors	tu pars	tu dors	tu sers
	il/elle sort	il/elle part	il/elle dort	il/elle sert
	nous sortons	nous partons	nous dormons	nous servons
	vous sortez	vous partez	vous dormez	vous servez
	ils/elles sortent	ils/elles partent	ils/elles dorment	ils/elles servent
Imperative	Sors!	Pars!	Dors!	Sers!
	Sortons!	Partons!	Dormons!	Servons!
	Sortez!	Partez!	Dormez!	Servez!

Note that all the singular forms have the same sound in the spoken language. Note, too, that the plural forms pick up the consonant of the infinitive.

The verb **sortir** has more than one meaning. Used alone, it means *to go out.* **Sortir de** means *to leave* in the sense of *to get out of a place.* If followed by a noun, **sortir** means *to take out.*

> **Après les classes, je sors avec mes amis.**
> **Le passager sort de la gare.**
> **Le passager sort son billet de sa valise.**

The verb **partir** means *to leave.* **Partir de** means *to leave (a place)* or *to leave from (a place).* To say *to leave for (a place)* one can use either **partir à** or **partir pour.**

> **Le train part à dix heures.**   **Nous partons à (pour) Marseille.**
> **Nous partons de Paris.**

Exercice 1 En voyage

Répondez.

1. Est-ce que les passagers partent en train?
2. Partent-ils pour Marseille?
3. Sortent-ils leurs billets dans le train?
4. Dorment-ils dans le train?
5. Est-ce que les garçons servent le dîner dans le wagon-restaurant?
6. Partez-vous en voyage?
7. Partez-vous en train?
8. Partez-vous à neuf heures?

159

Exercice 2 Personnellement
Répondez.

1. Le matin, est-ce que tu pars pour l'école?
2. À quelle heure pars-tu?
3. Dors-tu en classe?
4. Après les classes, sors-tu de l'école?
5. Sors-tu avec un copain ou une copine?
6. Sort-il (elle) souvent?
7. Avec qui sort-il (elle)?
8. En été, part-il (elle) en vacances?

Exercice 3 On va en vacances.
Lisez la conversation et complétez.

Mlle Ferrer	À quelle heure partez-vous demain (*tomorrow*)?
Mme Leclos	Nous partons à 17 heures.
Mlle Ferrer	Vous partez en train, n'est-ce pas?
Mme Leclos	Oui, le train part de la gare de Lyon.
Mlle Ferrer	Vous allez dîner dans le train?
M. Leclos	Oui, on sert le dîner dans le wagon-restaurant. Tu pars pour Nice demain, n'est-ce pas?
Mlle Ferrer	Non, je pars après-demain. Mais je pars en avion.

1. M. et Mme Leclos _____ demain.
2. Ils _____ à dix-sept heures.
3. Ils _____ en train.
4. Leur train _____ de la gare de Lyon.
5. Dans le train, on _____ le dîner dans le wagon-restaurant.
6. Mlle Ferrer ne _____ pas demain. Elle _____ après-demain.
7. Elle _____ pour Nice en avion.

Exercice 4 Mon frère et moi
Complétez l'histoire.

Mon frère et moi, nous _____ pour l'école le matin. Nous ne _____ pas à la même heure. Moi, je _____ à sept heures et demie. Mon frère _____ à huit heures.

Nous aimons notre école. Nous aimons nos classes. Je ne _____ pas en classe. Et mon frère ne _____ pas. Après les classes nous _____ avec nos amis. Mon frère _____ avec ses amis et je _____ avec mes amis. _____-vous avec vos amis après les classes? À quelle heure _____-vous de l'école? Et à quelle heure _____-vous pour l'école le matin?

Les adjectifs démonstratifs

Study the forms of the demonstrative adjectives (*this, that, these, those*).

Masculine singular (before a consonant)	ce	ce wagon
Masculine singular (before a vowel or silent *h*)	cet	cet anorak cet homme
Feminine singular	cette	cette fille cette école
Masculine or feminine plural	ces	ces wagons ces anoraks ces filles ces écoles

Note that **ce** is used with masculine singular nouns that begin with a consonant. **Cet** is used with masculine singular nouns that begin with a vowel or a silent **h.**

Cette is used with all feminine singular nouns.

Ce, cet, and **cette** all become **ces** in the plural. Note the liaison with nouns that begin with a vowel or a silent **h.**

Since the same words can be used to mean *this* or *that* (*these* or *those* in the plural), the meaning of the demonstrative adjective is often clarified by adding **-ci** or **-là** to the noun. Look at these examples.

cette valise-ci

cette valise-là

ce chien-ci

ce chien-là

Exercice 5 Répondez.

1. Est-ce que cette fille est intelligente?
2. Est-ce que cette élève est forte en français?
3. Est-ce que cette classe est intéressante?
4. Est-ce que cet athlète est fort?
5. Est-ce que cet élève est intelligent?
6. Est-ce que ce garçon est blond?
7. Est-ce que ce disque est bon?
8. Est-ce que ce billet est pour le train?

Exercice 6 Ces filles-là aussi
Répondez d'après le modèle.

Ces filles-ci sont sportives.
Oui, et ces filles-là aussi.

1. Ces élèves-ci sont très fortes en français.
2. Ces filles-ci sont très enthousiastes pour les sports.
3. Ces élèves-ci sont dans la classe de Madame Benoît.
4. Ces garçons-ci sont bruns.
5. Ces chiens-ci sont adorables.

Exercice 7 Quelle fille?
Suivez le modèle.

Quelle fille?
Cette fille-ci.

1. Quelle élève?
2. Quel élève?
3. Quel copain?
4. Quelle classe?
5. Quel disque?
6. Quels billets?
7. Quelle voie?
8. Quelles rues?

Exercice 8 De quel quai?
Complétez avec la forme convenable de *ce*.

_____ passagers vont partir dans _____ train. Mais _____ train ne part pas de _____ quai-ci. _____ train part de _____ quai-là.

℘rononciation
Les lettres *ou* et *u*

Be sure to distinguish between these two sounds.

ou	*u*
tout	tu
vous	vue
d'où	du
roule	rue
pour	pur
soupe	sud
beaucoup	salut

162

Pratique et dictée

Salut! Vous êtes du sud?
Où est le menu pour Luc?
Tout est pur, je suis sûr!

Quelle vue de çette rue!
Il y a une boucherie et un supermarché.

Expressions utiles

À la gare

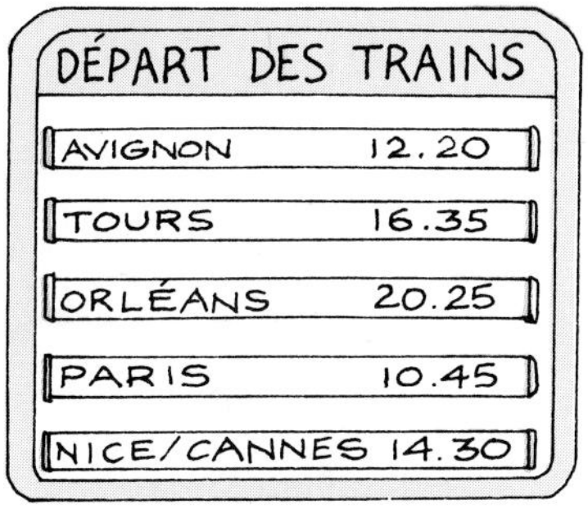

DÉPART DES TRAINS
AVIGNON 12.20
TOURS 16.35
ORLÉANS 20.25
PARIS 10.45
NICE/CANNES 14.30

l'indicateur

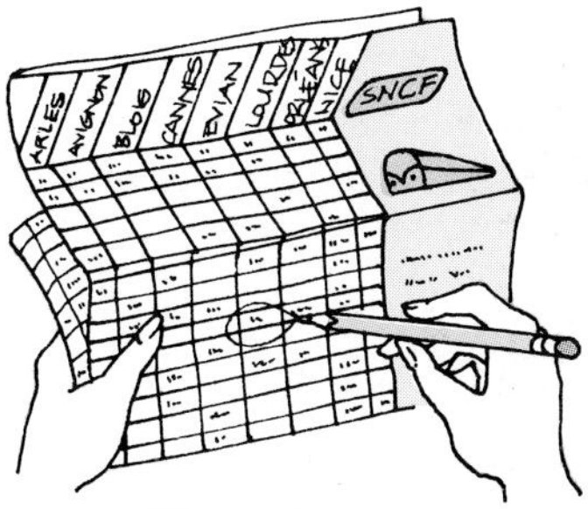

ARLES
AVIGNON
BLOIS
CANNES
EVIAN
SNCF

l'horaire (*m*)

Accès

la salle d'attente

BILLETS

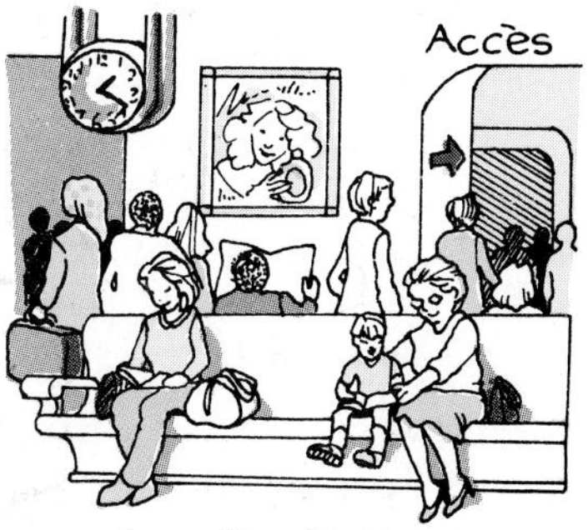

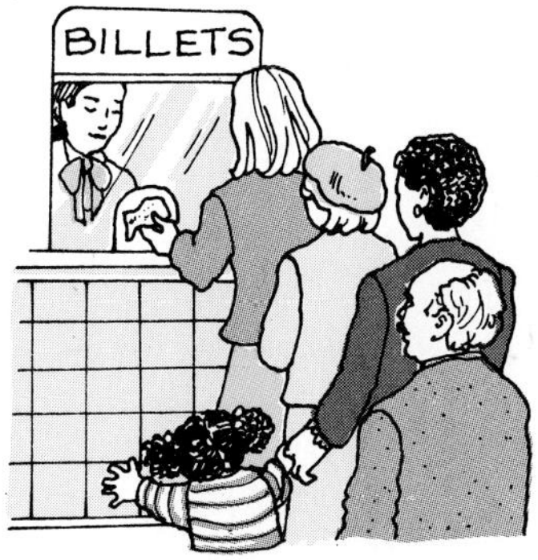

le guichet **la queue**

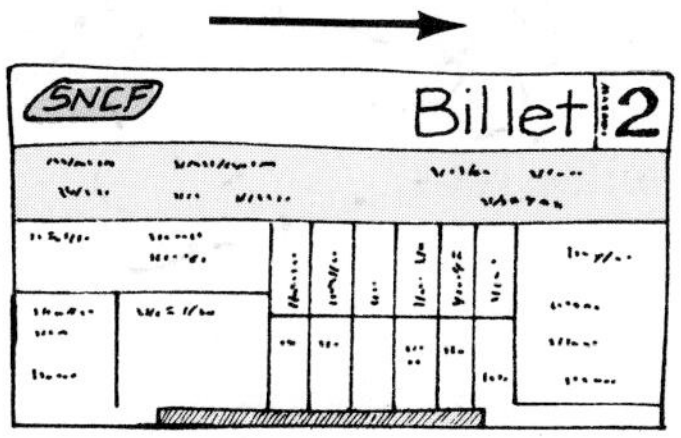

SNCF
Billet 2

le billet **un aller**

Société Nationale des Chemins de fer Français
2
10.10

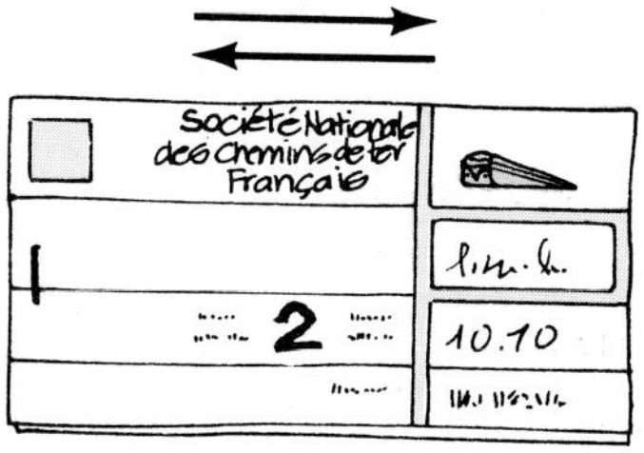

un billet aller et retour

Dans le train

27

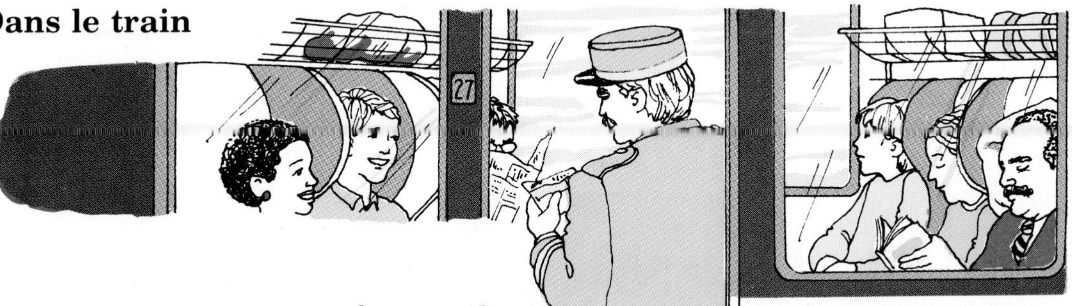

le contrôleur **le compartiment**

Conversation

À la gare

Sylvie   Marise, le train part à quelle heure?

Marise   À dix-huit heures vingt.

Sylvie   De quel quai part-il?

Marise   De ce quai-là. Le numéro six.

Sylvie   Tu vas acheter les billets maintenant?

Marise   Bonne idée! Il n'y a pas de queue au guichet.

Sylvie   Tu vas acheter les billets aller et retour?

Marise   Oui, et je vais réserver deux couchettes.

Sylvie   D'accord!

Exercice   Choisissez.

1. (Le train / L'avion) part du quai numéro six.
2. (Le quai / La piste) est dans la gare.
3. Marise va (vendre / acheter) les billets.
4. Elle va acheter les billets (au guichet / au quai).
5. Maintenant il n'y a pas de (quai / queue) au guichet.
6. Marise va réserver deux (compartiments / couchettes).

ℒecture culturelle

Un voyage en train

Voici Jean-Luc. Il va faire un voyage. Il va à Marseille. Il va à Marseille en train. Il est maintenant à la gare de Lyon à Paris. Tous les trains qui vont au sud-est partent de la gare de Lyon.

Quand Jean-Luc arrive à la gare, il va au guichet. Il est content. Il n'y a pas de queue au guichet. Il achète un billet aller et retour en deuxième classe. Son train va partir à vingt-trois heures. Jean-Luc va passer* toute la nuit* dans le train. Il va dormir dans le train. Il réserve une couchette.

Jean-Luc fait enregistrer ses valises. Ensuite il attend dans la salle d'attente. A vingt-deux heures cinquante on annonce le départ de son train. Il va au quai numéro six. Les contrôleurs crient: «Les voyageurs pour Marseille, en voiture,* s'il vous plaît.»

Le train part à l'heure.* Un contrôleur arrive dans le compartiment. Il vérifie* les billets. Jean-Luc est fatigué.* Il dort dans la couchette. Le matin il va au wagon-restaurant. On sert le petit déjeuner* dans le wagon-restaurant. Jean-Luc commande un café au lait et des croissants. Après le petit déjeuner le train arrive à Marseille. Jean-Luc commence ses vacances d'été.

---

*__passer__ *to spend*	*__la nuit__ *the night*	*__en voiture__ *all aboard*	*__à l'heure__ *on time*
*__vérifie__ *checks*	*__fatigué__ *tired*	*__le petit déjeuner__ *breakfast*	

Exercice 1 Complétez.

1. Jean-Luc va faire un voyage en _____ .
2. Il va aller à _____ .
3. Il est dans la _____ .
4. Il achète un billet au _____ .
5. Il achète un billet _____ .
6. Il va dormir dans le train et il réserve une _____ .

Exercice 2 Choisissez.

1. Dans la gare Jean-Luc _____ ses valises.
   a. fait enregistrer
   b. vend
   c. sort

2. Jean-Luc attend dans _____ .
   a. le guichet
   b. le compartiment
   c. la salle d'attente

3. On _____ le départ de son train.
   a. commande
   b. regarde
   c. annonce

4. Jean-Luc va _____ numéro six.
   a. au quai
   b. au guichet
   c. au wagon

Exercice 3 Répondez.

1. Qu'est-ce que le contrôleur crie?
2. Qui vérifie les billets dans le train?
3. Où est-ce que Jean-Luc dort?
4. Où va-t-il le matin?
5. Qu'est-ce qu'on sert dans le wagon-restaurant?
6. Qu'est-ce que Jean-Luc commande?
7. Où le train arrive-t-il?

Activités

Make up a conversation with a ticket vendor at a train station. Use the following words and expressions.

- un billet aller et retour
- un aller
- ça fait combien
- à quelle heure

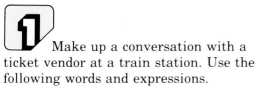
Voici un horaire.

- À quelle heure part le train numéro 112?
- De quelle gare part-il?
- Où va-t-il?
- À quelle heure arrive-t-il à Marseille?
- Est-ce que les passagers passent la nuit dans le train?

Numero du train	104	108	112
Paris-Gare de Lyon	20.45	21.03	22.36
Dijon		23.33	23.51	1.15
Lyon	2.19	3.15	4.04
Avignon	3.57	5.05	
Marseille	5.06	7.20	8.10

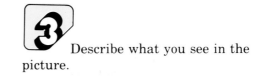
Describe what you see in the picture.

galerie vivante

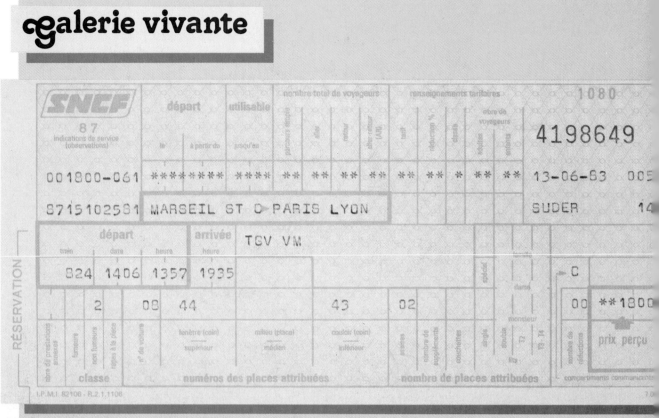

Voici un billet pour aller de Marseille à Paris. A quelle heure le train part-il de Marseille? A quelle heure arrive-t-il à Paris? Le billet est pour deux places. Quels sont les numéros des places? Quel est le numéro de la voiture?

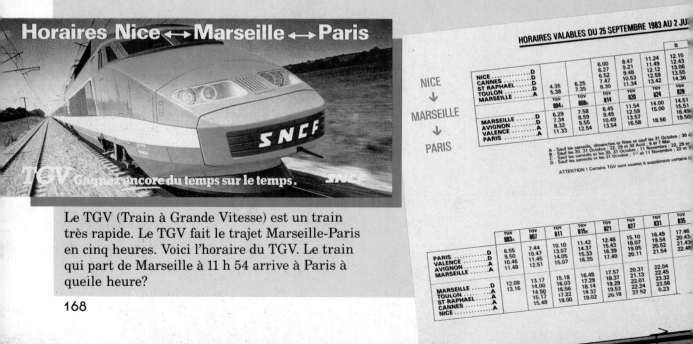

Horaires Nice ←→ Marseille ←→ Paris

TGV Gagnez encore du temps sur le temps.

Le TGV (Train à Grande Vitesse) est un train très rapide. Le TGV fait le trajet Marseille-Paris en cinq heures. Voici l'horaire du TGV. Le train qui part de Marseille à 11 h 54 arrive à Paris à quelle heure?

La Gare du Nord à Paris
Quels trains partent de la Gare du Nord, les trains qui vont vers le nord ou les trains qui vont vers le sud? De quelle gare partent les trains qui vont vers le sud?

Voici la gare à Nice. Le train qui va partir à dix heures cinq va à Ventimiglia sur la frontière italienne. Sur quel quai est-ce que les passagers attendent le train?

Voici l'intérieur du TGV. Est-ce qu'on sert le dîner dans la voiture? Est-ce que les passagers vont au wagon-restaurant?

12 Au bord de la mer

Une station balnéaire

la mer   **la vague**   **la plage**   **le sable**   **les rochers** (*m*)

Tout le monde est à la plage.
Les uns prennent un bain de soleil.
Les autres prennent **un bain de mer.**

Exercice 1   Une station balnéaire
Répondez.

1. Est-ce que tout le monde est à la plage?
2. On va à la plage en été ou en hiver?
3. Les gens prennent des bains de soleil à la plage?
4. Prennent-ils des bains de mer?
5. Est-ce qu'il y a des vagues dans la mer?
6. Est-ce qu'il y a du sable sur la plage?
7. Est-ce que les rochers sont dangereux?

**faire du ski
nautique**

**faire de la plongée
sous-marine**

**faire de la planche
à voile**

plonger

nager

Gisèle est à **la
piscine.**

Elle **porte un
maillot.**

Elle a de **la lotion
solaire.**

Exercice 2 À la plage
Choisissez.

1. Jean est à la plage.
   - a. Il porte un anorak.
   - b. Il porte un maillot.
   - c. Il porte des bottes.

2. Je voudrais nager.
   - a. Je vais aller à la mer.
   - b. Je vais aller sur les rochers.
   - c. Je vais aller à la montagne.

3. Aujourd'hui il y a beaucoup de soleil.
   - a. Oui, où est le sable?
   - b. Oui, où est ma lotion solaire?
   - c. Oui, où est mon bâton?

4. Nice est sur la mer.
   - a. Nice est une station de sports d'hiver.
   - b. Nice est une piscine.
   - c. Nice est une station balnéaire.

5. Regardez les vagues.
   - a. J'adore le sable.
   - b. J'adore la mer.
   - c. J'adore la piscine.

Exercice 3 Qu'est-ce que tu vas faire?

1. Je vais...   2. Je vais...   3. Je vais...   4. Je vais...   5. Je vais...

Structure

Les verbes *prendre, comprendre, apprendre* au présent

Study the forms of the irregular verb **prendre**.

Infinitive	prendre
Present tense	je prends
	tu prends
	il/elle prend
	nous prenons
	vous prenez
	ils/elles prennent

The singular forms of the verb **prendre** follow the same pattern as a regular **-re** verb. Pay particular attention to the spelling and pronunciation of the plural forms. The **nous** and **vous** forms have one **n** and the **ils/elles** form has a double **nn**.

Prendre usually means *to take*, but with foods and beverages it means *to have*.

> **Je prends du lait.**
> **Je vais prendre un sandwich.**

Two other verbs that are conjugated like **prendre** are **apprendre** and **comprendre**. **Apprendre** means *to learn*. It is followed by **à** when the meaning is *to learn how to do something*.

> **J'apprends le français à l'école.**
> **Nous apprenons à faire de la plongée sous-marine.**

The verb **comprendre** means *to understand*.

> **Comprenez-vous le français?**
> **Bien sûr! Je comprends très bien le français.**

Exercice 1 Gisèle va à la plage.
Répondez.

1. Est-ce que Gisèle prend son maillot pour aller à la plage?
2. Prend-elle aussi de la lotion solaire?
3. Sur la plage, prend-elle un bain de soleil?
4. Prend-elle aussi un bain de mer?

172

Exercice 2 Apprends-tu à nager?
Répondez.

1. À la plage, apprends-tu à nager dans la mer?
2. Apprends-tu à faire du ski nautique?
3. Apprends-tu à faire de la plongée sous-marine?
4. Apprends-tu à faire de la planche à voile?

Exercice 3 Au café.
Vous êtes au café. Demandez à vos amis ce qu'ils prennent.

1. Thérèse, qu'est-ce que tu _____?

3. Aline,...

2. André,...

4. Simon,...

Exercice 4 Au café
Pratiquez la conversation. Vous pouvez employer ces mots:

du café   un sandwich   de l'eau minérale
des gâteaux   un coca

— Qu'est-ce que vous prenez, mes amis?
— Nous prenons _____.
— Et vous, qu'est-ce que vous prenez?
— Nous prenons _____.

Exercice 5 Mes amis sont sportifs.
Suivez le modèle.

Mes amis apprennent à nager.

1.   2.   3.   4.

Exercice 6 Au bord de la mer
Complétez.

Quand je vais à la plage, je _____ (prendre) toujours de la lotion solaire. Pourquoi ça? Moi, j'adore le soleil et je _____ (prendre) des bains de soleil. J'aime bien aller à la plage en été avec mes copains. Mon ami Richard, il _____ (prendre) des bains de mer. Il nage très bien. Annette et Carole _____ (apprendre) à faire de la planche à voile. Elles sont très sportives et elles _____ (apprendre) très vite. Moi, je ne _____ (comprendre) pas ça. Je trouve la planche à voile très difficile. Je tombe toujours et je commence à rouler avec les vagues. Je sors de la mer, le maillot rempli (*full*) de sable.

Après trois heures (*hours*) à la plage, nous allons au café. Au café nous parlons et nous _____ (prendre) un coca, une limonade ou de l'eau minérale.

Les pronoms accentués

Compare the stress pronouns and the subject pronouns.

Stress pronouns	Subject pronouns	
moi	je	Moi, je suis américain(e).
toi	tu	Toi, tu es français(e).
lui	il	Lui, il nage beaucoup.
elle	elle	Elle, elle fait du ski nautique.
nous	nous	Nous, nous allons toujours à la plage.
vous	vous	Vous, vous allez au café.
eux	ils	Eux, ils prennent un coca.
elles	elles	Elles, elles prennent une limonade.

The stress or emphatic pronouns are used in several ways in French:

1. After a preposition (**à, avec, pour, chez,** etc.)

   > **On va chez lui, pas chez elle.**
   > **Elle va nager avec nous.**
   > **La fête est pour eux.**

2. In a short sentence when the verb is omitted.

   > **Qui nage? Moi!**
   > **Qui prend un bain de soleil? Elle!**

3. To reinforce or to emphasize the subject pronoun.

   > **Moi, j'aime beaucoup faire de la planche à voile.**
   > **Lui, il déteste faire de la planche à voile.**

4. Before and after the words **et** or **ou.**

   > **Marie et moi, nous allons à la plage.**
   > **Qui fait du ski nautique? Vous ou eux?**

5. After **c'est** or **ce n'est pas.**

   > **Carole, c'est toi? Oui, c'est moi.**
   > **C'est Jean-Luc? Oui, c'est lui.**
   > **C'est Marie-France? Non, ce n'est pas elle.**

Exercice 7   On aime les sports d'été.
Répondez d'après le modèle.

Est-ce que tu aimes nager?
Moi, oui! J'adore nager.

1. Est-ce que tu aimes aller à la plage?
2. Est-ce qu'il aime faire du ski nautique?
3. Est-ce qu'elles aiment faire de la plongée sous-marine?
4. Est-ce que vous aimez nager?

Exercice 8   Une surprise-partie
Complétez.

1. Est-ce que tu vas donner une surprise-partie pour Louise?
   Oui, je vais donner une surprise-partie pour _____ .
2. Qui va préparer la fête? Toi?
   Oui, c'est _____ qui vais préparer la fête.
3. Et qui va faire les courses? Toi ou Pierre?
   Non, pas _____ . C'est _lui_ qui va faire les courses.
4. Est-ce que Louise va arriver avec ses amis?
   Oui, elle va arriver avec _eux_ .
5. Est-ce que tu vas donner la fête dans un restaurant ou chez toi?
   Pas dans un restaurant. Je vais donner la fête chez _____ .

Prononciation

Nasal *n*	Liaison
en France	en avion
un train	un accident
on danse	on achète
mon billet	mon ami
ton vol	ton anorak
son voyage	son appartement

Pratique et dictée

On arrive à mon appartement pour une fête.
C'est ton anniversaire?
Paul est son ami, n'est-ce pas?

C'est un athlète formidable!
Nous achetons nos billets en avance.
C'est un avion rapide.

Conversation

Allons à la plage!

Robert	Il fait très chaud. Allons à la plage!
Georges	Bonne idée! Tu as ton maillot?
Robert	Oui.
Georges	Moi, je vais faire de la planche à voile.
Robert	Toi, tu es toujours un casse-cou.
Georges	Écoute! La planche à voile est très facile.
Robert	Pour toi! Pas pour moi! Moi, je vais prendre un bain de soleil.
Georges	Chacun à son goût.

176

Exercice 1 Choisissez.

1. Les deux copains vont _____ .
   a. à la plage
   b. à la montagne
   c. à la piscine

2. Ils vont à la plage parce qu' _____ .
   a. il y a beaucoup de neige sur les pistes
   b. il n'y a pas de soleil
   c. il fait très chaud

3. Le casse-cou va _____ .
   a. prendre un bain de soleil
   b. remonter la vague
   c. faire de la planche à voile

Exercice 2 Répondez.

1. Quel temps fait-il?
2. Où vont les deux amis?
3. Qu'est-ce qu'ils portent?
4. Qui est un vrai casse-cou?
5. Qu'est-ce qu'il va faire?
6. Et Robert, qu'est-ce qu'il va faire?

ℭecture culturelle

Le mois d'août au bord de la mer

Au mois d'août beaucoup de Français quittent° leurs villes pour aller en vacances. Ils partent en voiture,° en train ou en avion. Ils vont à la montagne ou au bord de la mer. Le mois d'août est le mois des vacances en France.

Beaucoup de gens° vont sur la Côte d'Azur, sur la mer Méditerranée. Sur toute la côte il y a beaucoup de stations balnéaires. En été il fait très beau et le soleil brille fort dans le ciel bleu. Les plages de la Côte d'Azur sont fantastiques. Il y a toujours beaucoup d'activité.

Les jeunes gens° font de la planche à voile. Comme° toujours il y a des experts et des débutants. Quand le vent est fort, la planche glisse° très vite sur les vagues et les débutants tombent. Mais ce n'est pas grave.

Voici une experte. Est-ce qu'elle nage? Non, elle ne nage pas. Elle fait de la plongée sous-marine? Non plus. Elle fait du ski nautique. Elle skie très bien.

Voici Gilbert. Lui, il n'aime pas les sports. Pas de problème! Chacun à son goût! Il prend des bains de soleil. Comme° tout le monde, Gilbert rentre° chez lui très bronzé° après un mois extra° au bord de la mer sur la Côte d'Azur.

° **quittent** *leave* ° **voiture** *car* ° **les gens** *people* ° **les jeunes gens** *young people*
° **Comme** *As* ° **glisse** *glides* ° **Comme** *Like* ° **rentre** *returns* ° **bronzé** *tanned*
° **extra** *super, terrific*

Exercice Corrigez.

1. Les Français n'aiment pas les vacances.
2. Le mois de juin est le mois des vacances en France.
3. Tout le monde part en voiture pour aller en vacances.
4. La Côte d'Azur est sur la côte Atlantique.
5. Sur la côte de la mer Méditerranée il y a beaucoup de stations de sports d'hiver.
6. En été il fait assez froid sur la Côte d'Azur.
7. La planche à voile est un sport d'hiver.
8. Quand il y a un vent assez fort, les experts tombent de la planche.
9. Quand le vent est fort, la planche à voile glisse très vite sur la neige.
10. On porte des bottes et un anorak pour faire du ski nautique.
11. Les gens qui aiment regarder les poissons dans la mer font du ski nautique.

Activités

1 Une interview

- Où habitez-vous?
- Habitez-vous près du bord de la mer?
- Est-ce qu'il y a des stations balnéaires près de votre ville?
- Aimez-vous les sports nautiques?
- Quels sports nautiques aimez-vous?

2 Devinez. Qu'est-ce que je suis?

- J'ai des vagues.
- J'ai du sable.
- Je suis bleu.
- Je glisse sur la mer.

3 Describe what you see in the illustration.

galerie vivante

Voici de la publicité pour un magasin à Paris. Où est le magasin? Est-ce qu'on vend l'équipement pour la plongée sous-marine dans le magasin?

Villefranche est une jolie ville de la Côte d'Azur. Est-ce que Nice est sur la Côte d'Azur aussi?

Voici la plage à Cannes. Sur la plage de Cannes, est-ce qu'il y a du sable ou des galets?

Les garçons ne sont pas sur la plage. Ils sont à Lyon. Qu'est-ce qu'ils font?

181

Révision

À la gare

Alain   Bonjour, Philippe. Qu'est-ce que tu fais ici?

Philippe   J'attends le train pour Marseille.

Alain   Tu vas à Marseille? Moi aussi. Quel train prends-tu?

Philippe   Je prends le train qui part à vingt-trois heures.

Alain   Bon! Moi aussi. Nous prenons le même train. Nous allons passer toute la nuit dans le train.

Exercice 1   Corrigez.

1. Alain et Philippe sont à l'aéroport.
2. Philippe attend le vol pour Marseille.
3. Alain et Philippe partent pour Lyon.
4. Les deux garçons ne prennent pas le même train.
5. Ils vont passer toute la nuit dans l'avion.

Les verbes en -*ir* et -*re*

Review the following present tense forms of regular **-ir** and **-re** verbs.

	-ir	-re
Infinitive	finir	attendre
Present tense	je finis tu finis il/elle finit nous finissons vous finissez ils/elles finissent	j'attends tu atends il/elle attend nous attendons vous attendez ils/elles attendent

Exercice 2 Qu'est-ce qu'on choisit?

Roger / un disque de jazz
Roger choisit un disque de jazz.

1. Philippe / des skis
2. Moi / un anorak
3. Alice / des skis nautiques
4. Gilbert et Claude / un petit ordinateur
5. Nous / des vacances
6. Alice et Henriette / des bottes de ski

Exercice 3 À l'aéroport
Répondez.

1. Est-ce que Ginette et Thérèse attendent l'avion?
2. Est-ce que les deux amies choisissent le même vol?
3. Thérèse entend une annonce?
4. Entend-elle l'annonce du départ de leur vol?
5. Est-ce que l'avion atterrit à l'heure exacte?

Les verbes irréguliers

Review the following present tense forms of irregular **-ir** and **-re** verbs.

partir je pars, tu pars, il/elle part, nous partons, vous partez, ils/elles partent

sortir je sors, tu sors, il/elle sort, nous sortons, vous sortez, ils/elles sortent

dormir je dors, tu dors, il/elle dort, nous dormons, vous dormez, ils/elles dorment

servir je sers, tu sers, il/elle sert, nous servons, vous servez, ils/elles servent

prendre je prends, tu prends, il/elle prend, nous prenons, vous prenez, ils/elles prennent

Exercice 4 À la gare
Complétez.

En ce moment je suis à la gare de Lyon. J'_____ (attendre) le train pour Marseille. Mon train _____ (partir) à vingt-trois heures quinze. Je vais au guichet. On _____ (vendre) les billets au guichet. J'achète un billet aller et retour.

Ah! Voilà mon amie Thérèse. Qu'est-ce qu'elle fait ici?
— Thérèse! Salut! Qu'est-ce que tu fais ici?
— J'_____ (attendre) le train pour Marseille.
— Incroyable, ça! Moi aussi! Quel train _____-tu? (prendre)
— Je _____ (prendre) le train qui _____ (partir) à vingt-trois heures quinze.
— Formidable! Nous _____ (prendre) le même train.
— De quel quai _____-il? (partir)
— Il _____ (partir) du quai numéro cinq.

Leur train _____ (partir) à l'heure. Comme elles passent toute la nuit dans le train, les deux amies _____ (dormir). À six heures du matin elles _____ (descendre) du train à Marseille.

Les adjectifs *ce, quel, tout*

Review the following forms of the adjectives **ce**, **quel**, and **tout**. Note that **tout** is accompanied by a definite article.

Singular		Plural	
Masculine	**Feminine**	**Masculine**	**Feminine**
quel sport	quelle piste	quels sports	quelles pistes
ce disque	cette valise	ces disques	ces valises
(cet ordinateur)			
tout le magasin	toute la classe	tous les magasins	toutes les classes

Exercice 5 Complétez.

1. _____ les passagers vont passer _____ la nuit dans l'avion. **tout, tout**
2. _____ sports aimes-tu? Moi, j'aime _____ les sports. Je n'ai pas de préférence. **quel, tout**
3. _____ les passagers qui prennent _____ vol vont à Montréal. **tout, ce**
4. _____ valise vas-tu prendre? Je vais prendre _____ valise. **quel, ce**
5. _____ train allons-nous prendre? **quel**
6. _____ les élèves de _____ classe vont prendre le train qui part de _____ quai. **tout, ce, ce**

Les pronoms accentués

Review the following forms of the stress pronouns. Compare them once again to the subject pronouns.

Stress	Subject
moi	je
toi	tu
lui	il
elle	elle
nous	nous
vous	vous
eux	ils
elles	elles

Exercice 6 Des vacances d'hiver
Répondez avec le pronom.

C'est **Robert** qui va aller à Montréal?
Oui, c'est lui qui va aller à Montréal.

1. C'est **Paul** qui va faire le voyage?
2. Il va avec **Ginette?**
3. Et **toi,** tu vas aller avec **Paul et Ginette?**
4. **Ginette, Paul et toi,** vous allez prendre le même vol?
5. Qui va descendre les pistes difficiles? **Toi?**
6. Et **Paul,** va-t-il descendre les pistes pour les débutants?

Qecture culturelle

supplémentaire

une maison en pierre

un immeuble en briques

un chalet en bois

La région des Alpes

Le ski est un sport très populaire en France. Les Français vont souvent faire du ski dans la région des Alpes. Dans cette région il y a des stations de sports d'hiver célèbres comme Megève et Chamonix.

Beaucoup de Français apprennent à faire du ski dans la région des Alpes. Même° les écoles en France ont des classes de neige. En hiver un groupe d'élèves va dans une station de sports d'hiver. Le matin il y a des classes. L'après-midi on apprend à faire du ski.

°**Même** *Even*

René Martin est un élève à Tours. En ce moment il est avec sa classe dans la région des Alpes. Il y a quelque chose* qui surprend* René. Il remarque* qu'il y a beaucoup de chalets en bois dans la région des Alpes. C'est assez rare en France. La plupart des* maisons en France sont en briques ou en pierre, mais dans la région des Alpes il y a aussi des maisons en bois.

Exercice 1 Vrai ou faux?

1. On ne skie pas en France.
2. Les Alpes sont des montagnes.
3. Megève et Chamonix sont des stations balnéaires.
4. Beaucoup d'élèves aux États-Unis ont des classes de neige.
5. Tours est une ville dans la région des Alpes.
6. Beaucoup de maisons en France sont en bois.

Exercice 2 Personnellement

1. Est-ce que vous avez des classes de neige dans votre école?
2. Vous trouvez que c'est une bonne idée d'avoir des classes de neige?
3. Est-ce qu'il y a beaucoup de maisons en bois près de chez vous?
4. Est-ce qu'il y a beaucoup de maisons en bois en France?

ꝯecture culturelle
supplémentaire

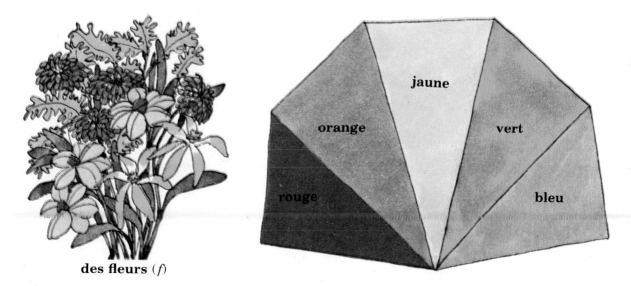

des fleurs (f)

---

quelque chose something   *surprend* surprises
remarque notices   **La plupart des** Most

La Provence

La Provence, située dans le sud-est de la France, est une région ravissante.[•] Tout le long de la côte de la mer Méditerranée il y a des plages magnifiques. C'est la Côte d'Azur. Beaucoup de Français choisissent les plages de la Côte d'Azur pour leurs vacances d'été. Après un mois extra dans le soleil de Nice, Cannes ou Saint-Tropez, ils rentrent[•] chez eux bien bronzés.

La Provence est aussi une région de couleurs—le bleu du ciel et de la mer, le rouge des rochers et les mille couleurs des fleurs. Grasse, une petite ville près de la Côte d'Azur, est renommée[•] pour ses fleurs. Les fleurs sont bien sûr jolies mais elles sont aussi importantes. On utilise les fleurs pour faire les célèbres parfums français.

La région de Provence est riche en histoire. Beaucoup de touristes font des excursions à Arles, une ancienne ville romaine. À Arles ils visitent les arènes, un amphithéâtre romain de l'époque[•] de l'empereur Adrien (IIᵉ siècle). Les arènes servent encore[•] aujourd'hui. Dans les arènes on donne des spectacles, surtout[•] des courses de taureaux.[•]

ravissante *lovely*	**rentrent** *return*		
renommée *famous*	**époque** *time*		
encore *still*	**surtout** *especially*	**courses de taureaux** *bullfights*	

Exercice   Choisissez la réponse.

1. Où est la Provence?

    a. Elle est au nord de Paris.
    b. Elle est dans le sud-est de la France.
    c. Elle est dans la mer des Caraïbes.

2. Qu'est-ce qu'il y a le long de la côte de Provence?

    a. Il y a des plages magnifiques.
    b. Il y a des parfums.
    c. Il y a des stations de sports d'hiver.

3. Est-ce que beaucoup de Français choisissent les plages de la Côte d'Azur pour leurs vacances d'été?

    a. Oui, ils nagent dans la mer des Caraïbes.
    b. Oui, ils nagent dans l'océan Atlantique.
    c. Oui, ils nagent dans la mer Méditerranée.

4. Où sont les villes de Nice, Cannes et Saint-Tropez?

    a. Elles sont dans le soleil.
    b. Elles sont sur la Côte d'Azur.
    c. Elles sont dans le nord-est de la France.

5. Est-ce que Grasse est une ville renommée?

    a. Oui, elle est renommée pour ses rochers.
    b. Oui, elle est renommée pour ses fleurs.
    c. Oui, elle est renommée pour le gris de son ciel.

6. Quelle est une industrie importante de Grasse?

    a. Les fleuristes.
    b. La parfumerie.
    c. La fabrication des lotions solaires.

7. Est-ce que les arènes sont anciennes?

    a. Oui, elles datent de l'époque des Romains.
    b. Oui, elles sont très modernes.
    c. Non, elles ne servent pas aujourd'hui.

8. Où donne-t-on des courses de taureaux?

    a. Seulement en Espagne.
    b. Dans les arènes d'Arles.
    c. Dans les usines de parfums à Grasse.

13 Le métro

Marie-Laure va prendre **le métro**.
Elle est à **l'entrée** de **la station**.
Elle regarde **le plan** du métro.

map of the metro

un ticket

un escalier mécanique

un ascenseur

un carnet de tickets

190

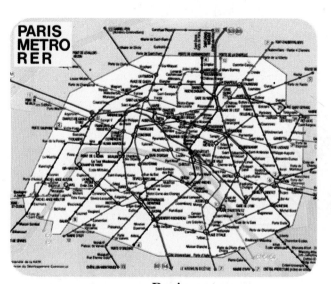

Paris
1900

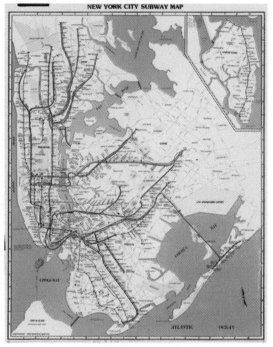

New York
1904

Paris a un très **bon** système de métro.
Le métro de Paris est **plus vieux que** le
métro de New York. Le métro de Paris **date**
de 1900. Le métro de New York date de
1904.

Exercice 1   Marie-Laure prend le métro.
Complétez l'histoire.

Marie-Laure va prendre le _____ . Elle va à _____ de la station et elle
regarde le _____ . Elle descend dans la station par l'escalier _____ . Au guichet
elle n'achète pas un seul ticket. Elle achète un _____ de tickets.

✳ Dans une station de métro ✳

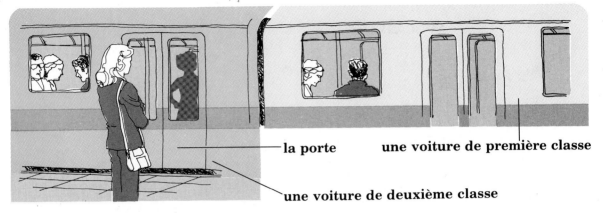

la porte

une voiture de première classe

une voiture de deuxième classe

une **vieille** station de métro
C'est une jolie station.

une **nouvelle** station de métro
Elle est très moderne.

Exercice 2   Dans la station de métro
Répondez.

1. Est-ce que Marie-Laure est dans la station de métro?
2. Est-ce que c'est une nouvelle station?
3. Est-ce que c'est une station de la ligne numéro 3?
4. Est-ce qu'elle entre dans une voiture de deuxième classe?
5. Est-ce qu'elle entre par la porte?

Expressions avec *avoir*

You have seen **avoir** used in the expression **J'ai treize ans** *(I am thirteen years old)*. **Avoir** is used in several other expressions:

avoir froid

avoir soif

avoir raison

avoir chaud

avoir faim

avoir tort

Two additional expressions are:

avoir besoin de	*to need*
avoir envie de	*to feel like, to want*

J'ai besoin d'un anorak.
Il a besoin de dormir.

Elle a envie d'un coca.
Nous avons envie de nager.

Exercice 3 Personnellement
Répondez.

1. À quelle heure avez-vous faim?
2. Avez-vous faim pendant la nuit?
3. Avez-vous soif pendant la nuit?
4. Quand prenez-vous de l'eau minérale?
5. Avez-vous toujours raison dans la classe de maths?
6. Dans quel restaurant avez-vous envie de dîner?
7. Avez-vous besoin d'argent?
8. Vos parents ont-ils envie de voyager?

Structure

Les adjectifs qui précèdent le nom

In French the adjective almost always follows the noun it modifies. There are, however, a few adjectives that precede the noun. Some of these are:

bon   **petit**
joli   **grand**
jeune

Il y a un très bon système de métro à Paris.
L'Étoile est une très grande station de métro.
Molitor est une petite station.

Note that the plural indefinite article **des** becomes **de** when it is used with a plural adjective that precedes the noun.

Il y a <u>de</u> grandes et <u>de</u> petites stations de métro.

Exercice 1   Un grand appartement dans un bon quartier
Répondez.

1. Est-ce que la jeune femme habite une petite maison?
2. Est-ce que la grande famille habite un grand appartement?
3. Est-ce que leur grand appartement est dans un joli immeuble?
4. Est-ce que le joli immeuble est dans un bon quartier?
5. Est-ce qu'il y a un joli petit parc dans le quartier?

Exercice 2   Tu as toujours raison.
Suivez le modèle.

Le parc est grand, n'est-ce pas?
Tu as raison. C'est un grand parc.

1. Le restaurant est petit, n'est-ce pas?
2. La plage est jolie, n'est-ce pas?
3. L'artiste est bon, n'est-ce pas?
4. L'appartement est grand, n'est-ce pas?
5. Le professeur est jeune, n'est-ce pas?
6. Les omelettes sont bonnes, n'est-ce pas?
7. Les stations sont jolies, n'est-ce pas?

Les adjectifs *beau, nouveau, vieux*

The adjectives **beau, nouveau,** and **vieux** also precede the noun. Study the forms of these adjectives.

Masculine singular	Masculine singular before a vowel or silent *h*	Feminine singular
un **beau** garçon un **nouveau** film un **vieux** chien	un **bel** avion un **nouvel** anorak un **vieil** ami	une **belle** fille une **nouvelle** maison une **vieille** valise

Masculine plural		Feminine plural
de **beaux** skieurs de **beaux** anoraks de **nouveaux** films de **nouveaux** amis de **vieux** skis de **vieux** artistes		de **belles** maisons de **belles** îles de **nouvelles** valises de **nouvelles** amies de **vieilles** valises de **vieilles** amies

Note that these adjectives have an additional masculine form before nouns that begin with a vowel.

Il habite un nouvel appartement.

BUT:

Son appartement est nouveau.

Exercice 3   Le bel appartement de la famille Rivage
Répondez.

1. Est-ce que la famille Rivage a un bel appartement à Paris?
2. Est-ce que leur appartement est dans un vieil immeuble?
3. Est-ce que l'immeuble est dans un vieux quartier de Paris?
4. Est-ce qu'il y a beaucoup de belles maisons dans ce vieux quartier?
5. Est-ce qu'il y a une nouvelle station de métro dans le quartier?
6. Est-ce que les nouvelles lignes ont de nouvelles ou de vieilles voitures?

Exercice 4   La ville de Paris
Complétez avec la forme convenable de *vieux*.

Paris est une _____ ville avec beaucoup de _____ maisons. Il y a aussi beaucoup de _____ monuments (*m*) à Paris. Dans les jolis parcs il y a beaucoup de _____ statues (*f*). Mais dans les nouvelles parties de la ville les immeubles naturellement ne sont pas _____ . Eux aussi, ils sont nouveaux.

Exercice 5 Au contraire!

Lisez la conversation. Ensuite, substituez *l'avion* à *la maison*.

— Regardez cette maison-là! Qu'elle est belle!
— Ah oui! C'est vraiment une belle maison!
— Mais elle est très vieille, n'est-ce pas?
— Pas du tout! Ce n'est pas une vieille maison!
  Au contraire! Elle est très moderne.
— Vous avez raison. C'est une nouvelle maison!

Les comparaisons

As their name suggests, comparative constructions are used in comparing two things. Look at the following sentences.

L'élève est plus grand que le professeur.

Le chat est moins content que le chien.

Annie est aussi grande que sa mère.

The following words are used to express comparisons.

plus... que	*more . . . than (. . .—er . . . than)*
moins... que	*less . . . than*
aussi... que	*as . . . as*

Note the liaison after **plus** and **moins** when the adjective begins with a vowel.

      plus intelligent   **moins élégant**

After **que**, the stress pronouns must be used.

      Jean est aussi intelligent que moi, mais il est moins intelligent qu'elle.

The adjective **bon/bonne** has an irregular comparative form:

      Ce magasin est meilleur que cette boutique.
      Cette viande-ci est bonne, mais cette viande-là est meilleure.

Exercice 6 Qui est plus âgé?
Faites des comparaisons.

Mon grand-père a 65 ans.   Mon oncle a 48 ans.
Ma mère a 44 ans.   Mon père a 46 ans.
Ma cousine a 23 ans.   Mon cousin a 23 ans.

Exercice 7 Des comparaisons
Comparez chaque paire. Employez *plus* ou *moins*.

1. Paris / Washington   **vieux**
2. les monuments de Paris / les monuments de New York   **vieux**
3. le métro de Paris / le métro de New York   **moderne**
4. la pollution / l'inflation   **grave**
5. le métro / le bus   **meilleur**
6. ce plan-ci / ce plan-là   **meilleur**

Exercice 8 Personnellement
Répondez. Employez un pronom dans la réponse.

1. Êtes-vous plus intelligent(e) que vos profs?
2. Vos amis sont-ils plus intelligents que vous?
3. Votre mère est-elle plus âgée que votre père?
4. Votre grand-mère est-elle plus jeune que votre grand-père?

Prononciation   *l* mouillé

ill		ie, ia, ieu
fille	Mireille	bien
famille	Guillaume	ciel
brille	maillot	chien
vieille	juillet	piano
bouteille	billet	vieux

Pratique et dictée

La fille porte un vieux maillot.
La famille de Guillaume a un chien.
En juillet le soleil brille dans le ciel bleu.
Mireille a une très vieille bouteille.

On prend le métro

Bernard   Voilà l'entrée du métro. Regardons le plan à l'extérieur de la station.

Charlie   Quelle ligne va à l'Opéra?

Bernard   C'est la ligne Mairie d'Ivry-Fort d'Aubervilliers.

Charlie   Ah, bon! On prend l'escalier mécanique ou on descend à pied?

Bernard   Descendons à pied.

Charlie   **D'accord! Nous sommes deux jeunes hommes forts.**

Bernard   Allez vite! Le train arrive!

Exercice **Répondez.**

1. Où sont Charlie et Bernard?
2. Qu'est-ce qu'il y a à l'extérieur de la station?
3. Où vont les deux garçons?
4. Quelle ligne prennent-ils?
5. Est-ce qu'ils prennent l'escalier mécanique ou descendent à pied?
6. Qu'est-ce qui arrive?

Expressions utiles

There is a common expression in French that people use to show vexation or dissatisfaction. It is roughly equivalent to *Darn!*

Zut!
Zut alors!

There is a colloquial expression that you may use with your friends to say *Don't worry about it!*

Ne t'en fais pas!

ℒecture culturelle

Attention aux portes automatiques!

Charlie est un étudiant° américain en France. Il passe une année° chez Bernard, son ami parisien.

Un jour, Charlie regarde ses chaussures.°

— Zut alors! Regarde mes chaussures! Elles sont—euh—finies.

— Finies, non, corrige° Bernard. Mais tu as raison. Elles sont bien vieilles; elles sont fichues.°

— D'accord! Elles sont fichues. J'ai besoin de nouvelles chaussures, n'est-ce pas? Mais je n'ai pas beaucoup d'argent.

— Ne t'en fais pas! Il y a des chaussures bon marché° au Monoprix.

— Monoprix? Qu'est-ce que c'est?

— C'est un des grands magasins de Paris.

— Bon! Allons donc acheter mes chaussures!

Les deux garçons quittent l'appartement et vont à l'entrée du métro. Comme c'est une vieille station, il n'y a pas d'escalier mécanique. Il y a seulement° un vieil ascenseur.

Bernard achète un carnet de tickets et donne un ticket à son ami.

— Vite! Vite! crie Bernard. Un train arrive!

°**étudiant** *college student*	°**année** *year*	°**chaussures** *shoes*	°**corrige** *corrects*
°**fichues** *"shot," ruined*	°**bon marché** *cheap, reasonable*	°**seulement** *only*	

200

Le train arrive bientôt° et les deux amis entrent dans une voiture de deuxième classe. Ils vont en deuxième parce que c'est bien sûr moins cher°qu'en première.

Dans la voiture Charlie regarde le plan de la ligne numéro 7, Mairie d'Ivry-Fort d'Aubervilliers.

— Quelle direction prenons-nous? demande-t-il.

— Fort d'Aubervilliers. Nous descendons à la station des Pyramides. Elle est moins grande que la station de l'Opéra, mais elle est plus près du Monoprix. Les deux amis arrivent. Ils entendent la sonnerie et descendent vite. Même les vieilles lignes du métro ont de nouvelles voitures, et toutes les nouvelles voitures ont des portes automatiques.

Exercice 1 Complétez.

1. Charlie passe une _____ chez Bernard.
2. Les _____ de Charlie sont fichues.
3. Il a _____ de nouvelles chaussures.
4. Charlie n'a pas beaucoup d'_____ .
5. Au Monoprix il va trouver des _____ bon marché.

Exercice 2 Choisissez.

1. Le Monoprix est _____ .
   a. un métro
   b. un grand magasin
   c. une station

2. Pour aller sur les quais Bernard et Charlie prennent _____ .
   a. la vieille station
   b. un vieil ascenseur
   c. un escalier mécanique

3. Bernard achète un carnet de _____ .
   a. cartes
   b. tickets
   c. passeports

4. Bernard crie «Vite!» parce que _____ .
   a. le train arrive
   b. le train est vieux
   c. l'escalier est mécanique

Exercice 3 Répondez.

1. Quand est-ce que le train arrive?
2. Est-ce que les garçons entrent dans une voiture de première classe?
3. Qui regarde le plan de la ligne Mairie d'Ivry-Fort d'Aubervilliers?
4. À quelle station est-ce que Bernard et Charlie descendent?
5. Pourquoi est-ce que les garçons descendent vite?

°**bientôt** *soon*   °**cher** *expensive*

Activités

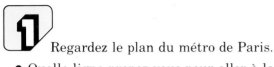

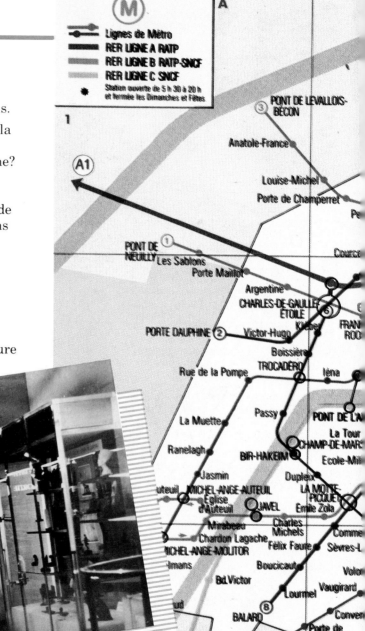

1 Regardez le plan du métro de Paris.

- Quelle ligne prenez-vous pour aller à la Porte d'Orléans?
- Quel est l'autre terminus de cette ligne?
- Nommez les quatre lignes qui vont à Montparnasse-Bienvenue.
- On change de ligne dans une station de correspondance. Nommez deux stations de correspondance.

2 Expliquez pourquoi il y a généralement plusieurs voitures de deuxième classe mais seulement une voiture de première classe.

 Say as much as you can about the photo.

202

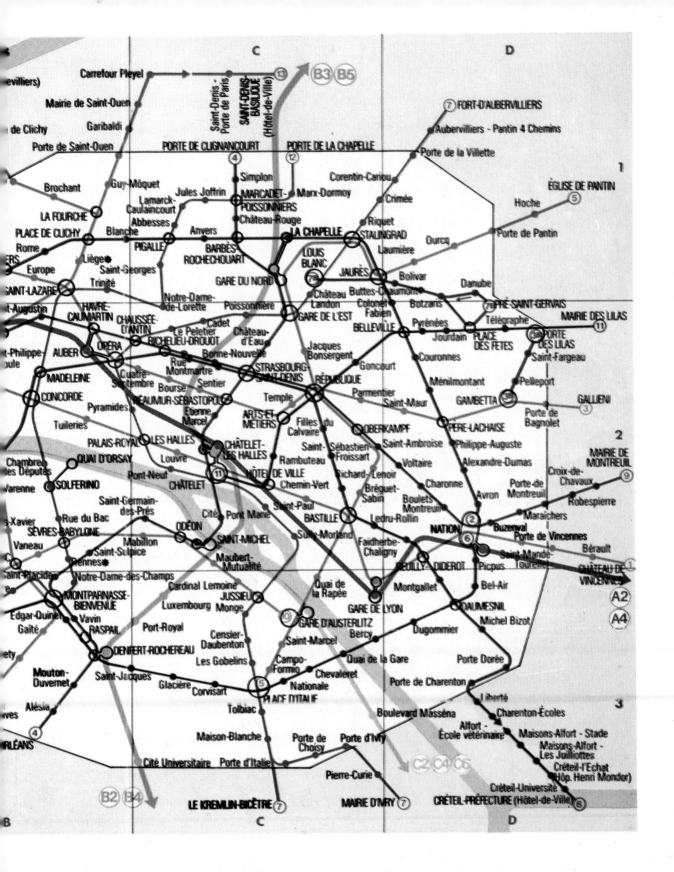

galerie vivante

Voici deux jolies stations de métro à Paris.
Quelle station est plus moderne, La Défense ou Montparnasse-Bienvenüe?

Madame Joinville ne va pas au guichet pour acheter ses tickets de métro. Dans les grandes stations de métro il y a aussi des distributeurs automatiques.

MONTPARNASSE BIENVENUE

Le train arrive à
la station Bir-Hakeim.
Est-ce qu'il y a beaucoup de gens qui
prennent le métro?

Voici une carte orange pour le métro, le train
ou le bus à Paris. On vend des cartes oranges
pour un mois ou pour un an. Si on circule
souvent dans la région parisienne, c'est une
bonne idée d'acheter une carte orange. Avec
une carte orange, il n'est pas nécessaire
d'attendre au guichet pour acheter des tickets.
Et une carte orange coûte moins cher que les
tickets individuels.

Voici un ticket de métro. C'est
un ticket de première classe ou de
deuxième classe? Est-il possible
d'utiliser le même ticket dans
l'autobus?

CARTE ORANGE

RATP SNCF APTR

nom
prénom KRIEGER Janet

signature
Janet Krieger

P 170783 ← N° à reporter
sur le coupon

CARTE ORANGE

N° 85937

coupon mensuel
zones de validité

1 2 AVR -83

2

RATP
C U–U
2
METRO
AUTOBUS
8 0703

205

14 Les grands magasins

Vocabulaire

un vendeur   une vendeuse

bon marché

en solde

à gauche   à droite

un pull   un chandail

heureux   heureuse

la taille   la pointure

La vendeuse **travaille** dans **un grand magasin.**

Elle travaille au rayon des pulls et chandails.

La vendeuse **suggère** un beau pull bleu.

La cliente préfère le **vert.**

Exercice 1   Dans un grand magasin
Répondez.

1. Quel rayon est-ce?
2. Est-ce que la vendeuse suggère un pull bleu ou un chandail bleu?
3. Quel pull est-ce que la cliente préfère?
4. Est-ce que le pull vert est cher ou bon marché?
5. Est-il en solde?
6. Est-ce que la cliente est heureuse?

Exercice 2   Complétez.

1. Ce n'est pas un vendeur; c'est une _____ .
2. Le pull n'est pas cher; il est _____ _____ .
3. La cliente n'est pas triste; elle est _____ .
4. Les pulls et les chandails ne sont pas à gauche; ils sont à _____ .
5. Ce n'est pas un chandail; c'est un _____ .

Les couleurs et les vêtements

Quelle couleur préférez-vous?

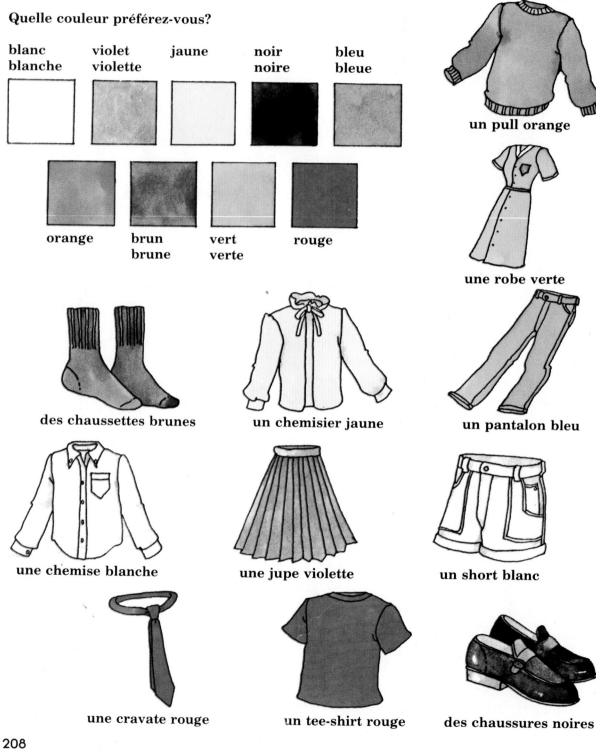

blanc
blanche

violet
violette

jaune

noir
noire

bleu
bleue

orange

brun
brune

vert
verte

rouge

un pull orange

une robe verte

des chaussettes brunes

un chemisier jaune

un pantalon bleu

une chemise blanche

une jupe violette

un short blanc

une cravate rouge

un tee-shirt rouge

des chaussures noires

208

Exercice 3 Que portent-ils?

Continuez la description de Claire et de Léon d'après les illustrations.

Claire porte un chemisier jaune et...

Léon porte une chemise verte et...

Exercice 4 Personnellement

Choisissez des amis dans la classe. Décrivez ce qu'ils portent aujourd'hui. Et décrivez ce que vous portez aussi.

Structure

Les verbes comme *préférer*

Study the forms of the present tense of **préférer.** Pay attention to the accent on the second **e** of the stem.

Infinitive	préférer
Present tense	je préfère
	tu préfères
	il/elle préfère
	nous préférons
	vous préférez
	ils/elles préfèrent

Note that the **nous** and **vous** forms of **préférer** retain the second **é** of the infinitive, while the other forms change to **è**.

Three other verbs that are conjugated like **préférer** are:

suggérer (*to suggest*): je suggère / nous suggérons
espérer (*to hope*): j'espère / nous espérons
célébrer (*to celebrate*): je célèbre / nous célébrons

Exercice 1 Personnellement
Répondez.

1. Vous préférez danser ou écouter des disques?
2. Vous préférez regarder la télé ou aller au cinéma?
3. Vos parents préfèrent dîner chez vous ou aller au restaurant?
4. Vos parents préfèrent voyager en train ou en avion?
5. Votre ami(e) préfère aller à la plage ou à la montagne?
6. Votre ami(e) et vous, vous préférez nager ou skier?
7. Vous deux, vous préférez les sports d'été ou les sports d'hiver?

Exercice 2 Martine fait des courses.
Complétez.

Martine fait des courses dans un grand magasin. Elle _____ (espérer) acheter un beau chandail pour sa sœur. La vendeuse _____ (suggérer) un pull.

— Un pull. Eh bien, c'est une bonne idée.
— Quelle couleur _____-vous (préférer), mademoiselle?
— Je _____ (préférer) le bleu.
— Voilà un beau pull bleu. Il est en solde.
— Magnifique!

Les adjectifs comme *heureux*

Note the forms of the adjective **heureux**.

Paul est heureux.	**Les vendeurs sont heureux.**
Marie-Claire est heureuse.	**Les vendeuses sont heureuses.**

Adjectives that end in **-eux** in the masculine end in **-euse** in the feminine. The masculine singular and plural forms are the same. You will note that many adjectives that end in **-eux** are cognates.

délicieux	**sérieux**
généreux	**merveilleux**
nerveux	

210

Exercice 3 Répondez.

1. Ton amie Ginette, est-elle toujours heureuse?
2. Est-elle généreuse?
3. Est-elle sérieuse?
4. Et son ami Jean-Luc, est-il sérieux aussi?
5. Prépare-t-il des dîners délicieux?
6. Et toi? Prépares-tu des dîners délicieux?
7. Es-tu un peu nerveux (-euse) dans la cuisine?

Exercice 4 Un jeune vendeur
Lisez le paragraphe. Ensuite substituez _Diane_ à _Richard_.

Richard est un jeune parisien. Il est vendeur dans un grand magasin. Il est heureux parce qu'il aime travailler au magasin. Bien sûr, il est sérieux avec les clients. Richard n'est pas nerveux avec les clients.

Exercice 5 Personnellement
Répondez.

1. Êtes-vous toujours heureux?
2. Quand êtes-vous nerveux?
3. Êtes-vous sérieux au lycée?
4. Vos parents sont-ils toujours sérieux?

Le superlatif

As you know, the comparative construction is used in comparing two things. The superlative is used when one singles out an item from a group and compares it to the group. In English the superlative is expressed by _the most . . ._ or _the . . .-est._ Look at the following sentences.

La jupe noire est chère.

La jupe brune est plus chère que la jupe noire.

Mais la jupe bleue est la plus chère du magasin.

The superlative is formed by placing **le plus, la plus,** or **les plus** before the adjective.

Georgette est la vendeuse la plus intelligente du magasin.

The least . . . is expressed by **le moins, la moins,** or **les moins.**

C'est le magasin le moins cher de la ville.

Notice that _in_ or _of_ after a superlative is expressed by **de.**
The superlative form of **bon/bonne** is irregular.

C'est le meilleur pain de Paris.
C'est la meilleure musique.

211

Exercice 6 Au contraire
Répondez avec le contraire. *Trans*

C'est le lycée le plus moderne?
Au contraire! C'est le lycée le moins moderne!

1. C'est le vendeur le plus nerveux?
2. C'est l'élève la moins sérieuse?
3. C'est l'avion le plus rapide?
4. C'est le train le moins confortable?
5. C'est le film le plus comique?
6. C'est le programme le moins intéressant?
7. C'est la fille la plus généreuse?

Exercice 7 Des comparaisons
Complétez avec un adjectif de votre choix.

1. Mon grand-père est le plus _____ de la famille. Mon père est le plus _____ et ma mère est la plus _____ . Moi, je suis le (la) plus _____ . Mais je suis le (la) moins _____ .
2. Le meilleur élève (la meilleure élève) en français est _____ , mais le meilleur (la meilleure) en maths, c'est _____ .
3. Moi, naturellement, je suis le meilleur (la meilleure) en _____ !

Prononciation   Les sons /ø/ et /œ/

/ø/	/œ/
eux	leur
deux	heure
bleu	sœur
vieux	couleur
heureux	vendeur
nerveux	professeur
généreux	intérieur

Pratique et dictée

Le professeur est heureux.
Où est leur sœur?
Ces deux vendeurs sont nerveux.

À quelle heure arrive le vieux?
Eux, ils aiment le bleu.
Regardez la ligne bleue à l'intérieur.

Expressions utiles

There are two ways to say *What size are you?* in French. When someone asks you your shoe size they will say:

Quelle pointure faites-vous?

When asking about a clothing size they will say:

Quelle est votre taille?

Conversation

Dans un grand magasin

Vendeur	Bonjour, mademoiselle. Vous désirez?
Marie-Claire	Une cravate pour mon père, s'il vous plaît.
Vendeur	Pour la Fête des Pères?
Marie-Claire	Oui, c'est ça! Quelle sorte de cravate suggérez-vous?
Vendeur	Est-ce que votre père préfère les couleurs vives ou sombres?
Marie-Claire	Oh, il est très sérieux, mon père! Sa couleur préférée est le bleu foncé.
Vendeur	Bien. Voici trois jolies cravates bleues, mademoiselle.
Marie-Claire	Quelle cravate est la plus chère?
Vendeur	Cette cravate-ci. Elle est en soie. C'est aussi la plus élégante, mademoiselle.
Marie-Claire	Alors, c'est la cravate que je voudrais pour papa! Il est toujours très généreux avec moi.

Exercice 1 Corrigez.

1. Marie-Claire est au rayon des chemises.
2. Elle désire acheter une jupe pour sa mère.
3. Le père de Marie-Claire préfère les couleurs vives.
4. Sa couleur préférée est le bleu clair.
5. Marie-Claire choisit la cravate la moins chère.
6. Elle choisit la cravate la moins élégante.

Exercice 2 Répondez.

1. Est-ce que votre père préfère les couleurs vives ou sombres?
2. Quelle couleur préfère-t-il?
3. Et vous, quelle couleur préférez-vous?
4. Est-ce que votre père est très généreux avec vous? Et votre mère?

Expressions utiles

When English speakers have trouble understanding something, they say *I get it!* when they finally get the point. The equivalent expression in French is:

J'y suis!

---

vives ou sombres *bright or dark*　　**bleu foncé** *dark blue*　　**soie** *silk*

ℓecture culturelle

Hourrah! Elles sont en solde!

Dans le grand magasin Bernard demande: — Pardon, mademoiselle. Où est le rayon des chaussures?

— Au fond,° à gauche, monsieur, répond la vendeuse.

Les garçons ont de la chance; il n'y a pas beaucoup de clients à cette heure-ci. Le vendeur de chaussures est un jeune homme aimable.°

— Bonjour, messieurs. Vous désirez?

— Je voudrais une paire de chaussures, pas trop° chère, explique° Charlie.

— De quel modèle, monsieur?

— Je préfère les bottes.

— Des bottes de cow-boy ou des bottes de sport?

— De sport, pour la motocyclette.

— Tu blagues, Charlie. Tu n'as pas de moto!

— Tu as raison, Bernard; mais les bottes de moto sont les chaussures les plus solides du monde.

— De quelle couleur préférez-vous les bottes, monsieur?

— Moi, je préfère le noir.

— Quelle pointure faites-vous, monsieur?

Pointures

	Pour Femmes					Pour Hommes				
Américain	4	5	6	7	8	Américain	7½	8	8½	9½	10
Français	34/35	35/36	37/38	39/40	41/42	Français	40	41	42	43	44

— Pointure? Je ne comprends pas. Ah, j'y suis! Je fais du neuf et demi.

— Neuf et demi aux États-Unis, mais ici en France ça fait 43. Bon. Un instant, monsieur.

Charlie essaie° plusieurs° paires de bottes. Enfin il choisit une belle paire de bottes noires. Elles sont assez confortables et heureusement elles sont très bon marché. Elles sont en solde!

° **au fond** *in the back*	° **aimable** *nice*	° **trop** *too*
° **explique** *explains*	° **essaie** *tries on*	° **plusieurs** *several*

214

Exercice 1 Complétez.

1. Bernard et Charlie sont dans _____ .
2. Le rayon des chaussures est _____ .
3. À cette heure-ci il n'y a pas beaucoup de _____ .
4. Le vendeur de chaussures est _____ .
5. Charlie désire acheter _____ .
6. Charlie désire des bottes de sport parce que _____ .

Exercice 2 Répondez.

1. Quelle pointure fait Charlie, d'après le système américain? Et d'après le système français?
2. Combien de paires de chaussures est-ce que Charlie essaie?
3. Qu'est-ce qu'il choisit enfin?
4. Comment sont les bottes de Charlie?
5. Pourquoi sont-elles bon marché?

Activités

 Qu'est-ce que vous portez aujourd'hui? Faites une description complète.

Une interview

- Est-ce qu'il y a un grand magasin dans votre ville? Dans une ville près de chez vous?
- Vous allez souvent dans ces magasins?
- Qu'est-ce que vous achetez dans les grands magasins?
- Quels rayons préférez-vous?
- Quels rayons n'aimez-vous pas?

Charlie désire acheter un blue-jeans. Préparez un petit dialogue (8 lignes) entre le vendeur et Charlie.

Des expressions utiles:

    Vous désirez?
    De quelle couleur?
    s'il vous plaît/merci
    je préfère
    cher/bon marché
    en solde
    C'est combien?

cgalerie vivante

Les tailles en France ne sont pas les mêmes qu'aux États-Unis.
Si vous allez acheter quelque chose dans un grand magasin ou dans
une boutique en France, il est nécessaire de donner votre taille
dans le système français. Voici une petite table de conversion.

POUR LES FEMMES				
Les blouses et les pulls				
Etats-Unis	32	34	36	38	40
France	38	40	42	44	46
Les chaussures				
Etats-Unis	5½-6	6½-7	7½-8	8½-9
France	37-38	38-39	39-40	40-41

POUR LES HOMMES				
Les chemises				
Etats-Unis	14½	15	15½	16	16½
France	37	38	39	40	41
Les chaussures				
Etats-Unis	6½-7	7½-8	8½-9	9½-10
France	40-41	41-42	42-43	43-44

Blouses ou chemises: Quelle est votre taille dans le système américain?
Quelle est votre taille dans le système français?

Chaussures: Quelle est votre pointure dans le système américain?
Quelle est votre pointure dans le système français?

Voici une boutique à Nice.
Est-ce que c'est une boutique
unisexe? Combien coûtent les
tee-shirts?

Voici les Galeries Lafayette à Paris. C'est un grand magasin. Bientôt on va célébrer Noël. Est-ce qu'on décore les grands magasins en France pour Noël?

Voici l'intérieur des Galeries Lafayette. Est-ce que vous avez un grand magasin comme les Galeries Lafayette près de chez vous? Quel magasin est-ce? Est-ce qu'il y a beaucoup de rayons aux Galeries Lafayette?

Voici l'intérieur du grand magasin La Samaritaine. Qu'est-ce qu'on prend pour aller d'un étage à l'autre? Est-ce qu'on annonce beaucoup de soldes?

15 Plus moderne que le snack

Dans un restaurant «fast food»

Le restaurant est en France.
Il est à Paris.
La **spécialité-maison** est le poulet.

le poulet

la caisse

Les garçons **veulent payer**.
Ils **font la queue devant** la caisse.
C'est la caissière qui prend l'argent.

la queue　　　　　　**la caissière**

218

Dans un café français

**un sandwich
au jambon**

**un sandwich
au fromage**

un croque-monsieur

Ils veulent payer.
Ils **peuvent** payer le garçon.

Exercice 1   Au restaurant
Choisissez.

1. Nous sommes dans _____ .
   a. un grand magasin
   b. un restaurant
   c. une école

2. Ici on sert _____ .
   a. des hamburgers
   b. des pizzas
   c. du poulet

3. À la caisse les garçons _____ .
   a. font du français
   b. font la queue
   c. font du ski

4. C'est la caissière qui prend _____ .
   a. le poulet
   b. la spécialité
   c. l'argent

5. Un sandwich typiquement français est _____ .
   a. un hamburger
   b. un croque-monsieur
   c. un club sandwich

Exercice 2   Un restaurant à Paris
Répondez.

1. Est-ce que le restaurant «fast food» est à Paris ou à Nice?
2. Est-il en Italie ou en France?
3. Quelle est la spécialité-maison?
4. Est-ce que les garçons veulent payer ou commander?
5. Où font-ils la queue?
6. Qui prend l'argent au restaurant «fast food»?

Structure

Les prépositions avec les noms géographiques

To express *to* or *in* with the name of a city, the preposition **à** is used.

> **Je suis à Paris.**
> **Il va à Marseille.**

With the name of a continent, a feminine country, or a province, **en** is used.
Countries whose names end in **e**, with the exception of **le Mexique,** are feminine.

> *Continent:* **Ils vont en Europe.**
> *Feminine country:* **Nous sommes en France.**
> *Province:* **Je vais en Bretagne.**

With a masculine country, **au** or **aux** is used.

> **Va-t-il au Canada?**
> **Ils sont aux États-Unis.**

Exercice 1 Où sont situés ces monuments?
Suivez le modèle.

New York	Moscou
Paris	Rome
Londres	

La cathédrale de Notre Dame...
La cathédrale de Notre Dame est à Paris.

1. La statue de la Liberté...
2. Big Ben...
3. Le Kremlin...
4. Le Vatican...
5. La tour Eiffel...

Exercice 2 La famille d'Henri est partout!
Répondez.

1. Qui est en Afrique? Ses cousins?
2. Qui est en Alsace? Ses grands-parents?
3. Qui est en Belgique? Ses cousines?
4. Qui est en Italie? Ses oncles?
5. Qui est en Indochine? Sa sœur?

Exercice 3 Une leçon de géographie
Suivez le modèle.

au Pérou	au Canada	aux États-Unis
au Japon	au Brésil	au Mexique

Je vais à Québec.
Ah, vous allez au Canada!

1. Je vais à Montréal.
2. Je vais à Osaka.
3. Je vais à Boston.
4. Je vais à Rio.
5. Je vais à Lima.
6. Je vais à Acapulco.

Exercice 4 Ma sœur fait un voyage.
Complétez avec la préposition qui convient.

Cet été ma sœur va _____ Canada. Elle va passer deux semaines _____ Montréal; ensuite elle va aller _____ Toronto. Elle pense aller _____ États-Unis et _____ Mexique avant de rentrer _____ France. Mon frère au contraire va passer tout l'été _____ Suisse et _____ Allemagne.

Les verbes *pouvoir* et *vouloir*

Study the forms of the irregular verbs **pouvoir** (*to be able*) and **vouloir** (*to want*).

Can

Infinitive	pouvoir	vouloir
Present tense	je peux	je veux
	tu peux	tu veux
	il/elle peut	il/elle veut
	nous pouvons	nous voulons
	vous pouvez	vous voulez
	ils/elles peuvent	ils/elles veulent

Note that the singular forms sound the same. The **nous** and **vous** forms have the same base as the infinitive. The **ils** and **elles** forms have the same stem as the singular forms but add the consonant of the infinitive.

Exercice 5 Je ne peux pas / Il ne veut pas
Suivez les modèles.

Je veux aller au restaurant mais...
Je veux aller au restaurant mais je ne peux pas.

1. Je veux aller avec vous mais...
2. Je veux dîner en ville mais...
3. Je veux aller au cinéma mais...

Mon frère peut aller au restaurant mais...
Mon frère peut aller au restaurant mais il ne veut pas.

4. Mon frère peut aller avec vous mais...
5. Il peut dîner en ville mais...
6. Il peut aller au cinéma mais...

Exercice 6 Ils veulent aller au Canada.
Complétez avec *vouloir* et *pouvoir*.

Jean et Marie _____ faire le voyage mais ils ne _____ pas. Ils _____ bien aller au Canada. Ils ont très envie de visiter le pays. S'ils _____ visiter le Canada, pourquoi ne _____-ils pas faire le voyage? Très simple! Ils sont fauchés. Dis donc! Tu _____ faire un voyage quand tu es fauché(e)?

Exercice 7 À la fête
Suivez le modèle.

Dînez avec nous!
Nous ne pouvons pas dîner.

1. Chantez avec nous!
2. Jouez avec nous!

3. Dansez avec nous!
4. Nagez avec nous!

Exercice 8 À la fête
Suivez le modèle.

Vous voulez danser?
Mais oui, nous voulons bien!

1. Vous voulez manger du poulet?
2. Vous voulez jouer au Scrabble?

3. Vous voulez écouter des disques?
4. Vous voulez regarder la télé?

Exercice 9 Les garçons sont fauchés!
Complétez le paragraphe avec la forme convenable de *pouvoir* ou *vouloir*.

Pierre et son frère Jacques ont faim. Ils _____ aller dans un restaurant où ils
_____ dîner rapidement. Mais ils sont fauchés et ils ne _____ pas dépenser°
beaucoup d'argent. Pierre a toujours un grand appétit et il _____ deux
hamburgers. Mais Jacques crie, — Pas question! Tu _____ prendre seulement un
hamburger aujourd'hui!
— Quel radin,° murmure Pierre.

°**dépenser** *spend*   °**radin** *tight-fisted person*

222

Exercice 10 Personellement
Répondez.

1. Où voulez-vous aller après les classes?
2. À quel restaurant pouvez-vous aller?
3. Pouvez-vous aller au restaurant quand vous êtes fauché(e)?
4. Avez-vous un grand appétit?
5. Combien de hamburgers pouvez-vous manger?

Qui, pronom relatif

The pronoun **qui** (*who, that, which*) is used to link two short sentences in order to make a longer one. **Qui** is always the subject of the clause.

> **C'est Pierre. Pierre a faim.**
> **C'est Pierre qui a faim.**

> **Claire est une étudiante. Elle travaille bien.**
> **Claire est une étudiante qui travaille bien.**

Qui may refer to things as well as persons.

> **Voici une moto. La moto est chère.**
> **Voici une moto qui est chère.**

Note that the verb must agree with the subject replaced by **qui.**

> **C'est vous qui chantez bien.**
> **C'est moi qui veux un coca.**

Exercice 11 Qui aime ça?
Suivez le modèle.

Qui vend ce restaurant? Les Dupont?
Oui, ce sont les Dupont qui vendent ce
*   restaurant.*

1. Qui achète ce restaurant? Les Montaigne?
2. Qui va être le chef? M. Montaigne?
3. Qui veut être le premier client? Paul?
4. Qui adore la cuisine de M. Montaigne? Annie et Marc?
5. Qui sait faire une omelette délicieuse? Mme Montaigne?

Exercice 12 La visite de Lise
Décrivez la visite de Lise en six phrases seulement. Employez *qui*.

1. C'est Lise. Elle va au Canada.
2. Elle a des amis. Ils sont canadiens.
3. Lise rend visite à ses amis. Ils habitent la province de Québec.
4. Ce sont les Québécois. Ils parlent français et anglais.
5. Ils habitent une petite ville. Elle est dans les montagnes.
6. Lise aime les montagnes. Elles sont si belles en été.

Prononciation

Les sons /ɛn/ et /ɛ̃/

/ɛn/	/ɛ̃/
parisienne	parisien
canadienne	canadien
italienne	italien
chienne	chien
Lucienne	Lucien
aérienne	aérien
américaine	américain
certaine	certain
mexicaine	mexicain
européenne	européen
prochaine	prochain

Pratique et dictée

Combien de Canadiennes désirent être mexicaines?
Certaines Américaines ont une chienne et un chien européens.
Cet Italien travaille pour une ligne aérienne canadienne.
Lucienne est la prochaine.

Conversation

Dans un restaurant «fast food»

La serveuse	Vous désirez?
Lucien	Un sandwich au poulet et une salade, s'il vous plaît.
La serveuse	Et avec ça?
Lucien	Un coca. Ça fait combien?
La serveuse	Ça fait trente francs.
Lucien	Bon. Voici les trente francs.
La serveuse	Merci bien. Et voici votre repas. Bon appétit!

Exercice Dans un restaurant «fast food»
Répétez le dialogue avec les changements indiqués.

deux hamburgers   un milk-shake au chocolat
des frites   quarante francs

Lecture culturelle

Deux Whoppers, s'il vous plaît!

Charlie est bien content de ses bottes. Il passe à la caisse et il fait la queue devant la caissière. Enfin elle prend son argent et Charlie va prendre son paquet.[*]

Et maintenant pour fêter tes nouvelles bottes, veux tu aller au Burger King? suggère Bernard.

— Burger King? Ici en France? Charlie est surpris.

— C'est vrai! On peut aller à cinq Burger King à Paris. Deux sont sur les Champs-Élysées.

— Tu veux dire que les Français qui aiment la bonne cuisine acceptent les «fast foods»?

— Pourquoi pas? Comme aux États-Unis la nourriture est simple et bon marché. Et le service est rapide. Il y a beaucoup de personnes qui prennent leur repas de midi dans un restaurant «fast food».

___

[*]**paquet** *package*

— Est-ce que les Français aiment la viande hachée?°

— Ah oui! Les hamburgers sont très populaires en France. Mais il y a des Français qui veulent la version française de la restauration rapide ou «fast foods».

— La version française?

— Oui. Des produits° typiquement français—un sandwich au jambon ou au fromage. On peut choisir aussi une omelette, un croque-monsieur ou des pizza-sandwiches à la française.°

— Mais qu'est-ce qu'on sert au Burger King?

— Les spécialités-maison, naturellement! On peut choisir des hamburgers, des Whoppers, des frites, un milk-shake ou un Coca-Cola.

— Sans blague?

— Sans blague! Tu as faim?

— Moi, j'ai toujours faim. Allons acheter des Whoppers!

Exercice 1 Complétez.

1. Charlie est content de ses _____ .
2. Il passe à la _____ .
3. Devant la caissière il fait la _____ .
4. La _____ prend son argent.
5. Enfin Charlie prend son _____ .

Exercice 2 Répondez.

1. Pourquoi est-ce que Bernard et Charlie vont au Burger King?
2. Combien de Burger King est-ce qu'il y a à Paris?
3. Qui aime la bonne cuisine?
4. Pourquoi est-ce que les Français acceptent les «fast-foods»?
5. Qui prend le repas de midi dans un restaurant «fast food»?

°**hachée** *chopped*   °**produits** *products*   °**à la française** *French-style*

Exercice 3 Choisissez.

1. On fait des hamburgers avec de _____ .
   - a. la viande saignante
   - b. la viande hachée
   - c. la viande à point

2. Deux produits typiquement américains sont _____ .
   - a. un sandwich au jambon et un croque-monsieur
   - b. les hamburgers et les milk-shakes
   - c. les brioches et les croissants

3. Au Burger King on sert _____ .
   - a. les spécialités-maison
   - b. la version française
   - c. la restauration rapide

4. Charlie a toujours _____ .
   - a. froid
   - b. faim
   - c. chaud

5. Charlie veut prendre _____ .
   - a. du poulet
   - b. des Whoppers
   - c. une pizza

Activités

1 Étudiez le menu et choisissez votre repas. Ça fait combien?

Poulet	6,50 F
Hamburger	4,80 F
Cheeseburger	5,70 F
Omelette/Frites	6,00 F
Frites	4,20 F
Milkshake	4,20 F
Coca	1,50 F
Café	1,20 F
Thé	1,20 F
Jus d'Orange	2,80 F

2 Une interview
- Quels restaurants «fast foods» fréquentez vous?
- Qu'est-ce que vous prenez?
- Préférez-vous les hamburgers, les Big Macs ou les Whoppers? Pourquoi?
- Prenez-vous un Coca-Cola ou un milk-shake?
- Prenez-vous toujours des frites?

3 Préparez un dialogue de six à huit lignes entre le serveur et Charlie au Burger King.

galerie vivante

Il est vrai qu'il y a aujourd'hui beaucoup de restaurants «fast food» américains en France et ils sont très populaires...

Mais il y a aussi beaucoup de cafés français typiques. Les Français vont souvent au café pour un déjeuner rapide.

Voici des jeunes dans un café à Perpignan.

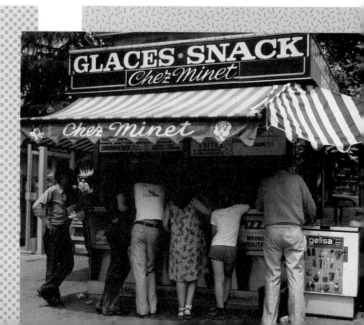

Dans beaucoup d'écoles les élèves peuvent prendre le déjeuner à la cantine de l'école. Ici les élèves mangent une salade de légumes... avec beaucoup de pain. Avec le déjeuner ils prennent de la limonade.

Ici on sert des sandwiches typiquement français comme le sandwich au jambon, le sandwich au fromage, le sandwich au pâté ou le sandwich au saucisson. Autres plats rapides, favoris des Français: omelettes ou croque-monsieur.

Il est difficile de préciser ce que les Français mangent pour le déjeuner. Mais il est facile de préciser ce qu'ils mangent pour le petit déjeuner. Voici un petit déjeuner typiquement français: du café au lait et des croissants. Si on ne mange pas de croissants, on mange du pain.

229

16 La haute couture

Vocabulaire

une robe longue

une robe courte

La robe **longue** est **à la mode** cette **saison**. La robe **courte** est **démodée**; elle n'est pas **chic**.

Les clients **assistent au défilé** de **mannequins**.

C'est **la boutique** d'un grand **couturier**. On vend des **accessoires** avec sa **griffe**.

230

Exercice 1 Chez un grand couturier
Répondez.

1. Qui assiste au défilé de mannequins?
2. Combien de mannequins y a-t-il?
3. Quelle robe est à la mode cette saison?
4. Quelle robe est démodée?
5. Quelle robe est chic?
6. De qui est la boutique?
7. Qu'est-ce qu'on vend?

Exercice 2 Personnellement
Répondez d'après votre opinion.

1. Préférez-vous les robes longues ou courtes?
2. Aimez-vous les mini-jupes?
3. Est-ce que le blue-jean est à la mode cette saison?
4. Est-ce que les tee-shirts sont à la mode?
5. Est-ce que la mode masculine est aussi importante que la mode féminine?
6. Achetez-vous des accessoires avec la griffe d'un grand couturier?
7. Est-il nécessaire d'être très belle ou très beau pour être mannequin?

D'autres vêtements

le costume   **le tailleur**   **les bas collants**   **le gant**

l'imperméable   **le manteau**   **le blouson**   **la veste**

Quelques accessoires

le parapluie   **la ceinture**   **le collier**   **le sac**   **la boucle d'oreille**

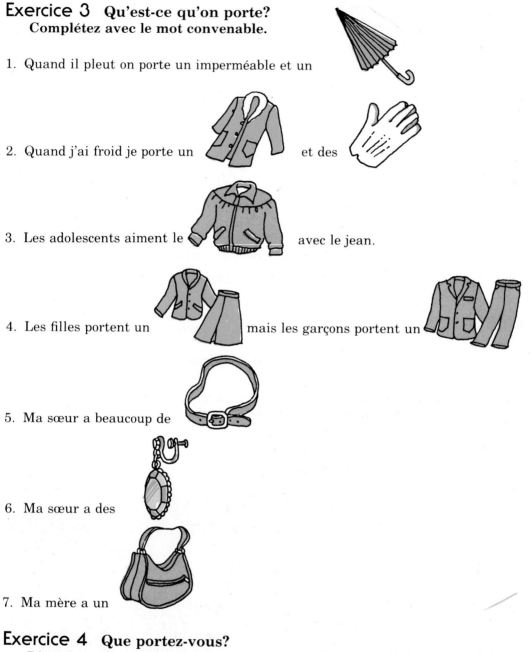

Exercice 3 Qu'est-ce qu'on porte?
Complétez avec le mot convenable.

1. Quand il pleut on porte un imperméable et un

2. Quand j'ai froid je porte un   et des

3. Les adolescents aiment le   avec le jean.

4. Les filles portent un   mais les garçons portent un

5. Ma sœur a beaucoup de

6. Ma sœur a des

7. Ma mère a un

Exercice 4 Que portez-vous?
Dites *quand* ou *pourquoi* vous portez ces vêtements. Suivez le modèle.

un blue-jeans
Je porte un blue-jean tous les jours.

1. un manteau
2. un maillot de bain
3. un imperméable

4. des gants
5. un tailleur/costume
6. les bas collants (filles seulement)

Structure

Les verbes *croire* et *voir*

Study the forms of the irregular verbs **croire** (*to believe*) and **voir** (*to see*).

Infinitive	croire	voir
Present tense	je crois	je vois
	tu crois	tu vois
	il/elle croit	il/elle voit
	nous croyons	nous voyons
	vous croyez	vous voyez
	ils/elles croient	ils/elles voient

Note that the **i** becomes **y** in the **nous** and **vous** forms.

Croire and **voir** are seldom used in the imperative form except for the exclamation **Voyons!** (*Let's see!*)

Note that **que** meaning *that* must always be used in French even though at times it is omitted in English.

> **Je vois *que* tu es satisfait.**   *I see (that) you are satisfied.*
> **Il croit *que* je suis intelligent.**   *He believes (that) I am intelligent.*

Exercice 1   Qu'est-ce que Marthe voit?
Marthe est dans une boutique de mode. Dites ce qu'elle voit.

un beau blouson noir
Elle voit un beau blouson noir.

1. un grand couturier
2. une griffe célèbre
3. des accessoires chers
4. des mini-robes
5. une ceinture originale

Exercice 2   Personnellement
Répondez.

1. Tu vois beaucoup de films?
2. Tu vois les films au cinéma ou à la télé?
3. Tes parents voient beaucoup de films aussi?
4. Vous voyez des films français à la télé?
5. Quels films voyez-vous?

Exercice 3 Qu'est-ce qu'on croit?
Répondez à l'affirmatif.

1. Vous croyez que Paris est une belle ville, n'est-ce pas?
2. Vos parents croient que vous êtes intelligent(e), n'est-ce pas?
3. Votre prof de français croit que vous travaillez bien, n'est-ce pas?
4. Vos amis croient que vous êtes bien aimable, n'est-ce pas?
5. Vous et votre meilleur(e) ami(e), vous croyez que les jeans sont élégants, n'est-ce pas?
6. Moi, je crois que le français est important, n'est-ce pas?
7. Votre mère croit que vous êtes adorable, n'est-ce pas?

Les expressions négatives *jamais* et *rien*

Jamais (*never*) and **rien** (*nothing*) are other negative expressions like **pas.** They, too, require **ne** before the verb.

Elle ne va jamais à Paris.	*She never goes to Paris.*
Le train n'arrive jamais à l'heure.	*The train never arrives on time.*
Je ne vois rien.	*I see nothing. (I don't see anything.)*
Tu n'achètes rien.	*You buy nothing. (You don't buy anything.)*

Exercice 4 Elle ne voyage jamais.
Suivez le modèle.

Pascale adore voyager.
Tu crois? Mais elle ne voyage jamais.

1. Pascale adore danser.
2. Pascale adore patiner.
3. Pascale adore chanter.
4. Pascale adore skier.
5. Pascale adore nager.

Exercice 5 Jacques ne fait rien.
Suivez le modèle.

Jacques ne fait pas ses devoirs.
Tu as raison. Il ne fait rien.

1. Jacques n'écoute pas de disques.
2. Jacques n'achète pas de vêtements.
3. Jacques ne dépense pas d'argent.
4. Jacques ne mange pas son sandwich.
5. Jacques n'aime pas le football.

234

Qui, pronom interrogatif

You have seen **qui** used as a subject meaning *who*.

> **Qui est là?**
> **Qui parle français?**

Remember that the third person singular form of the verb is used when **qui** is the subject even though the subject of the answer may be plural.

> **Qui assiste au défilé?**
> **Les femmes assistent au défilé.**

Qui may also be used as an object meaning *whom*.

> **Qui est-ce que Jean admire?**   *Whom does John admire?*
> **Qui admires-tu?**   *Whom do you admire?*

Qui may also be the object of the preposition.

> **Avec qui parlez-vous?**   *With whom are you speaking?*
> **De qui parle-t-il?**   *Of whom is he speaking?*

Exercice 6   Qui est-ce?
Lisez le poème et complétez les questions.

Pendant la nuit
J'entends un bruit!°   trans

1. __oui__ va là?
2. _____ entre?
3. _____ monte?
4. _____ pousse la porte?
5. _____ tombe?

Pauvre de moi!° C'est un fantôme!°

Exercice 7   Qui est-ce qu'on aime?
Posez une question avec *Qui est-ce que.*

1. Philippe aime Monique.
2. Monique aime Louis.
3. Louis aime Claire.
4. Claire aime Georges.
5. Georges aime Chantal.
6. Et Chantal aime Philippe!

Exercice 8   Une interview
Des Américaines sont à Paris pour voir les grandes collections. Demandez

qui elles attendent.
Qui attendez-vous?

1. qui elles admirent.
2. qui elles préfèrent.
3. qui elles aiment.
4. qui elles détestent.

° **bruit** *noise*   ° **pauvre de moi!** *poor me!*   ° **fantôme** *ghost*

Exercice 9 Une conversation

Écrivez une conversation entre Agnès et Jeannette. Suivez le modèle.

Jeannette demande à Agnès avec qui elle va à la fête.
Jeannette: Avec qui est-ce que tu vas à la fête?

1. Jeannette demande à Agnès avec qui elle va à la fête.
2. Agnès répond qu'elle va avec Éric.
3. Jeannette demande à Agnès chez qui elle va passer le week-end.
4. Agnès répond qu'elle va passer le week-end chez Isabelle.
5. Jeannette demande à Agnès avec qui elle va danser.
6. Agnès répond qu'elle va danser avec tous les garçons.
7. Jeannette demande à Agnès pour qui elle va acheter un cadeau (*gift*).
8. Agnès répond qu'elle va acheter un cadeau pour Gabrielle.

Exercice 10 Une curieuse

Récrivez les questions de Jeannette. Employez l'inversion.

Avec qui est-ce que tu vas à la fête?
Avec qui vas-tu à la fête?

Prononciation   Les sons /ɛ̃/ et /in/

/ɛ̃/	/in/
cousin	cousine
voisin	voisine
copain	copine
Alain	Aline
dessin	dessine
féminin	féminine
fin	fine
masculin	masculine

Pratique et dictée

Mes cousins sont dans la cuisine et mes cousines sont dans la piscine.
Alain est mon voisin et Aline est ma voisine.
Qui dessine ces jolis dessins?
La mode féminine est plus élégante que la mode masculine.

Expressions utiles

> There is a popular way of expressing the idea *very:*
>
> **C'est vachement chouette!**
> **Il fait vachement beau!**
>
> There is a useful expression that is the equivalent of the English *That's all right!*
>
> **Ça ne fait rien!**

Conversation

Les mini-jupes sont à la mode.

(Angélique et Sophie sont dans la chambre de Sophie. Elles parlent de la boum (fête) de samedi soir.)*

Angélique	Qu'est-ce que tu vas porter samedi soir?
Sophie	*(Elle montre une nouvelle robe.)* Cette robe-ci. Elle est jolie, n'est-ce pas?
Angélique	Ah! Elle est vachement chouette! Mais je vois qu'elle est très courte!
Sophie	Je crois bien!* Les robes longues sont démodées cette saison. Ce sont les mini-jupes qui sont à la mode!
Angélique	Mais je suis fauchée, moi! Où est-ce que je peux trouver une mini-jupe à bon marché?
Sophie	Va au Marché aux Puces.* Là tu...
Gaston	*(le frère de Sophie)* Mini-jupe? Qui veut une mini-jupe? Moi, j'ai une solution rapide! *(Il sort une paire de ciseaux!)*

Exercice 1 Complétez.

1. Angélique et Sophie sont _____ .
2. Elles parlent de _____ .
3. Sophie montre une _____ .
4. Angélique voit que la robe _____ .
5. Sophie explique que les robes longues _____ .
6. Ce sont les mini-jupes qui _____ .

Exercice 2 Répondez.

1. Qui est fauché?
2. Qu'est-ce qu'Angélique veut?
3. Quel marché est-ce que Sophie suggère?
4. Qui est Gaston?
5. Qu'est-ce qu'il a?
6. Que sort-il?

---

chambre *bedroom*   *je crois bien!* *I should say so!*   *le Marché aux Puces* *the Flea Market*

qecture culturelle

La mode

La mode féminine change avec les saisons. Ça veut dire qu'on abandonne tous les vieux vêtements chaque saison?

Voici la réaction de deux jeunes Parisiennes. Parisiennes parce que, après tout, le centre de la mode féminine, c'est Paris, n'est-ce pas?

Givenchy, Cardin, Dior, Yves Saint-Laurent! Pour Sophie ce sont des noms connus,° des noms de la haute couture. Ce sont les grands couturiers qui dictent° la mode.

Bien entendu, Sophie n'assiste jamais au défilé de mannequins pour les nouvelles collections. Après tout elle n'est pas princesse! Mais Sophie aime lire° *Elle* et *Jours de France* pour voir quels styles et quelles couleurs sont à la mode, si la robe va être longue ou courte, si la mini-jupe va être acceptée, si on porte un châle, un chapeau, des gants.

° **connus** *well-known* ° **dictent** *dictate* ° **lire** *to read*

238

Est-ce que Sophie fréquente les maisons de couture? Jamais! Elle achète ses vêtements prêt-à-porter* dans les grands magasins. Mais quelquefois* elle a de la chance. Au Marché aux Puces ou au Marché du Village Suisse elle trouve une «petite robe» ou un accessoire avec la griffe célèbre d'un grand couturier. Quelle joie!*

Pour Diane, tout au contraire, la mode ne signifie rien! Elle est complètement satisfaite de ses blue-jeans, ses blousons d'aviateur et ses sweatshirts. Elle veut des vêtements sportifs,* confortables. Le chic et l'élégance ne sont pas pour elle. Vous croyez que Diane porte l'uniforme des jeunes, n'est-ce pas? Ça ne fait rien! Elle peut toujours personnaliser ses vêtements avec une ceinture originale ou avec des boucles d'oreille folkloriques.

Mais, dites donc, où achète-t-elle ses vêtements?

Dans une boutique unisexe du quartier Latin, naturellement!

---

prêt-à-porter ready-to-wear   *quelquefois* sometimes   *joie* joy   *sportif* sporty

Exercice 1 Choisissez.

1. La mode change _____ .
   a. tous les jours
   b. avec les saisons
   c. avec les heures

2. Nous voyons la réaction de deux Parisiennes parce que _____ .
   a. Paris est une vieille ville
   b. Paris est la ville des jeunes
   c. Paris est le centre de la mode féminine

3. Givenchy, Cardin, Dior et Yves Saint-Laurent sont _____ .
   a. quatre grands couturiers
   b. quatre amis de Sophie
   c. quatre célèbres dictateurs

Exercice 2 Corrigez.

1. Sophie assiste toujours au défilé de mannequins.
2. Sophie est princesse.
3. Elle aime lire *L'Express* at *Le Figaro*.
4. Elle veut voir quels restaurants sont à la mode.
5. Sophie fréquente toujours les maisons de couture.
6. Elle achète des vêtements de haute couture.
7. Elle ne trouve rien au Marché aux Puces.
8. Sophie ne porte jamais la griffe célèbre d'un grand couturier.

Exercice 3 Répondez.

1. Que signifie la mode pour Diane?
2. De quoi est-elle complètement satisfaite?
3. Quelle sorte de vêtements veut-elle?
4. Est-ce que le chic et l'élégance sont pour elle?
5. Quel uniforme est-ce que Diane porte?
6. Avec quoi peut-elle personnaliser ses vêtements?
7. Où est-ce que Diane achète ses vêtements?

Activités

1 Une interview

- Est-ce que la mode est importante pour vous?
- Achetez-vous beaucoup de vêtements?
- Dépensez-vous beaucoup d'argent pour vos vêtements?
- Achetez-vous vos vêtements dans les grands magasins ou dans les boutiques élégantes? Et les accessoires?
- Fréquentez-vous le marché aux puces près de chez vous? Qu'est-ce que vous achetez?
- Portez-vous des vêtements ou des accessoires avec la griffe d'un grand couturier?
- Préférez-vous porter l'uniforme des jeunes?

2 Il y a d'autres grands couturiers. Nommez-les. Voyez-vous souvent leurs griffes? Où ça?

3 Dans un journal ou une revue cherchez des annonces des grands couturiers. Apportez ces annonces en classe.

galerie vivante

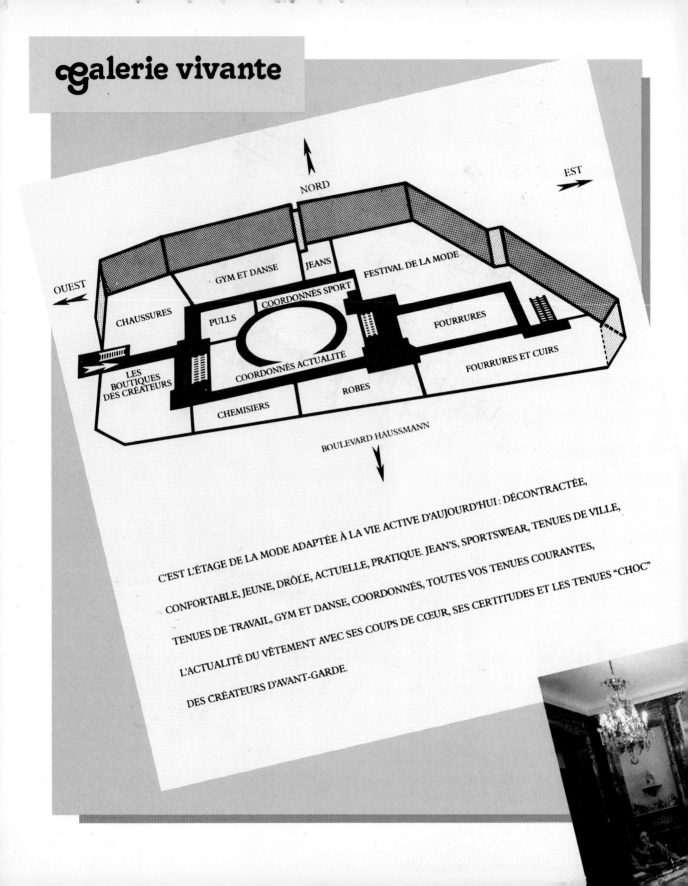

NORD

EST

OUEST

GYM ET DANSE

JEANS

FESTIVAL DE LA MODE

COORDONNÉS SPORT

CHAUSSURES

PULLS

FOURRURES

COORDONNÉS ACTUALITÉ

LES BOUTIQUES DES CRÉATEURS

FOURRURES ET CUIRS

CHEMISIERS

ROBES

BOULEVARD HAUSSMANN

C'EST L'ÉTAGE DE LA MODE ADAPTÉE À LA VIE ACTIVE D'AUJOURD'HUI : DÉCONTRACTÉE, CONFORTABLE, JEUNE, DRÔLE, ACTUELLE, PRATIQUE. JEAN'S, SPORTSWEAR, TENUES DE VILLE, TENUES DE TRAVAIL, GYM ET DANSE, COORDONNÉS, TOUTES VOS TENUES COURANTES, L'ACTUALITÉ DU VÊTEMENT AVEC SES COUPS DE CŒUR, SES CERTITUDES ET LES TENUES "CHOC" DES CRÉATEURS D'AVANT-GARDE.

En France il y a beaucoup de boutiques élégantes et chics.
Qu'est-ce qu'elles sont belles!

La boutique de Dior

La boutique de Guerlain

Révision

Je suis fauché!

André	Moi, j'ai faim! Et toi?
Maxine	Oui, moi aussi. Tu veux aller dans ce petit café?
André	Bonne idée! Il est moins cher que le snack-bar.
Maxine	On prend un sandwich?
André	Moi non! J'ai juste assez pour un coca.
Maxine	C'est tout? Toi qui as toujours un bon appétit?
André	J'ai un bon appétit, oui, mais j'ai aussi de nouvelles chaussures. C'est pour ça que je suis fauché!

Exercice 1   Le pauvre André!
Répondez en forme de paragraphe.

Qui a faim?
Qui suggère le petit café?
Est-ce que le petit café est moins cher que le snack-bar?
Qu'est-ce qu'André va prendre?
Pourquoi est-ce que Maxine est surprise?
Pourquoi est-ce qu'André est fauché?

Adjectifs qui précèdent le nom

Adjectives usually *follow* the noun. Some adjectives, however, precede the noun.

bon   **petit**
jeune   **grand**
joli

Bonne idée!
une jeune fille
un petit café

Three other adjectives which precede the noun are **beau, nouveau,** and **vieux.** Note the irregular forms **bel, nouvel, vieil.**

le beau chapeau   les beaux chapeaux
le bel anorak   les beaux anoraks
la belle robe   les belles robes

le nouveau train   les nouveaux trains
le nouvel ascenseur   les nouveaux ascenseurs
la nouvelle station   les nouvelles stations

le vieux café   les vieux cafés
le vieil escalier   les vieux escaliers
la vieille chaussure   les vieilles chaussures

Remember the liaison in the plural forms before a vowel.

Exercice 2   Un vieil anorak
Complétez avec la forme convenable de *vieux*.

Jean-Paul porte un _____ anorak et une _____ chemise. Il aime surtout les _____ jeans et les _____ tee-shirts. Il porte de _____ chaussures parce qu'il est fauché.

Exercice 3   Un nouvel anorak
Répétez le paragraphe de l'exercice 2 avec les formes convenables de *nouveau*. Substituez *riche* à *fauché*.

Expressions avec *avoir*

Review the following expressions with **avoir**.

> **avoir trois ans**
> **avoir faim**
> **avoir soif**
> **avoir chaud**
> **avoir froid**
> **avoir raison**
> **avoir tort**

> **J'ai besoin d'argent.**　　*I need money.*
> **J'ai besoin d'étudier.**　　*I need to study.*
> **J'ai envie d'une pomme.**　　*I want an apple.*
> **J'ai envie de danser.**　　*I want to dance.*

Exercice 4　J'ai chaud.
Complétez avec l'expression convenable.

J'aime aller à la plage en été quand j'ai _____ . Mais quand j'ai _____ en hiver, je préfère rester à la maison. J'ai un grand appétit; j'ai toujours _____ . Je prends beaucoup d'eau parce que j'ai toujours _____ aussi. J'adore la bonne cuisine; j'ai _____ de dîner dans un bon restaurant. Mais pour ça j'ai _____ de beaucoup d'argent!

Le comparatif et le superlatif

Comparisons are expressed by

> **plus... que**
> **moins... que**
> **aussi... que**

> **Le prof est plus âgé que les élèves.**
> **Marie est moins sérieuse que Jeanne.**
> **Paul est aussi beau que Gaston.**

Remember the irregular comparative forms of **bon**.

> **Cette boutique est meilleure que ce magasin.**
> **Le poème de Luc est meilleur que mon poème.**

The superlative is formed by placing **le, la,** or **les** before **plus** or **moins**. Remember that *in* or *of* is expressed by **de**.

> **Claire est la fille la plus intelligente de la classe.**

Exercice 5 Mon père est plus heureux que...
Complétez avec un adjectif de votre choix.

sérieux / sérieuse
heureux / heureuse
délicieux / délicieuse
généreux / généreuse
merveilleux / merveilleuse

1. Mon père est $\frac{\text{plus}}{\text{moins}}$ _____ que ma mère.

2. Mais ma mère est $\frac{\text{plus}}{\text{moins}}$ _____ que mon père.

3. C'est mon grand-père qui est le $\frac{\text{plus}}{\text{moins}}$ _____ de toute la famille.

4. Les gâteaux de ma grand-mère sont les $\frac{\text{plus}}{\text{moins}}$ _____ du monde!

Prépositions avec les noms géographiques

To, in, at with the name of a city is expressed with **à**.

à Paris   à Nice

With a continent, a feminine country, or a feminine province, it is **en**.

en Europe   en Italie   en Alsace

With a masculine country, **au/aux** is used.

au Mexique   au Portugal   aux États-Unis

Exercice 6 Michel va en Suisse.
Complétez avec la préposition convenable.

Michel va _____ Suisse en février, mais sa sœur Aline va _____ Canada.
Leurs cousins demeurent _____ Genève et _____ Montréal. Au retour Michel va
_____ Italie et Aline va _____ États-Unis.

Le pronom relatif *qui*

Qui is a pronoun that is used to join two short sentences.

C'est Claire. Claire veut nager.
C'est Claire qui veut nager.

Qui may refer to things as well as persons. Note that **qui** is always the subject of the clause.

Voilà la boutique. La boutique est moderne.
Voilà la boutique qui est moderne.

Exercice 7 Je vois une boutique.

Faites une seule phrase des deux phrases données.

— Je vois une boutique. La boutique est chic.
— Ah! Voilà un blouson! Le blouson est très à la mode.
— Sur le blouson il y a une griffe. La griffe est célèbre.
— C'est décidé! Voilà le blouson! Il va aller bien avec mes jeans.

Verbes irréguliers

Review the following irregular verbs.

croire:	je crois, tu crois, il/elle croit, nous croyons, vous croyez, ils/elles croient
voir:	je vois, tu vois, il/elle voit, nous voyons, vous voyez, ils/elles voient
pouvoir:	je peux, tu peux, il/elle peut, nous pouvons, vous pouvez, ils/elles peuvent
vouloir:	je veux, tu veux, il/elle veut, nous voulons, vous voulez, ils/elles veulent
préférer:	je préfère, tu préfères, il/elle préfère, nous préférons, vous préférez, ils/elles préfèrent

Remember the **y** in the **nous** and **vous** forms of **croire** and **voir**.

The **nous** and **vous** forms of **pouvoir** and **vouloir** have the same stem as the infinitive.

The second accent mark in **préférer** changes in all singular forms and in the third person plural.

Exercice 8 **Elle préfère cette boutique-là.**

Lisez le dialogue.

Louise	Avec qui vas-tu sortir?
Monique	Avec Janine.
Louise	Janine? Pourquoi veut-elle aller dans cette boutique?
Monique	Elle veut acheter une ceinture.
Louise	Mais elle peut trouver une jolie ceinture au Marché aux Puces. Tu ne crois pas?
Monique	Moi, je crois que tu as raison. Mais Janine préfère cette boutique-là. Après tout, c'est elle qui décide!

A. Complétez d'après le dialogue. C'est Janine qui parle.

1. Je vais sortir avec _____ .
2. Je veux _____ .
3. Je ne peux pas _____ .
4. Je préfère _____ .
5. C'est moi qui _____ .

B. Complétez les questions d'après le dialogue.

6. Avec qui _____ ?
7. Où _____ ?
8. Pourquoi _____ ?
9. Qu'est-ce que _____ ?
10. Qui _____ ?

Expressions négatives

Never (**ne... jamais**) and *nothing* (**ne... rien**) function like **ne... pas.**

Elle ne veut jamais sortir.
Ils n'achètent rien.

Exercice 9 **Je n'achète jamais...**

Répondez avec *jamais* ou *rien.*

1. Achetez-vous quelquefois des bracelets de diamants?
2. Mangez-vous quelquefois un steak de tigre?
3. Portez-vous quelquefois un costume de Superman?
4. Qu'est-ce que vous mangez à minuit?
5. Qu'est-ce qu'on mange dans la classe de maths?
6. Qu'est-ce que vous achetez chez un grand couturier?

ꟼecture culturelle

supplémentaire

Les autobus parisiens

Les autobus parisiens fonctionnent de sept heures à vingt heures trente. Certaines lignes fonctionnent jusqu'à 0 h 30. Chaque autobus porte le numéro de la ligne à l'avant.˙ À chaque arrêt˙ il y a un tableau avec le numéro de la ligne et une liste de tous les arrêts de cette ligne. Si votre arrêt est dans la partie rouge, vous payez un ticket. Si vous allez plus loin,˙ c'est deux tickets.

Si vous achetez un carnet de dix tickets, vous économisez. Et les tickets sont bons dans le métro et dans les autobus.

À l'intérieur de chaque autobus il y a un plan. Quand vous désirez descendre, vous appuyez˙ sur un bouton. À votre arrêt vous descendez par la porte à l'arrière.˙

Exercice Corrigez.

1. Tous les autobus parisiens fonctionnent jusqu'à vingt heures trente.
2. Chaque autobus porte une liste des arrêts à l'avant.
3. Si votre arrêt est dans la partie rouge, vous payez deux tickets.
4. Les tickets pour les autobus ne sont pas bons dans le métro.
5. Il y a un plan à l'extérieur de l'autobus.
6. À votre arrêt, vous descendez par la porte à l'avant.

˙**à l'avant** *in front*   ˙**arrêt** *bus stop*   ˙**plus loin** *farther*   ˙**appuyez** *push*
˙**à l'arrière** *in the rear*

Ꝉecture culturelle

supplémentaire

Le quartier Latin

   Le quartier Latin est un quartier de Paris situé sur la Rive gauche de la Seine. C'est un vieux quartier avec beaucoup de vieilles rues. C'est ici que l'Université de Paris, la Sorbonne, a commencé en 1253. C'est aujourd'hui un centre universitaire où l'on rencontre des étudiants ˚ de toutes les nations.

   Alors naturellement il y a des librairies ˚ et des papeteries. ˚ Il y a aussi beaucoup de restaurants et de cafés bon marché et beaucoup de cinémas, cabarets et petites boutiques. Le «Boul'Mich» (le boulevard Saint-Michel), une des artères ˚ principales, est toujours très animé. ˚

   Vous demandez pourquoi le quartier «Latin»? Tout simplement parce que le latin a été ˚ la langue officielle des étudiants jusqu'en 1789.

Exercice Répondez.

1. Où est situé le quartier Latin?
2. Est-ce un nouveau quartier?
3. Quelle université est dans le quartier Latin?
4. Pourquoi y a-t-il beaucoup de librairies et de papeteries dans le quartier Latin?
5. Quel est le nom populaire du boulevard Saint-Michel?
6. Pourquoi est-ce qu'on nomme ce quartier «Latin»?

˚**étudiants** *university students*   ˚**librairies** *book stores*   ˚**papeteries** *stationery stores*
˚**artères** *(traffic) arteries*   ˚**animé** *animated, lively*   ˚**a été** *was*

17 <u>Les</u> jeux vidéo

Aujourd'hui, c'est mardi.
Hier, lundi, Marie a **téléphoné** à Claire.
Elle a annoncé une bonne **nouvelle:**
«Papa a acheté une machine à jeux
vidéo! Il a acheté beaucoup de
cassettes aussi.»

Vocabulaire

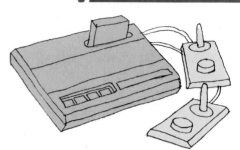

une machine à jeux
vidéo (un flipper)

une cassette

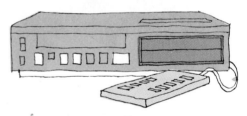

un magnétoscope

Exercice 1 Un nouveau jeu
Complétez.

1. Aujourd'hui, c'est _____ .
2. Hier _____ a téléphoné à _____ .
3. Elle a annoncé une _____ _____ .
4. «Papa a acheté une _____ à jeux vidéo.»
5. «Il a acheté beaucoup de _____ aussi.»

Exercice 2 Personnellement
Répondez.

1. Avez-vous une machine à jeux vidéo?
2. Combien de cassettes avez-vous?
3. Aimez-vous les jeux vidéo?
4. Chez qui jouez-vous?
5. Quel est votre jeu favori?
6. Jouez-vous contre (*against*) la machine ou contre un(e) ami(e)?
7. Qui gagne le plus souvent?

Structure

Révision du verbe *avoir*

Infinitive	avoir
Present tense	j'ai
	tu as
	il/elle a
	nous avons
	vous avez
	ils/elles ont

Exercice 1 Allons au café!
Répondez.

1. Tu as soif?
2. Les amis ont soif aussi?
3. Ta sœur a soif?
4. Marie et moi, nous avons faim, n'est-ce pas?
5. Moi, j'ai toujours faim, n'est-ce pas?
6. Nous avons tous faim?
7. On va au café alors?

Le passé composé des verbes en *-er*

The **passé composé** is used to describe actions completed in the past. It is made up of the present of **avoir** and the past participle of the verb.

The past participle of **-er** verbs is formed by dropping the **-er** and adding **-é.**

téléphoner	téléphoné
annoncer	annoncé
parler	parlé

Infinitive	parler
Passé composé	j'ai parlé
	tu as parlé
	il/elle a parlé
	nous avons parlé
	vous avez parlé
	ils/elles ont parlé

The **passé composé** has three English equivalents:

J'ai parlé.   *I spoke. / I have spoken. / I did speak.*

Exercice 2 On a joué de la guitare.
Suivez le modèle.

J'ai une guitare.
J'ai joué de la guitare.

1. J'ai une guitare.
2. Nous avons une guitare.
3. Les amis ont une guitare.
4. Vous avez une guitare.

5. Toi, tu as une guitare.
6. Nathalie a une guitare.
7. Tout le monde a une guitare!

Exercice 3 Qu'est-ce que Chantal va faire?
Suivez le modèle.

Tu vas téléphoner à Denise?
Mais non! J'ai téléphoné à Denise hier.

1. Tu vas acheter des disques?
2. Tu vas étudier tes leçons?
3. Tu vas écouter les cassettes?

4. Tu vas dépenser ton argent?
5. Tu vas parler au professeur?

Exercice 4 Est-ce que Luc a travaillé?
Suivez le modèle.

jouer de la guitare
Luc a joué de la guitare.

1. chanter
2. parler au téléphone
3. regarder la télé

4. écouter des disques
5. jouer au Scrabble

Exercice 5 On a changé!
Suivez le modèle.

Je ne mange pas de frites!
Mais hier tu as mangé des frites!

1. Je ne mange pas de frites!
2. Nous ne regardons pas la télé!   **(vous)**
3. Vous et Margot, vous ne chantez pas!
   (nous)

4. Antoine ne danse pas!
5. Claire et Anne n'écoutent pas
   la musique pop.
6. Tu ne prépares pas les sandwiches.

Exercice 6 À la boum
Mettez les verbes au passé composé.

Hier soir à la boum Antoine _____ (jouer) du piano et Suzanne _____
(chanter). Victor et Françoise _____ (préparer) beaucoup de sandwiches, et moi,
j' _____ (préparer) des pizzas. Ensuite, Luc et moi, nous _____ (danser). Toi,
tu _____ (danser) avec Philippe, n'est-ce pas? À dix heures on _____ (manger)
les sandwiches et les pizzas. Ensuite on _____ (jouer) des disques et on _____
(danser) jusqu'à minuit.

Le passé composé au négatif

To form the negative of the **passé composé, n'** is placed before the form of **avoir** and **pas** is placed after it.

Tu as parlé.	**Tu n'as pas parlé.**
Marie a téléphoné.	**Marie n'a pas téléphoné.**
Les amis ont chanté.	**Les amis n'ont pas chanté.**

Exercice 7 Pauvre Albert!
Suivez le modèle.

Claire a invité Albert?
Non, Claire n'a pas invité Albert.

1. Georges a invité Albert?
2. Tu as invité Albert?
3. Les Martin ont invité Albert?
4. Vous avez invité Albert?   **(nous)**
5. Blanche et Irène ont invité Albert?
6. J'ai invité Albert?

Exercice 8 Pendant les vacances
Répondez à l'affirmatif ou au négatif.

1. Vous avez voyagé pendant les vacances?
2. Vous avez assisté au défilé le 4 juillet?
3. Vous avez téléphoné à vos grands-parents?
4. Vous avez étudié le français?
5. Vous avez fêté votre anniversaire?
6. Vous avez traversé l'océan Atlantique?
7. Vous avez dansé chaque week-end?
8. Vous avez joué au tennis?
9. Vous avez acheté beaucoup de vêtements?
10. Vous avez travaillé dans un magasin?

Le passé composé à l'interrogatif

Questions in the **passé composé** can be formed in three ways.
1. By inverting the subject pronoun and the verb **avoir**:

Vous avez admiré la plage.	**Avez-vous admiré la plage?**
Elle a étudié.	**A-t-elle étudié?**

Note that this construction is normally not used with **je**.

2. By using **est-ce que**:

J'ai invité tous les amis.	**Est-ce que j'ai invité tous les amis?**

3. By intonation:

Tu as joué au tennis.	**Tu as joué au tennis?**↗

Exercice 9 En juillet oui, mais en janvier?
Formez des questions. Suivez le modèle.

J'ai nagé en juillet.
Mais as-tu nagé en janvier?

1. J'ai joué au tennis en juillet.
2. J'ai visité le Pôle Nord en juillet.
3. J'ai mangé des pêches en juillet.

4. J'ai acheté un bikini en juillet.
5. J'ai dansé sur la plage en juillet.

Note

The verb **jouer** may be used with **à** or **de.**
With a game or a sport, **à** plus **le, la, les** must be used.

> **Ils jouent au Monopoly.**
> **Nous avons joué aux échecs** (*chess*).
> **Mon frère joue au basket(ball).**
> **Avez-vous joué au football?**

With a musical instrument, **de** plus **le, la, les** must be used.

> **Julie joue de la trompette.**
> **Mon père a joué du saxophone.**

Exercice 10 Sports, jeux et instruments
Suivez le modèle.

La guitare? Danielle?
Mais oui, elle joue de la guitare.

1. La trompette? Gérard?

2. Le basket? Michel?

3. La guitare? Tes cousins?

5. Le volley? Toi?

4. Le Scrabble? Françoise?

6. Le football? Philippe?

Le verbe *savoir*

The verb **savoir** (*to know*) is irregular. It is used in every sense of *to know* except *to know a person or a place*.

Infinitive	savoir
Present tense	je sais
	tu sais
	il/elle sait
	nous savons
	vous savez
	ils/elles savent

Elle est là, tu sais.
Vous savez la leçon, n'est-ce pas?
Sais-tu si Pierre joue au bridge?
Nous ne savons pas où il travaille.

When **savoir** is followed by an infinitive, it means *to know how*.

Savez-vous jouer du piano?

Exercice 11 Nous savons beaucoup!
Complétez avec *savoir*.

Mon copain Marcel et moi, nous _____ beaucoup. Lui, il _____ bien jouer au foot; moi je _____ jouer au volley. Nous _____ aussi jouer aux échecs. Nos profs _____ que nous travaillons bien. Nos parents _____ que nous sommes intelligents. Et vous, _____-vous que nous sommes deux chic types (*great guys*)?

Exercice 12 Personnellement
Répondez.

1. Savez-vous toujours toutes vos leçons?
2. Savez-vous où habitent vos profs?
3. Votre meilleur(e) ami(e) sait-il (elle) où vous avez passé les vacances?
4. Vos parents et vous, savez-vous parler espagnol?
5. Vos camarades de classe savent-ils chanter *La Marseillaise?*

Prononciation   La lettre *g*

Before the letters **a, o,** or **u, g** is pronounced /g/, that is, it is pronounced like a hard **g**. It is pronounced like the French letter **j** before **e, é,** or **i.**

ga	*go*	*gu*	*ge, gé*	*gi*
garçon	golf	légume	gens	Gigi
gare	gothique	guitare	général	original
gants	Hugo	guide	âgé	région
magasin	gourmet	blague	manger	religion
regarde	gouverner	longue	garage	énergie

Pratique et dictée

Ce garçon porte des gants quand il mange des légumes.
Dans ce magasin Gigi a acheté une guitare originale.
Les gens de cette région pratiquent une religion étrange.
Sans blague! Hugo est un guide assez âgé qui regarde toujours le garage!

Conversation

Les filles savent tout!

André   Tu sais bien, Richard, que nous avons besoin d'un guitariste pour la boum samedi, n'est-ce pas?

Richard   Je sais. Est-ce que les violonistes savent jouer aussi de la guitare?

André   Je ne sais pas, mais je crois que oui. Pourquoi?

Richard	Je sais que Marcel sait jouer du violon. Sait-il jouer aussi de la guitare?
André	Je ne sais pas. Tu sais son numéro?
Richard	Non, malheureusement je ne sais pas son numéro. Mais voilà les filles là-bas. Je suis sûr qu'elles savent le numéro de Marcel!

Exercice   Corrigez.

1. Richard et André savent qu'on a besoin d'un violoniste pour la boum.
2. Marcel sait jouer du piano.
3. Richard et André savent jouer du violon.
4. Richard sait le numéro de Marcel.
5. Les filles ne savent pas le numéro de Marcel.

Expressions utiles

The following expressions are useful for telephone conversations.

Allô.	*Hello.*
C'est Nathalie.	*This is Nathalie.*
Daniel est là?	*Is Daniel there?*
Ne quitte pas.	*One moment, please.*
(Ne quittez pas.)	*(Don't hang up.)*
Quoi de neuf?	*What's new?*

Lecture culturelle

Une maison électronique

(C'est samedi matin. Arnaud et sa sœur Monique font des projets pour le soir.)

| Arnaud | Tu as téléphoné à Daniel? |
| Monique | Pas encore!* Mais j'ai parlé avec Colette et elle a accepté. Pourquoi ne téléphones-tu pas à Daniel? Voilà son numéro. |

__Pas encore__ *Not yet*

Arnaud	D'accord. *(Il téléphone.)*
Mme Rocher	Allô.
Arnaud	Ah bonjour, madame. C'est Arnaud. Daniel est là?
Mme Rocher	Bonjour, Arnaud. Ne quitte pas. *(À Daniel).* C'est Arnaud à l'appareil.
Daniel	Ah, tiens!° Allô, mon vieux!° Quoi de neuf?
Arnaud	J'ai une bonne nouvelle. La famille Supplée a acheté un «flipper»° et Georges a invité les amis chez lui ce soir.
Daniel	Georges a une machine à jeux vidéo? Vraiment?
Arnaud	Vraiment! Pendant leurs vacances à New York ses parents ont joué nuit et jour.° Son père adore jouer aux *Envahisseurs de l'espace*° et sa mère adore *Ms. Pac-Man.*
Daniel	Quelle console de projection ont-ils?
Arnaud	Je crois que c'est une Philips. Ils ont acheté aussi beaucoup de cassettes—tous les nouveaux jeux.
Daniel	Ça a coûté un argent fou,° n'est-ce pas?
Arnaud	Sans doute! Mais les Supplée sont assez riches. Tu sais, n'est-ce pas, que pour Noël ils ont acheté un magnétoscope?
Daniel	Sans blague! Mais c'est une maison électronique! Georges est membre d'un vidéoclub?
Arnaud	Bien sûr! Il a un tas° de catalogues de vidéocassettes. Hier soir nous avons regardé *Le retour du Jedi* pour la sixième fois!°
Daniel	Formidable!
Arnaud	Alors tu veux jouer au Phénix ce soir? Colette a déjà accepté, tu sais.
Daniel	Dans ce cas,° moi aussi j'accepte.

LA GUERRE DES ÉTOILES
LE RETOUR DU JEDI

°**appareil** *apparatus (telephone)*   °**tiens** *well, so*   °**mon vieux** *old buddy, old pal*
°**«flipper»** *slang for video game*   °**nuit et jour** *night and day*   °**Envahisseurs de l'espace**
Space Invaders   °**un argent fou** *a fortune*   °**un tas** *a pile*   °**fois** *time*
°**Dans ce cas** *In that case*

Exercice 1 Répondez.

1. Avec qui est-ce que Monique a parlé?
2. Est-ce que Colette a accepté?
3. À qui est-ce qu'Arnaud téléphone?
4. Avec qui est-ce qu'Arnaud parle d'abord?

Exercice 2 Formez au moins une phrase sur chaque sujet.

1. la bonne nouvelle
2. l'invitation de Georges
3. les vacances de M. et Mme Supplée
4. les achats (*purchases*) de M. et Mme Supplée
5. le vidéoclub
6. *Le Retour du Jedi*
7. la petite amie de Daniel

Activités

Les instruments	Les sports	Les jeux
le piano	le base-ball	le Scrabble
le saxophone	le football	le trictrac
le violon	le football-	(backgammon)
la flûte	américain	
l'accordéon	le volley	le Monopoly
l'harmonica	le basket	les échecs
la clarinette	le hockey	les dames
la guitare	sur glace	(checkers)
la trompette	le tennis	les envahisseurs
	le badminton	de l'espace
		le Pac-Man
		le bridge

1 À quoi jouez-vous?

- De quels instruments de musique jouez-vous?
- De quels instruments de musique avez-vous joué au passé?
- À quels sports jouez-vous?
- À quels jeux jouez-vous?

2 Avec un(e) camarade préparez une conversation au téléphone (au moins 8 lignes). Vous êtes Georges Supplée (ou sa sœur Jeanne-Marie). Vous invitez des amis chez vous pour jouer aux jeux vidéo.

3 Lisez le paragraphe suivant. Ensuite, formez au moins quatre questions sur le paragraphe.

Les jeux vidéo ont commencé au Japon et aux États-Unis. Ils sont déjà très populaires en France. Ce sont surtout les jeunes qui veulent posséder une machine à jeux vidéo. Mais elles ne sont pas bon marché! Heureusement maman et papa aussi adorent ces jeux!

ℓgalerie vivante

Les jeunes français aiment aller au cinéma. On joue beaucoup de films américains en France. Voici des films américains. Pouvez-vous deviner leurs titres anglais? Les réponses sont en bas.

1. Les Trois Mousquetaires
2. Les Aventuriers de l'Arche perdu
3. Le Tour du monde en 80 jours
4. Orange mécanique
5. Une Étoile est née
6. Vivre et laisser mourir
7. Les Oiseaux
8. Un Jour aux courses
9. L'Empire contrattaque
10. Les Dents de la mer
11. La Fièvre du samedi soir
12. Autant en emporte le vent
13. Kramer contre Kramer

1. The Three Musketeers 2. Raiders of the Lost Ark
3. Around the World in 80 Days 4. A Clockwork Orange
5. A Star is Born 6. Live and Let Die 7. The Birds
8. A Day at the Races 9. The Empire Strikes Back
10. Jaws 11. Saturday Night Fever 12. Gone With the Wind
13. Kramer versus Kramer

Les Français aiment jouer aux cartes. Les cartes françaises sont un peu différentes des cartes américaines. Voici quelques cartes françaises:

l'as de carreau

le roi de pique

la dame de cœur

À quoi est-ce qu'on joue? Comme aux Etats-Unis, on joue au bridge, au poker, à la canasta, au cribbage. On joue aussi à la belote, qui ressemble un peu au « pinochle ». Et vous, aimez-vous jouer aux cartes? Quels sont vos jeux favoris?

le valet de trèfle

le six de trèfle

le joker

Avez-vous une petite sœur ou un petit frère? Dans votre famille, à quoi jouent les petits enfants? Voici quelques jeux qui sont populaires parmi les petits enfants en France et aux États-Unis. Pouvez-vous deviner leurs noms anglais?

1. On joue à **la marelle**.
2. On **saute à la corde**.
3. On joue **aux billes**.
4. On joue **au chat**.
5. On **lance un cerf-volant**.
6. On joue **à cache-cache**.

a. **tag**
b. **kite flying**
c. **hopscotch**
d. **hide-and-seek**
e. **marbles**
f. **jump rope**

18 Une famille d'ouvriers

Monsieur et Madame Langevin

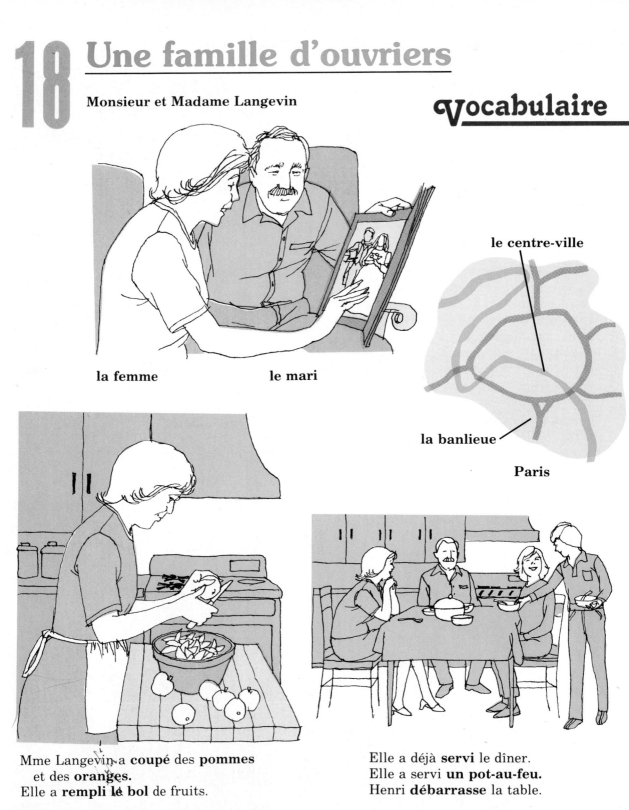

Vocabulaire

la femme   le mari

le centre-ville

la banlieue

Paris

Mme Langevin a **coupé** des **pommes**
et des **oranges**.
Elle a **rempli le bol** de fruits.

Elle a déjà **servi** le dîner.
Elle a servi **un pot-au-feu**.
Henri **débarrasse** la table.

264

Après le dîner

Ginette **met les assiettes** dans
le lave-vaisselle.
Elle **fait la vaisselle**.

Monsieur et Madame Langevin **lisent** le journal.
Henri **écrit**.

Exercice 1   Un soir chez les Langevin
Répondez.

1. Qui est la femme de M. Langevin?
2. Et qui est le mari de Mme Langevin?
3. Est-ce que la famille habite la banlieue?
4. Dans la cuisine, est-ce que Mme Langevin a rempli un bol de pommes et
   d'oranges?
5. A-t-elle déjà servi le dîner?
6. Ce soir, qu'est-ce qu'elle a servi pour le dîner?
7. Après le dîner, qui débarrasse la table?
8. Et qui met les assiettes dans le lave-vaisselle?
9. Qu'est-ce que Ginette fait?
10. Qu'est-ce que M. et Mme. Langevin lisent après le dîner?
11. Qu'est-ce qu'Henri fait?

La table

un couvert

un set

une cuiller

un couteau

une fourchette

une serviette

une assiette

265

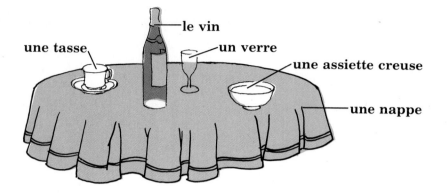

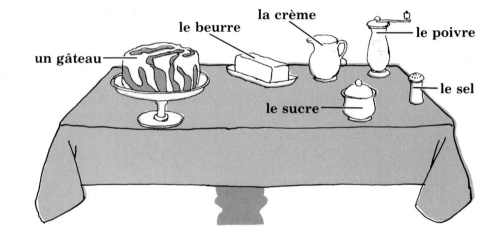

Exercice 2　La table
Répondez d'après le dessin.

1. Combien de couverts voyez-vous?
2. Qu'est-ce qu'on sert dans une assiette creuse?
3. Qu'est-ce qu'on sert dans une tasse?
4. Avec quel ustensile est-ce qu'on coupe la viande?
5. Avec quel ustensile est-ce qu'on prend de la soupe?
6. Est-ce que la serviette est placée à gauche ou à droite des assiettes?
7. Où est placé le couteau?
8. De quelle couleur est le sel?

Exercice 3　Personnellement
Répondez.

1. Est-ce qu'on met une nappe ou des sets sur la table chez vous?
2. Combien de couverts est-ce qu'il y a?
3. De quelle couleur sont les assiettes?
4. Est-ce qu'on sert toujours de la soupe au dîner?
5. Où met-on le sucre et la crème?

Structure

Le verbe *mettre*

Mettre (*to put, to place*) is an irregular verb.

Infinitive	mettre
Present tense	je mets tu mets il/elle met nous mettons vous mettez ils/elles mettent
Imperative	Mets le sel sur la table! Mettons la table! Mettez le journal là, s'il vous plaît.

Mettre may also mean:

1. *to put on* or *to wear* clothing

   Je mets mon anorak.

2. *to set* the table

   Ma sœur met la table.

3. *to turn on* a radio, a TV set, etc.

   Mettez la télé, s'il vous plaît.

Three other verbs that are conjugated like **mettre** are **promettre** (*to promise*), **permettre** (*to permit*), and **remettre** (*to postpone*).

Exercice 1 Qui met quoi sur la table?
Toute la famille aide Mme Claude à mettre la table.

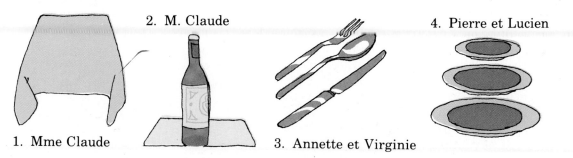

1. Mme Claude
2. M. Claude
3. Annette et Virginie
4. Pierre et Lucien

Exercice 2 Personnellement
Répondez.

1. Qui met la table chez vous?
2. Est-ce que votre père met du sucre dans le café?
3. Promettez-vous de faire un gâteau au chocolat pour le dîner?
4. Est-ce que vos grands-parents promettent de dîner avec vous?
5. Après le dîner, à quelle heure mettez-vous d'ordinaire la télé?

Le passé composé des verbes en *-ir*

The past participle of **-ir** verbs ends in **-i.**

> **Papa a rempli les verres.**
> **Maman a servi le dîner.**
> **Avez-vous choisi le dessert?**
> **Elle a fini ses devoirs.**

Here are other useful verbs that end in **-ir.**

> **Marie rougit** (*blushes*) **toujours.**
> **Je vais maigrir** (*lose weight*) **cette semaine.**
> **Elle grossit** (*gains weight*) **en été.**
> **Jean réussit à** (*passes, succeeds in*) **ses examens.**

Exercice 3 Le dîner d'hier soir
Répondez selon l'indication.

1. Qui a servi le dîner? **Maman**
2. Qui a rempli les verres? **Papa**
3. Qu'est-ce que Maman a servi pour le dîner? **un pot-au-feu**
4. Qu'est-ce que tu as choisi comme dessert? **un gâteau au chocolat**
5. Est-ce que tu as réussi à beaucoup manger? **bien sûr**
6. À quelle heure avez-vous fini le dîner? **à vingt heures**
7. Après le dîner, ta sœur et toi, avez-vous fini tous vos devoirs? **sans problème**
8. Ensuite, quel programme de télévision avez-vous choisi? **un bon film**
9. Et avez-vous dormi neuf heures? **Non, huit heures**

Exercice 4 Chez nous hier soir
Complétez au passé composé.

Chez nous hier soir Eugénie a aidé Maman. Elle _____ (choisir) les sets et les assiettes. Elle _____ (remplir) les verres d'eau. Maman et Eugénie _____ (servir) un excellent dîner. Papa _____ (servir) du vin.

Après, Papa a regardé un bon film à la télé, mais Eugénie, Marc et moi, nous _____ (finir) nos devoirs.

À dix heures Maman a réveillé (*woke up*) Papa:
— C'est la fin du film! Tu _____ (dormir) deux heures!
Pauvre Papa, il veut dormir.

268

La position des adverbes au passé composé

J'ai déjà mangé. *I have already eaten.*

Note the position of **déjà** in the sentence above. Short adverbs such as **déjà, bien, vite** are placed between **avoir** and the past participle in the **passé composé**.

Adverbs of time and place, such as **hier** and **aujourd'hui,** follow the past participle.

> **Il a déjà atterri.**
> **Tu n'as pas bien choisi.**
> **Elle a vite servi le café.**
> **J'ai travaillé hier.**
> **Elles n'ont pas téléphoné aujourd'hui.**

Exercice 5 À table
Répondez.

1. Avez-vous déjà servi le dîner?
2. Avez-vous bien mangé?
3. Avez-vous déjà servi le dessert?
4. Avez-vous débarrassé la table hier?
5. Avez-vous servi du café ce matin?

Les verbes *dire, écrire, lire*

The verbs **dire** (*to say, to tell*), **écrire** (*to write*), and **lire** (*to read*) are irregular.

Infinitive	dire	écrire	lire
Present tense	je dis	j'écris	je lis
	tu dis	tu écris	tu lis
	il/elle dit	il/elle écrit	il/elle lit
	nous disons	nous écrivons	nous lisons
	vous dites	vous écrivez	vous lisez
	ils/elles disent	ils/elles écrivent	ils/elles lisent
Imperative	Dis!	Écris!	Lis!
	Disons!	Ecrivons!	Lisons!
	Dites!	Écrivez!	Lisez!

Remember that the **s** and **t** in the singular forms are silent.
Note the **s** sound in the plural forms of **dire** and **lire** and **v** sound in **écrire**.
Pay special attention to the **vous** form of **dire: vous dites.**

Exercice 6 Je lis bien.
Répétez la conversation.

Lucien   Tu lis en français, Marianne?
Marianne   Mais oui, je lis bien mais j'écris mal.

Exercice 7 Que dit Marianne?
Répondez d'après la conversation de l'exercice 1.

1. Est-ce que Marianne lit en français?
2. Est-ce qu'elle lit bien ou mal?
3. Est-ce qu'elle écrit en français?
4. Qu'est-ce qu'elle dit?

Exercice 8 Personnellement
Répondez.

1. À qui dites-vous «bonjour» tous les jours?
2. Quel journal lisez-vous?
3. Et vos parents, quel journal est-ce qu'ils lisent?
4. Écrivez-vous souvent à vos cousins (cousines)?
5. Quel livre lisez-vous maintenant?
6. Vous et vos camarades, dites-vous «au revoir» à tous vos profs?
7. Dites-vous toujours «merci»?
8. Est-ce que je dis que le français est intéressant?
9. Est-ce que vos amis écrivent beaucoup de lettres?
10. Est-ce que les poètes écrivent des poèmes?

Exercice 9 Vous êtes très polis parce que vous dites toujours... *Tell two friends how polite they are because they say . . .*

1. bonjour
2. s'il vous plaît
3. merci
4. pardon
5. Madame ou Monsieur

Prononciation   Les sons /e/ et /ɛ/

/e/	/ɛ/
ces	cette
mes	mère
tes	terre
chez	cher
clé	clair
chez	achète
des	Adèle
ses	sept

Pratique et dictée

Le père d'Adèle est chez Claire avec ses sept chiens.
Elle met sept verres près de Robert.
Quelle belle fête chez Michel cet après-midi!
Hélas, j'ai les clés, mon cher Gilbert!

Conversation

Cécile cherche un petit ami.

Cécile Dis donc! Qu'est-ce que tu fais? Tu écris un poème?

Maryse Mais non! J'écris une lettre à mon ami en Italie.

Cécile Tu écris en italien?

Maryse Bien sûr que non! J'écris en français. Giovanni lit bien le français.

Cécile Tu dis Giovanni. Ton ami est un garçon alors! Euh... Sais-tu s'il a un copain?

Exercice 1 Corrigez.

1. Maryse écrit un poème.
2. Elle écrit à son cousin.
3. Son ami habite en Espagne.
4. Maryse écrit en italien.

5. Franco est le nom de son ami.
6. Giovanni ne lit pas le français.
7. Cécile veut savoir si Giovanni a une sœur.

Exercice 2 Complétez.

Cécile ne _____ pas ce que fait Maryse. Elle demande si elle _____ un
_____ . Maryse répond que non, qu'elle _____ une _____ à son ami en _____ .
Cécile demande si elle _____ en italien. Maryse _____ (dire) que non, qu'elle
_____ en français parce que Giovanni _____ bien le français.
Quand Cécile apprend que l' _____ de Maryse est un garçon, elle veut _____
s'il a un _____ . Mais pourquoi?

---

chercher *to look for*   **bien sûr que non!** *of course not!*

271

ꞯecture culturelle

Une soirée en famille

Voici la famille Louvel. Mme Louvel est guichetière° de banque et M. Louvel est un ouvrier° chez Renault. Les Louvel ont deux fils, Louis, âgé de quinze ans, et Étienne qui a onze ans. Ils habitent la banlieue de Paris.

Ce soir, comme tous les soirs en semaine, Mme Louvel rentre de la banque et commence à préparer le dîner. Comme elle travaille, elle ne fait pas tout chez elle. Louis et Étienne aident Maman. Louis coupe des pommes pour une macédoine° de fruits et Étienne met la table. Il met des sets et quatre couverts sur la table.

M. Louvel rentre à dix-neuf heures. À dix-neuf heures trente le dîner est servi. Qu'est-ce que Mme Louvel a servi ce soir? Elle a servi un dîner typique de la classe moyenne° française—un pot-au-feu, de la salade, du fromage et des fruits. M. Louvel a rempli les verres de vin. Il a servi un peu de vin aux enfants aussi mais avec de l'eau minérale. À vingt heures quinze la famille finit le dîner.

Étienne débarrasse la table et Louis fait la vaisselle. Ensuite les enfants font leurs devoirs et Monsieur et Madame Louvel lisent le journal et regardent la télé.

°**guichetière** *teller*   °**ouvrier** *worker*   °**macédoine** *salad (fruit)*   °**moyenne** *middle*

Étienne entre dans la salle de séjour. Son professeur de sciences veut trois exemples de la technologie avancée de la France. Étienne veut les opinions de ses parents. Maman suggère le Concorde. Bien sûr! Ce sont les Français et les Anglais qui ont fabriqué° cet avion supersonique.

— Si on parle de la vitesse,° on ne peut pas oublier le TGV, dit Papa. Le train à grande vitesse est le plus rapide du monde et c'est un train français.

Étienne a besoin d'un troisième exemple. Papa dit qu'il peut mentionner les usines° Renault dans le nord de la France. Les usines Renault sont les plus automatisées du monde. On emploie toutes sortes de robots dans la fabrication des autos. Il n'y a pas de doute que la France d'aujourd'hui est un des grands pays industrialisés.

°**ont fabriqué** *manufactured*   °**vitesse** *speed*   °**usines** *factories*

Exercice 1 Choisissez.

1. L'appartement des Louvel est _____ .
   - a. au centre de Paris
   - b. dans la banlieue de Paris
   - c. sur la Rive gauche à Paris

2. Mme Louvel _____ .
   - a. ne travaille pas
   - b. travaille dans un magasin
   - c. travaille dans une banque

3. M. Louvel _____ .
   - a. vend des autos
   - b. fabrique des autos
   - c. achète des autos

4. Louis et Etienne sont _____ .
   - a. frères
   - b. maris
   - c. cousins

Exercice 2 Complétez.

1. Mme Louvel prépare le _____ .
2. Louis coupe des pommes pour une _____ .
3. Étienne _____ la table.
4. M. Louvel rentre à dix-neuf _____ .
5. Mme Louvel a _____ un pot-au-feu.
6. M. Louvel a rempli les _____ de vin.

Exercice 3 Répondez.

1. Qui débarrasse la table?
2. Qui fait la vaisselle?
3. Ensuite, que font les garçons?
4. Qui lit le journal?
5. Que veut le professeur de sciences?
6. Quel est le nom de l'avion supersonique?
7. Qu'est-ce que c'est que le TGV?
8. Quelles usines sont les plus automatisées du monde?
9. Qu'est-ce qu'on emploie dans la fabrication des autos?

Activités

1 Écrivez un petit paragraphe sur la famille Louvel. (au moins 6 phrases)

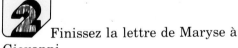

2 Finissez la lettre de Maryse à Giovanni.

3 Écrivez une phrase sur chacun des sujets suivants:

1. le Concorde
2. le T.G.V.
3. les robots Renault

Cher Giovanni,

Comment ça va? Est-ce que tes vacances ont déjà commencé? Tout va bien ici. Nos vacances commencent bientôt et je _____

_____

J'ai une amie Cécile qui est _____

Bien à toi,
Maryse

galerie vivante

Un des pays les plus industrialisés, la France fait des progrès remarquables dans le domaine de la technologie.

Voici des ouvriers dans une usine moderne de Renault.

Ici des ouvriers de l'usine Peugeot contrôlent les robots qui aident beaucoup dans la fabrication des autos.

L'industrie automobile est centralisée dans la banlieue de Paris. Où l'industrie automobile américaine est-elle centralisée?

Le Concorde est un avion franco-britannique. C'est le seul avion commercial supersonique.

Toulouse est le centre le plus important de l'industrie aéronautique française. C'est à Toulouse qu'on a construit le Concorde. À Toulouse on construit aussi l'Airbus. Avez-vous jamais voyagé en Airbus?

Si Toulouse est le centre de l'industrie aéronautique en France, quelle ville est le centre de l'industrie aéronautique aux États-Unis?

Le TGV (le Train à Grande Vitesse) est le train le plus rapide du monde. Le 26 février 1981 le TGV bat le record mondial de vitesse avec 380 km/h (kilomètres par heure).

Même si le TGV peut circuler à 380 km/h, la vitesse est limitée à 260 km/h.

277

19 La forme physique

être en bonne santé

être malade

faire de la gymnastique

rester en forme

un sweat suit

des tennis (*m*)

un bandeau

un collant

une jambière

278

Exercice 1   Jeanne est très sportive.
Répondez.

1. Est-ce que Jeanne est en bonne santé ou est-elle malade?
2. Fait-elle toujours de la gymnastique?
3. Est-ce qu'elle fait de la gymnastique pour rester en forme?
4. Qu'est-ce qu'elle met pour faire de la gymnastique?

Quelquefois Jacques fait **du jogging**.
Hier il a mis ses tennis et un short.

Il a mal aux **jambes**.
Il a beaucoup **couru**.

Exercice 2   Le coureur
Répondez.

1. Est-ce que Jacques fait toujours du jogging?
2. Qu'est-ce qu'il a mis pour faire du jogging?
3. Est-ce qu'il a mal aux jambes?
4. Est-ce qu'il a beaucoup couru hier?
5. Est-ce qu'il a mal aux jambes parce qu'il a trop couru?

Exercice 3   Personnellement
Répondez.

1. Êtes-vous en bonne santé?
2. Que faites-vous pour rester en forme?
3. Faites-vous du jogging?
4. Faites-vous de la gymnastique?
5. Quand avez-vous mal aux jambes?
6. Quand portez-vous un bandeau?
7. Mesdemoiselles, quand portez-vous un collant et des jambières?

Le corps humain

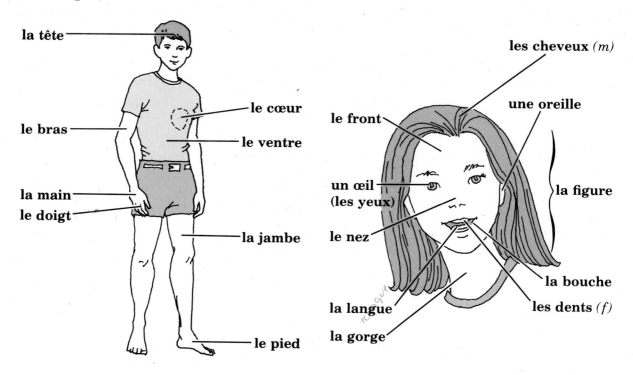

Exercice 4 Le corps humain
Dites avec quelle partie du corps on fait ces choses.

On mange...
On mange avec la bouche et les dents.

1. On parle...
2. On danse...
3. On voit...
4. On joue au football...
5. On nage...
6. On joue de la guitare...
7. On écoute...
8. On chante...

Exercice 5 Personnellement
Répondez.

1. Avez-vous les cheveux bruns, blonds, roux ou gris?
2. Avez-vous les cheveux longs ou courts?
3. De quelle couleur avez-vous les yeux?
4. Avez-vous mal à la gorge quand vous parlez trop?
5. Avez-vous mal à la tête quand vous avez beaucoup de devoirs à faire?
6. Quand avez-vous les yeux plus grands que le ventre?

Structure

Le verbe *venir* au présent

The verb **venir** (*to come*) is irregular in the present tense. Study the following forms.

Infinitive	venir
Present tense	je viens tu viens il/elle vient nous venons vous venez ils/elles viennent
Imperative	Viens ici! Venons! Venez vite!

Another verb conjugated like **venir** is **revenir** (*to come back*).

Exercice 1   Qui vient à la boum?
Répondez.

1. Georges vient à la boum ce soir?
2. Il vient avec Marcelle?
3. Liliane vient aussi?
4. Elle vient avec son frère?
5. Ils viennent à moto.
6. Tu viens à la boum aussi?
7. Tu viens avec un(e) copain (copine)?
8. Vous venez à pied?

Exercice 2   On revient cet après-midi.
Suivez le modèle.

Marie est là?
Non, elle revient cet après-midi.

1. Mon père est là?
2. Les amis sont là?
3. Le professeur est là?
4. Les élèves sont là?
5. Sophie est là?

Le passé composé des verbes en -re

The past participle of regular verbs that end in **-re** is formed by dropping the **-re** from the infinitive and adding **-u**.

attendŕé	attendu
entendŕé	entendu
perdŕé	perdu
répondŕé	répondu
vendŕé	vendu

The *passé composé* of **-re** verbs is formed by using the present tense of the verb **avoir** and the past participle. Study the following.

Infinitive	vendre
Passé composé	j'ai vendu
	tu as vendu
	il/elle a vendu
	nous avons vendu
	vous avez vendu
	ils/elles ont vendu

Exercice 3 Alain est toujours fauché!
Jouez le rôle d'Alain. Suivez le modèle.

Chantal Pourquoi ne vends-tu pas ta guitare?
Alain *J'ai déjà vendu ma guitare.*

1. Pourquoi ne vends-tu pas tes disques?
2. Pourquoi ne vends-tu pas ta moto?
3. Pourquoi ne vends-tu pas tes skis?
4. Pourquoi ne vends-tu pas ton transistor?
5. Pourquoi ne vends-tu pas tes patins à glace?

Exercice 4 Thérèse a toujours des projets!
Suivez le modèle.

Thérèse va vendre ses livres?
Elle a déjà vendu ses livres.

1. Thérèse va vendre ses livres?
2. Elle va répondre à cette lettre?
3. Elle va répondre à ses cousins?
4. Elle va attendre ses amis?
5. Elle va attendre longtemps?
6. Elle va perdre patience?
7. Elle va entendre toutes les excuses?

282

Le passé composé des verbes irréguliers: -u

The past participle of some irregular verbs also ends in **-u.**

avoir	eu
courir	couru
croire	cru
lire	lu
pouvoir	pu
voir	vu
vouloir	voulu

Exercice 5 Hier aussi
Suivez le modèle.

Georges a soif.
Hier aussi il a eu soif.

1. Georges a soif.
2. Il voit un café.
3. Il lit le menu.

4. Au café il voit un ami.
5. Son ami entend une histoire drôle.
6. Georges croit l'histoire.

Exercice 6 Personnellement
Répondez.

1. Combien de fois avez-vous lu votre livre favori?
2. Avez-vous pu finir vos devoirs hier soir?

3. Avez-vous eu le temps de regarder la télé hier soir?
4. Avez-vous vu un bon film?

Exercice 7 Il a trop fait
Complétez.

Hier j'_____ _____ (courir) avec un ami au bord de la mer. Nous
_____ _____ (courir) trois kilomètres. J'_____ _____ (vouloir) courir quatre
kilomètres, mais je n'_____ pas _____ (pouvoir). Mon ami Philippe n'est pas en
très bonne forme parce qu'il ne fait jamais de gymnastique. Il _____ trop _____
(courir) et il _____ _____ (avoir) mal aux jambes.

Note

Le before the name of a day of the week indicates repeated occurrence. Compare:

Lundi il va au théâtre.
(On) Monday he is going to the theater.

Le lundi il va au marché.
On Mondays (every Monday) he goes to the market.

Exercice 8 Jean-Marc est très sportif.

Que fait Jean-Marc chaque semaine pendant ses vacances? À vous de choisir.

le volley	le football
le judo	le golf
la natation	la gymnastique
le tennis	le ski nautique

mercredi
Le mercredi il fait du volley.

1. mardi
2. lundi et mercredi
3. vendredi
4. jeudi et samedi
5. dimanche

Exercice 9 Personnellement

Répondez.

1. Quel jour n'allez-vous pas au lycée?
2. Aidez-vous votre mère ou votre père à la maison le samedi ou le dimanche?
3. Allez-vous au cinéma le vendredi ou le samedi?
4. Quel jour avez-vous votre leçon de musique (golf, tennis)?

Verbes irréguliers au passé composé: *-is*

Some of the irregular **-re** verbs that you have learned also have an irregular past participle. Study the following:

mettre	**mis**	**prendre**	**pris**
permettre	**permis**	**apprendre**	**appris**
promettre	**promis**	**comprendre**	**compris**
remettre	**remis**		

Exercice 10   Une leçon de ski
Mettez au passé composé.

1. Lisette apprend à faire du ski.
2. Elle met les skis.
3. Le moniteur permet aux élèves de skier sur la piste facile.
4. Tous les élèves comprennent le moniteur.
5. Ils promettent de skier prudemment.

Exercice 11   Personnellement
Répondez.

1. Hier, est-ce que tu as beaucoup appris dans la classe de français?
2. Tu as compris toute la leçon?
3. Est-ce que le prof a posé beaucoup de questions?
4. Tu as entendu toutes les questions?
5. Tu as compris les questions?
6. Tu as répondu aux questions?
7. En classe, est-ce que tous les élèves ont lu une lecture?
8. Vous avez compris la lecture?
9. Vous avez compris tout ce que vous avez lu?
10. Vous avez vu un film français en classe?

Prononciation   La lettre x

/gz/	/ks/	/s/	/z/	muet	
exact	boxe	soixante	deuxième	prix	deux
examen	exprime	Bruxelles	sixième	doux	veux
exemple	taxi	six	dixième	paix	peux
exister	Alexandre	dix		choix	mieux
exotique	Luxembourg				
exercice	exposition				
hexagone					

Pratique et dictée

Alexandre fait de la boxe à Bruxelles.
Tu peux prendre un taxi pour aller à l'exposition d'art exotique.
C'est un exemple exact de la paix qui existe au Luxembourg.

Conversation

Christine a maigri

Liliane   Mon Dieu, Christine! Tu as beaucoup maigri!

Christine   Oui, je sais. J'ai perdu trois kilos.

Liliane   Ce n'est pas à cause d'une maladie, j'espère.

Christine   Non, je suis toujours en bonne santé. Je ne suis presque jamais malade.

Liliane   Dis-moi alors. Comment as-tu réussi à perdre trois kilos? Tu sais, moi aussi j'ai besoin de maigrir.

Christine   C'est bien simple. On fait des exercices vigoureux pendant une demi-heure, tous les jours.

Liliane   Zut! Ce n'est pas simple du tout!

Exercice   Complétez.

Un jour Liliane rencontre _____ . Elle est très surprise de voir que Christine a beaucoup _____ . Christine dit qu'elle a _____ trois kilos. Liliane demande si ce n'est pas à _____ d'une maladie. Christine répond qu'elle est en bonne _____ . Ensuite Liliane demande comment Christine a _____ à _____ trois kilos. Christine dit qu'elle _____ des exercices vigoureux pendant une _____ , tous les jours. Liliane n'aime pas cette idée du tout.

Lecture culturelle

Dix mille fanas!

VIVEZ EN FORME
Gymnastiques douces
PSYCHOCINETIQUE Alain Blain
Studios Paris XV et VI Tél. 566,05,79

Laure Salut, les amies! Où allez-vous?

Mariel Au club «fitness» Bonne Santé. Nous avons un cours d'aérobic.°

Laure Vous portez la tenue° de l'aérobic?

Coralie C'est ça! Un collant, des jambières et des «tennis».

Laure Et sur le front un bandeau. Très chic! Mais qu'est-ce que c'est que l'aérobic?

Mariel C'est une gymnastique sur un rythme de musique rock ou pop. Les exercices sont assez vigoureux.

Laure Alors pas de jogging avec Walkman aux oreilles?

Coralie Au contraire! Le mardi et le jeudi nous faisons du jogging. Le mercredi et le samedi nous faisons de l'aérobic.

Laure Et vous faites aussi de la gymnastique?

Mariel Quinze minutes tous les matins!

Laure Mais pourquoi tous ces exercices? Vous n'avez pas grossi!

° **aérobic** *aerobic exercises (for cardiovascular improvement)*   ° **la tenue** *clothes*

287

Coralie Oh, ce n'est pas seulement pour maigrir! Nous voulons rester en forme. D'ailleurs, nous voulons courir dans le prochain Marathon de Paris.

Laure Vraiment? J'ai vu des photos des coureurs du Marathon de Paris— 10 000 fanatiques!

Exercice 1 Répondez.

1. Où vont Mariel et Coralie?
2. Pourquoi vont-elles au club?
3. Quelle tenue portent-elles?
4. Comment est cette tenue?
5. Qu'est-ce que c'est que l'aérobic?

Exercice 2 Corrigez.

1. Coralie et Mariel ont fini de faire du jogging.
2. Elles font du jogging le mercredi.
3. Elles font de l'aérobic le lundi.
4. Elles ne font pas de gymnastique.
5. Elles ont grossi.
6. Elles veulent courir dans le prochain Marathon de New York.

Activités

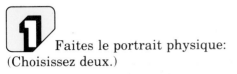

1 Faites le portrait physique:
(Choisissez deux.)

a. d'un ami ou d'une amie
b. d'un membre de votre famille
c. d'un acteur ou d'une actrice
d. d'un (une) athlète célèbre

2 Charles a perdu quelques kilos.
Qu'est-ce qu'il a fait pour perdre les kilos?

	Oui	Non
1. Il a fait de la gymnastique.	☐	☐
2. Il a mangé beaucoup de gâteaux.	☐	☑
3. Il a beaucoup dormi.	☐	☐
4. Il a beaucoup couru.	☐	☐
5. Il a lu beaucoup de livres de sport.	☐	☐
6. Il a joué au volley.	☐	☐
7. Il a mis des tennis.	☐	☐
8. Il a très peu mangé.	☐	☑
9. Il a pratiqué l'aérobic.	☐	☐

3 Que faites-vous pour rester en
forme? Décrivez en détail votre programme.

4 Décrivez tout ce que vous voyez dans
l'illustration.

galerie vivante

Tout le monde veut être en forme. Au mois d'octobre il y a un grand marathon à Paris. Est-ce que beaucoup de gens participent au marathon?

Remarquez que tous les participants sont des hommes. En France les femmes participent très peu aux sports, surtout aux sports organisés.

Après son travail, M. Fresneau fait de la gymnastique pour rester en forme. Est-ce que ce type d'exercices est populaire aux États-Unis aussi?

La famille Suchard fait du jogging dans le Bois de Boulogne à Paris. Remarquez que Christian Suchard porte un tee-shirt avec le nom d'une université américaine. Les jeunes Français aiment beaucoup ces tee-shirts.

Les copains font des exercices
d'aérobic. Il y a même des soirées
aérobic pour les jeunes. Faites-
vous des exercices d'aérobic?

Les jeunes et les vieux
participent au cross du
Figaro, un journal français.

20 Les coureurs cyclistes

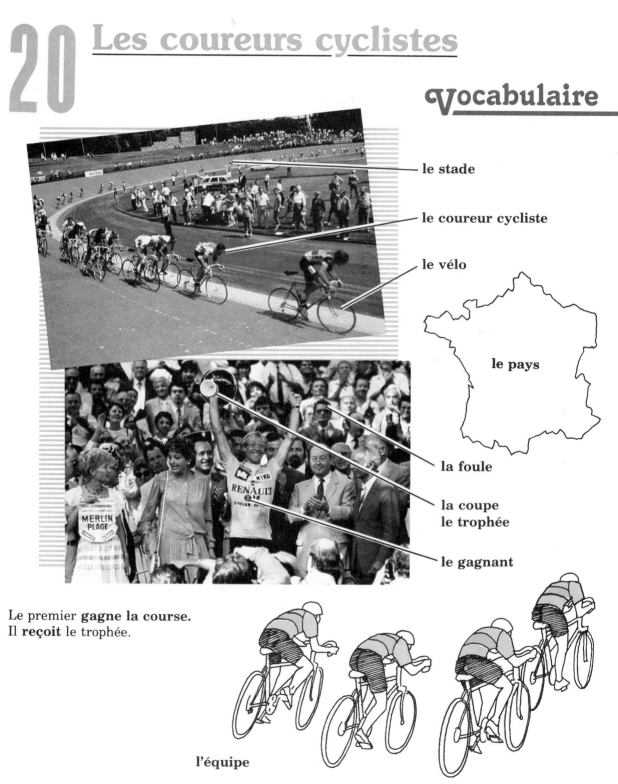

le stade

le coureur cycliste

le vélo

le pays

la foule

la coupe
le trophée

le gagnant

Le premier **gagne la course.**
Il **reçoit** le trophée.

l'équipe

Here are some additional cognates. You should be able to guess their meanings very easily.

les amateurs	**la bicyclette**
les professionnels	**représenter**
les spectateurs	**international**
le champion	

Exercice 1 Une course cycliste
Répondez.

1. Est-ce que les garçons montent à vélo?
2. Sont-ils dans le stade?
3. Est-ce que chaque équipe représente son pays?
4. Est-ce que c'est une course internationale?
4. Qu'est-ce que le gagnant reçoit?

Exercice 2 Choisissez.

1. Un vélo est _____ .
   a. une bicyclette
   b. une auto
   c. un stade

2. _____ monte à velo.
   a. La bicyclette
   b. Le coureur cycliste
   c. La foule de spectateurs

3. Dans une course internationale, chaque équipe _____ .
   a. gagne un trophée
   b. reçoit la coupe
   c. représente son pays

4. Le gagnant de la course est _____ .
   a. la coupe
   b. le champion
   c. le coureur

5. _____ reçoivent de l'argent.
   a. Les professionnels
   b. Les amateurs
   c. Les spectateurs

6. _____ gagne.
   a. Le premier
   b. Le dernier
   c. Toutes les équipes

7. Le gagnant reçoit _____ .
   a. la foule
   b. une nouvelle bicyclette
   c. la coupe

Exercice 3 Personnellement
Répondez.

1. Avez-vous un vélo?
2. Est-ce qu'il y a un stade dans votre ville?
3. Avez-vous vu une course cycliste?
4. Avez-vous participé à une course cycliste?
5. Avez-vous gagné un trophée?

Structure

Les verbes *boire, devoir, recevoir*

The verbs **boire** (*to drink*), **devoir** (*must, to owe*), and **recevoir** (*to receive*) are irregular in the present tense. Study the following forms.

Infinitive	boire	devoir	recevoir
Present tense	je bois tu bois il/elle boit nous buvons vous buvez ils/elles boivent	je dois tu dois il/elle doit nous devons vous devez ils/elles doivent	je reçois tu reçois il/elle reçoit nous recevons vous recevez ils/elles reçoivent
Imperative	Bois de l'eau! Buvons du lait! Buvez lentement!		

The verbs **devoir** and **recevoir** are seldom used in the imperative.

Note that all these verbs have a **v** in the plural forms. Pay attention to the cedilla (**ç**) in the verb **recevoir**. The **ç** must be used before the vowel **o** to maintain the soft /s/ sound.

The verb **devoir** has two meanings:

Je dois écrire une lettre.	*I must write a letter.*
Je dois cinq francs à Jean.	*I owe John five francs.*

Note the **passé composé** of these verbs.

Passé composé	j'ai bu	j'ai dû	j'ai reçu

Exercice 1 Qu'est-ce que tu bois?
Suivez le modèle.

Tu bois du lait?
Oui, je bois du lait.

1. Tu bois de l'eau?
2. Tu bois du coca?
3. Tu bois du chocolat?
4. Tu bois de l'eau minérale?

Exercice 2   Qu'est-ce que vous ne buvez pas?
Suivez le modèle.

Vous buvez du café?
Non, nous ne buvons pas de café.

1. Vous buvez du thé?
2. Vous buvez du vin?
3. Vous buvez du champagne?
4. Vous buvez de la bière?

Exercice 3   Qu'est-ce qu'ils boivent?
Employez *boire*.

Le matin Jacques _____ de l'eau et du lait. Avec les repas il _____ du coca.
Quand il a soif, il _____ de l'eau minérale. En hiver il _____ du chocolat chaud.

Les frères de Jacques _____ du lait, mais ils ne _____ pas d'eau. Avec les
repas ils _____ du lait. Quand ils ont soif, ils _____ un coca. En hiver ils _____
du thé.

Exercice 4   À la fête
Employez *boire*.

À la fête je _____ du champagne. Et toi, qu'est-ce que tu _____ ? Est-ce que
ce garçon _____ plus de champagne que cette fille? Mais oui! Elle ne _____ rien!

Exercice 5   Répétez *À la Fête* au pluriel *(nous).*

Exercice 6   Répétez *À la Fête* au passé.

Exercice 7   Qu'est-ce qu'on doit faire pour être un bon étudiant?
Suivez le modèle.

Devons-nous venir en classe?
Oui, vous devez venir en classe.

1. Devons-nous faire attention?
2. Devons-nous apprendre les leçons?
3. Devons-nous écouter attentivement?
4. Devons-nous recevoir de bonnes notes (*marks*)?

Exercice 8   On doit courir!
Complétez avec *devoir*.

— Qu'est-ce que nous _____ faire maintenant?
— Vous _____ monter à vélo et vous _____ courir dans la course cycliste. Bien
   sûr, vous _____ gagner si c'est possible.
— Et moi, qu'est-ce que je _____ faire? Je _____ courir aussi?
— Oui, tu _____ courir aussi, mais d'abord tu _____ payer au club les vingt
   francs que tu _____ !

Exercice 9 Qu'est-ce qu'ils reçoivent pour leur anniversaire?

Répondez avec *Les filles, Les garçons* ou *Les filles et les garçons reçoivent...*

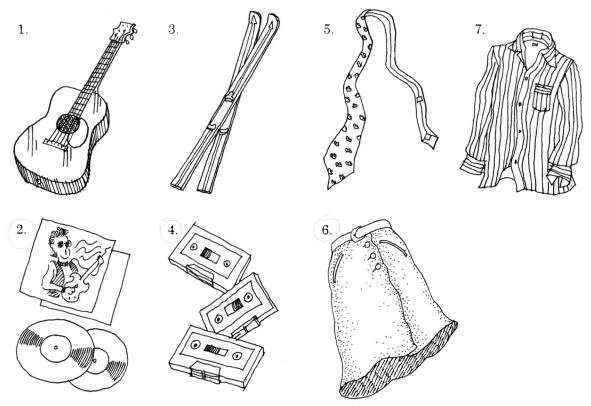

1.

3.

5.

7.

2.

4.

6.

Exercice 10 Les joueurs de football

Complétez avec la forme convenable de *boire, devoir* ou *recevoir.*

Pendant le match de football les joueurs _____ courir et faire des passes. À la fin du match les gagnants _____ le trophée. Ils _____ aussi de l'argent.

Pour célébrer leur victoire, tous les membres de l'équipe vont au restaurant. Ils mangent un steak-frites et ils _____ du champagne. Ils _____ les félicitations (*congratulations*) de tous leurs amis.

Noms et adjectifs en *-al/-aux*

Noms

Certain nouns end in **-al** in the singular. The **-al** changes to **-aux** in the plural.

le général	les généraux
le journal	les journaux
un animal	des animaux
un cheval	des chevaux

Exercice 11 Le cheval a faim.

Lisez le dialogue. Ensuite, répétez le dialogue au pluriel.

— Ah! Le général a un cheval!
— Oui, il adore cet animal.
— Mais le cheval du général mange mon journal!

Adjectifs

Certain adjectives end in **-al** in the masculine singular and in **-aux** in the masculine plural.

le club national	**les clubs nationaux**
un poème original	**des poèmes originaux**

The feminine forms of these adjectives are regular. Add **-e** to form the feminine singular. Add **-es** to form the feminine plural.

une coupe nationale	**des coupes nationales**
la classe originale	**les classes originales**

Here are other adjectives like those above. You should have no problem with their meaning.

international	**municipal**	**spécial**
minéral	**principal**	**tropical**
local	**social**	

Exercice 12 Le parc municipal

Lisez le paragraphe. Ensuite, répétez le paragraphe au pluriel.

C'est un parc municipal. Dans le parc il y a de l'eau minérale spéciale. Cette statue originale vient d'un pays tropical, mais le monument principal est par un artiste local.

𝒫rononciation   Le son /ɲ/

The French sound /ɲ/ is produced when the letters **gn** come together. It is similar to the English sound in *canyon*.

gagner	Espagne
gagnant	Bretagne
Agnès	magnifique
montagne	compagnon
champagne	oignon

𝒫ratique et dictée

Le gagnant boit du champagne sur la montagne.
Agnès écrit que la Bretagne est magnifique.
Nos compagnons d'Espagne aiment les oignons.

Expressions utiles

Following are some expressions that can be used during spectator sports.

Vas-y!	*Go!*	**Quel est le score?**	
Hourrah!		**(C'est) 2 à 1.**	
Bravo!		**Match nul.**	*It's tied.*
Hou!	*Boo!*		

Conversation

Au Stade-Vélodrome

(Au centre du stade il y a un terrain de football. Le match aujourd'hui est spécial. C'est pour la Coupe de France—Nantes contre Strasbourg.)

Simone	Ce stade est énorme! Combien de personnes peut-il contenir?
Caroline	Trente mille. Mais fais attention au match!
Simone	Quel est le score?
Caroline	C'est 2 à 1 en faveur de Nantes. Regarde Bernard! Il a le ballon! Vas-y! Vas-y!
Simone	Quelle jolie passe avec la tête!
Caroline	Magnifique! L'équipe de Nantes a gagné!
Simone	Mon Dieu! Écoute la foule! On bat* des mains! On bat des pieds! Quelle émotion!

Exercice Répondez.

1. Où sont Simone et Caroline?
2. Pourquoi le match est-il spécial aujourd'hui?
3. Combien de personnes est-ce que le stade peut contenir?
4. Quel est le score en ce moment?
5. Qui prend le ballon?
6. Fait-il la passe avec le pied ou avec la tête?
7. Quelle équipe a gagné?
8. Que fait la foule?

---

* *Battre* is conjugated like *mettre: je bats, tu bats, il/elle bat, nous battons, vous battez, ils/elles battent.*

ℚecture culturelle

Le football ou le cyclisme?

Est-ce que les Français sont des sportifs sérieux? D'après les résultats˚ des Jeux Olympiques la réponse doit être que non. Il est impossible de comparer la France avec les États-Unis et l'U.R.S.S!˚

Il est vrai que les sports sont négligés˚ dans les lycées français. Mais le gouvernement fait des efforts pour encourager les sports. Chaque année il y a de nouveaux stades, terrains de sports et piscines.

Presque tous les sports sont pratiqués en France sauf˚ le base-ball et le football américain. Mais les deux sports principaux sont le football et le cyclisme.

En France, comme dans beaucoup de pays, c'est le football qui est le sport national. Chaque grande ville a son équipe. Des championnats˚ nationaux et internationaux sont organisés. La coupe du monde de football passionne˚ les fanas du monde entier. Chaque nation a envie de gagner la coupe.

˚**cyclisme** *cycling (bike racing)*   ˚**résultats** *results*   ˚**U.R.S.S.** *Union des républiques socialistes soviétiques*   ˚**négligés** *neglected*   ˚**sauf** *except*   ˚**championnats** *championships*   ˚**passionne** *excites*

Le pays du cyclisme, c'est la France! Les courses dans les vélodromes attirent° toujours une grande foule. Dans les villages, quand il y a une fête, on organise souvent° une course de cyclistes amateurs.

Et puis° en juillet, c'est le Tour de France, la célèbre course internationale tout autour du° pays. Les coureurs professionnels viennent de tous les pays du monde. Le gagnant reçoit beaucoup d'argent et, bien sûr, il devient un héros national!

Exercice 1 Corrigez.

1. Les Français et les Américains sont plus sportifs que les Russes.
2. Les sports sont négligés dans les lycées américains.
3. Le gouvernement ne veut pas encourager les sports en France.
4. Chaque année il y a de nouveaux lycées.

Exercice 2 Répondez.

1. Quels sports ne sont pas pratiqués en France?
2. Nommez les deux grands sports français.
3. Quel est le sport national?
4. Quels championnats sont organisés?
5. Qu'est-ce qui passionne les fanas du monde entier?
6. Quel pays est le pays du cyclisme?
7. Quelles courses attirent une grande foule?
8. Qu'est-ce qu'on organise dans les villages quand il y a une fête?
9. Qu'est-ce que c'est que le Tour de France?
10. D'où viennent les coureurs professionnels?
11. Qui devient un héros national?

°**attirent** *attract*   °**souvent** *often*   °**puis** *then*   °**autour de** *around*

300

Activités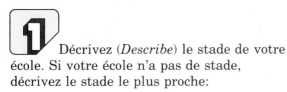

1 Décrivez (*Describe*) le stade de votre école. Si votre école n'a pas de stade, décrivez le stade le plus proche:

- Quels jeux est-ce qu'on joue au stade?
- Combien de spectateurs est-ce que le stade contient?
- Combien coûtent les meilleures places?
- Combien de fois allez-vous au stade chaque année?
- Quels sports aimez-vous regarder au stade?

2 Préférez-vous regarder le football américain au stade ou à la télé? Pourquoi?

3 Menez un sondage d'opinion (*Conduct a public opinion poll*) parmi vos camarades de classe sur la question:

- Quel est le meilleur sport: le base-ball ou le football américain?

Additionnez les réponses et calculez les pourcentages. Discutez les résultats du sondage.

4 Décrivez les photos.

galerie vivante

Le tennis est plus populaire que jamais en France. Ainsi il y a beaucoup de nouveaux courts de tennis. Aimez-vous jouer au tennis? Est-ce qu'il y a beaucoup de courts où vous habitez?

80 COURTS DE TENNIS AUX PORTES DE PARIS

FOREST HILL LA DÉFENSE
19, avenue de la Liberté
92000 Nanterre.
12 courts couverts en terre battue, 2 courts de squash, salle de gymnastique, 2 saunas, piscine couverte, club-house, bar, bain tourbillon, restaurant, boutique, parking privé, vidéo-service.

FOREST HILL AUBERVILLIERS
111, avenue Victor Hugo
93300 Aubervilliers.
18 courts couverts en synthétique souple, 3 courts de squash, salle de gymnastique, sauna, bain tourbillon, club-house, bar, restaurant, salle de projection, boutique, parking privé, vidéo-service.

FOREST HILL FONTENAY-SOUS-BOIS
Rue Carnot
94120 Fontenay-sous-Bois.
10 courts couverts en green set, club-house, bar, restaurant, boutique, sauna, bain tourbillon, parking privé, vidéo-service.

FOREST HILL MEUDON
40, av. de Lattre-de-Tassigny
92360 Meudon-la-Forêt.
9 courts couverts en moquette, 3 courts extérieurs, éclairés, mur d'entraînement, piscine chauffée, sauna, bain tourbillon, club-house, bar, restaurant, boutique, parking privé, vidéo-service.

PARIS SUD TENNIS FOREST HILL IVRY
Rue Jules Vanzuppe
94200 Ivry.
9 courts couverts en green set, 6 courts de squash, club-house, bar, restauration, boutique, sauna, parking privé, vidéo-service.

PARIS SUD TENNIS FOREST HILL MONTROUGE
15, rue de la Vanne
92120 Montrouge.
14 courts couverts en green set, 5 courts extérieurs, tous temps, éclairés, mur d'entraînement, club-house, bar, restauration, boutique, parking privé, vidéo-service.

TENNIS [FOR]EST HILL

renseignements et inscriptions : renvoyez le coupon-réponse ci-dessous à
TENNIS CLUB FOREST HILL
40, av. du Maréchal-de-Lattre-de-Tassigny - 92360 Meudon la Forêt

[...]eressé par
[...]HILL Aubervilliers
[...] Fontenay-sous-Bois
[...]ENNIS FOREST HILL Ivry
[...] Meudon-la-Forêt
[...] Défense

Nom _____
Prénom _____
Profession _____
Société _____
Responsable _____
Adresse _____

☐ **Formule club année**
☐ Leçons

Code postal _____
Tél (bur.) _____ Ville _____
(dom.) _____

Voici Catherine Tanvier, la joueuse numéro un du tennis français. Nommez un champion ou une championne de tennis aux États-Unis.

Voici des cyclistes dans le Tour de France. Ils traversent tout le pays—la campagne et les villes. Est-ce que le cyclisme est très populaire aux États-Unis?

Révision

Vive le gagnant!

En juillet Simon a invité Bernard, son cousin québécois, à Paris. (Bernard n'a jamais vu le Tour de France.) Les deux garçons ont regardé les premières étapes* à la télé. Ils ont choisi leurs cyclistes favoris. Ils ont étudié tous les détails du Tour. Ils ont lu tous les articles dans les journaux et dans les magazines.

Au vélodrome ils ont attendu l'arrivée des cyclistes. Ils ont crié avec la foule. À la fin ils ont félicité le gagnant et ils ont bu du champagne pour célébrer sa victoire.

Exercice 1   Qui a invité Bernard?
Répondez d'après la lecture.

1. Qui a invité Bernard à Paris?
2. Qui n'a jamais vu le Tour de France?
3. Où est-ce que les deux garçons ont regardé les premières étapes?
4. Qui est-ce qu'ils ont choisi?
5. Qu'est-ce qu'ils ont étudié?
6. Qu'est-ce qu'ils ont lu?
7. Où ont-ils crié avec la foule?
8. Qui ont-ils félicité?
9. Qu'est-ce qu'ils ont bu?

Le passé composé

To form the **passé composé** (the conversational past), the verb **avoir** is used with the past participle.

Infinitive	parler	finir	attendre
Past participle	parlé	fini	attendu
Passé composé	j'ai parlé tu as parlé il/elle a parlé nous avons parlé vous avez parlé ils/elles ont parlé	j'ai fini tu as fini il/elle a fini nous avons fini vous avez fini ils/elles ont fini	j'ai attendu tu as attendu il/elle a attendu nous avons attendu vous avez attendu ils/elles ont attendu

Exercice 2   Arlette n'a pas grossi.
Lisez le dialogue et complétez le paragraphe qui suit.

— As-tu grossi, Arlette?
— Au contraire; j'ai maigri. Je fais du jogging avec Robert le lundi, le mercredi et le vendredi.

---

*étapes   *legs, stages*

— Tu fais aussi de la gymnastique?

— Seulement le samedi.

— Combien as-tu perdu?

— J'ai perdu deux kilos. Maintenant je peux acheter un nouveau bikini!

Arlette n'a pas _____ ; elle _____ . Elle fait _____ le lundi, le mercredi et le vendredi avec Robert. Arlette fait _____ le samedi. Elle _____ deux kilos. Maintenant elle _____ .

Verbes irréguliers au présent

savoir   je sais, tu sais, il/elle sait, nous savons, vous savez, ils/elles savent

mettre   je mets, tu mets, il/elle met, nous mettons, vous mettez, ils/elles mettent

dire   je dis, tu dis, il/elle dit, nous disons, vous dites, ils/elles disent

venir   je viens, tu viens, il/elle vient, nous venons, vous venez, ils/elles viennent

boire   je bois, tu bois, il/elle boit, nous buvons, vous buvez, ils/elles boivent

Écrire et **lire** are like **dire** except for the **vous** form:

> **vous écrivez**
> **vous lisez**

Devoir and **recevoir** are like **boire** except for the **nous** and **vous** forms:

> **nous devons**   **nous recevons**
> **vous devez**   **vous recevez**

Exercice 3   Tu sais jouer au tennis?

Complétez avec la forme convenable du verbe donné.

A. savoir

  — Dis donc, tu _____ jouer au tennis?

  — Pas très bien, mais je _____ jouer au badminton.

  — Ton frère et toi, vous _____ jouer de la guitare, n'est-ce pas?

  — Oui, et nous _____ jouer aussi de l'accordéon.

  — Chic, alors! Venez à la boum samedi soir!

B. venir

  — Qui _____ dîner chez nous ce soir?

  — Ce sont tes grands-parents qui _____ célébrer ton anniversaire.

  — Ah bon! Mon oncle Thomas _____ aussi?

  — Oui, lui aussi, il _____ .

C. mettre

  — Maman, je _____ des sets ou la nappe sur la table?

  — _____ la nouvelle nappe et les serviettes blanches.

  — Nous _____ des fleurs ou des fruits?

  — _____ des fleurs pour commencer.

D. boire

  — Papa _____ du vin ce soir, n'est-ce pas? Clarisse et moi, nous _____ de l'eau minérale. Et toi, maman, qu'est-ce que tu _____ ?

ℒecture culturelle

supplémentaire

La télévision en France

Il y a en France trois chaînes* de télévision; TF1 (Télévision Française 1), A2 (Antenne 2) et FR3 (France Régions 3). Certaines émissions* sont relayées par satellites; il y a aussi la télévision par câble.

Si on habite près des frontières,* il y a d'autres possibilités. Dans le sud on peut voir la télévision de Monaco. Dans l'est c'est la télévision suisse, et dans le nord ce sont les émissions de Belgique et du Luxembourg.

On peut trouver les programmes dans des revues spécialisées comme *Télépoche* et *Télé 7 jours*. Il y a une grande variété—sports, théâtre, musique, jeux, météo, actualités* et, bien sûr, feuilletons*—français *et* américains! Parmi* les programmes américains les plus populaires en ce moment sont *Dallas* et *Starsky et Hutch*. Et puis il y a le classique *Bugs Bunny!*

P.-S. La publicité* n'interrompt pas une émission en France! Il y a dix minutes de publicité entre les émissions.

Exercice 1 Répondez.

1. Combien de chaînes de télévision y a-t-il en France? Nommez-les.
2. Est-ce que la télévision par câble existe en France?
3. Qu'est-ce qu'on peut voir si on habite dans le sud de la France?
4. Qu'est-ce qu'on peut voir si on habite dans l'est?
5. Qu'est-ce qu'on peut voir si on habite dans le nord?
6. Quelles sortes de programmes est-ce qu'on peut voir?

Exercice 2 Personnellement
Répondez.

1. Combien de chaînes de télévision y a-t-il chez vous?
2. Quelle chaîne mettez-vous le plus souvent?
3. Avez-vous la télévision par câble?
4. Quels sports regardez-vous à la télé?
5. Quel est votre feuilleton favori?
6. À votre opinion, est-ce une bonne idée d'avoir dix minutes de publicité entre les émissions?

***chaînes** *channels*   ***émission** *program*   ***frontières** *borders*   ***actualités** *news*
***feuilletons** *serials or soap operas*   ***Parmi** *Among*   ***publicité** *commercials*

ℒecture culturelle

Un trapéziste audacieux

Ses parents choisissent pour lui la profession d'avocat.˚ Mais Jules ne veut pas être avocat! Son père a un gymnase à Paris et Jules est fasciné par la gymnastique. Il aime surtout le trapèze.

C'est lui qui a inventé en 1859 le trapèze volant.˚ C'est lui qui a inspiré la vieille chanson américaine:

> *Oh, he flies through the air with the greatest of ease,*
> *The daring young man on the flying trapeze!*

C'est lui qui a donné son nom au costume que portent aujourd'hui les acrobates et les danseurs. Nous parlons de Jules Léotard! Il est mort˚ de la variole˚ à l'âge de trente et un ans.

Exercice Répondez.

1. Quelle profession est-ce que les parents de Jules choisissent pour lui?
2. Est-ce qu'il est d'accord?
3. Qu'est-ce que le jeune Jules aime surtout?
4. Qu'est-ce qu'il a inventé?
5. Pouvez-vous chanter la chanson qu'il a inspirée?
6. À quoi a-t-il donné son nom?

˚**avocat** *lawyer*   ˚**volant** *flying*   ˚**est mort** *died*   ˚**variole** *smallpox*

21 Dans un terrain de camping

Vocabulaire

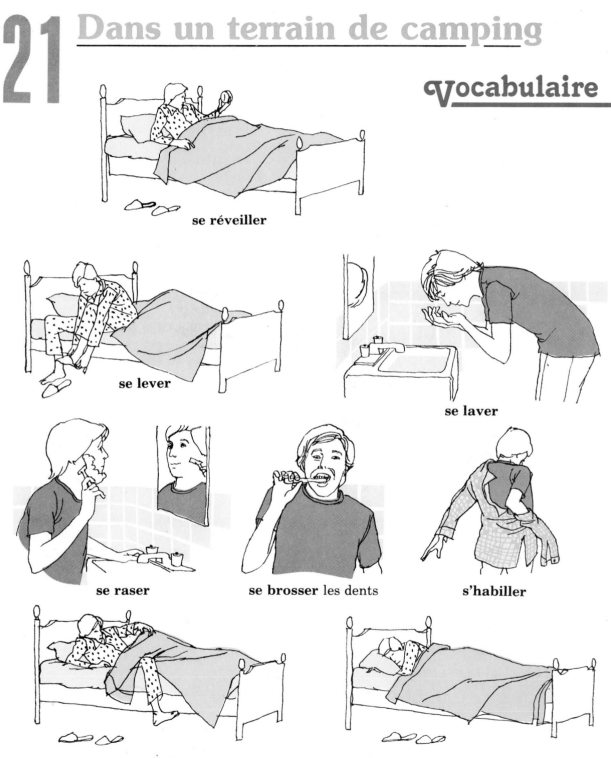

se réveiller

se lever

se laver

se raser

se brosser les dents

s'habiller

se coucher

s'endormir

308

Exercice 1 Une journée dans la vie d'Henri
Répondez.

1. Est-ce qu'Henri se réveille à six heures et demie?
2. Est-ce qu'il se lève à sept heures?
3. Quand il se lève, est-ce qu'il se lave?
4. Il se rase aussi?
5. Il se brosse les dents?
6. Il se brosse les cheveux aussi?
7. Ensuite, est-ce qu'il s'habille?
8. À quelle heure est-ce qu'il se couche?
9. Quand il se couche, est-ce qu'il s'endort tout de suite?

Dans un terrain de camping

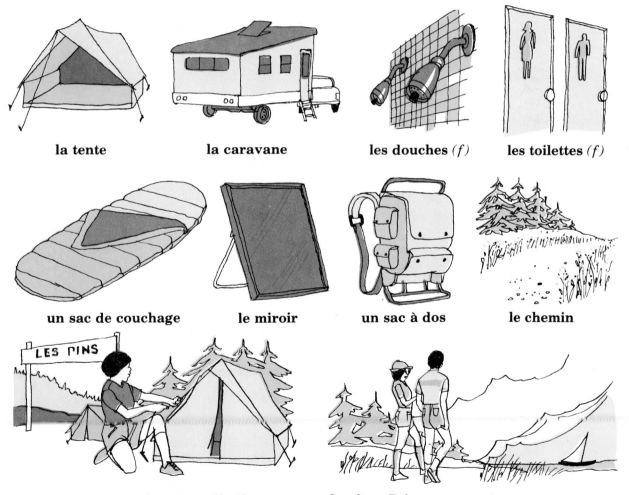

la tente   **la caravane**   **les douches** *(f)*   **les toilettes** *(f)*

un sac de couchage   **le miroir**   **un sac à dos**   **le chemin**

Le **terrain de camping s'appelle** "Les
Pins".
Carole **monte** une tente.

Carole et Robert **se promènent.**
Ils se promènent sur un chemin.
Le chemin **mène** à la plage.

Exercice 2　Carole fait du camping
Complétez.

Pendant les vacances d'été Carole fait du camping. Elle aime beaucoup le camping. Elle passe quinze jours avec sa famille dans un _____ de camping qui _____ «Les Pins». Ce camping se trouve sur la côte d'Azur. Quand elle arrive au camping Carole _____ une tente. Le soir elle dort dans un _____ _____ _____ sous la tente. Le matin elle se lève et prend une _____ dans la salle de bains. Ensuite elle se brosse les dents et les cheveux. Quand elle se brosse les cheveux elle se regarde dans un _____ .

Ensuite elle se promène sur un _____ . Le chemin _____ à la plage. Quand Carole arrive à la plage, elle nage avec ses copains.

Exercice 3　Personnellement
Répondez.

1. Avez-vous passé des vacances dans un terrain de camping? Où ça ?
2. Avez-vous dormi dans une caravane?
3. Avez-vous dormi dans un sac de couchage?
4. Est-ce que vous trouvez un sac de couchage confortable?
5. Avez-vous dormi sous une tente?
6. Avez-vous pris une douche avec de l'eau froide?
7. Si vous faites du camping, mettez-vous vos vêtements dans une valise ou dans un sac à dos?

$\mathcal{S}$tructure

Les verbes réfléchis

Observe and compare the following sentences.

Ginette lave le bébé.

Ginette se lave.

Ginette couche le bébé.

Ginette se couche.

Ginette regarde le bébé.

Ginette se regarde.

In the sentences in the first column the baby is the receiver of the action of the verb. In the sentences in the second column Ginette herself is the receiver of the action of the verb. In these sentences Ginette both performs and receives the action of the verb. For this reason the pronoun **se** must be used. **Se** refers to Ginette and is called a reflexive pronoun. It indicates that the action of the verb is reflected back to the subject.

Each subject pronoun has a reflexive pronoun. Look at the forms of a reflexive verb.

Infinitive	se laver	s'habiller
Present tense	je me lave	je m'habille
	tu te laves	tu t'habilles
	il/elle se lave	il/elle s'habille
	nous nous lavons	nous nous habillons
	vous vous lavez	vous vous habillez
	ils/elles se lavent	ils/elles s'habillent

Note that **me, te,** and **se** become **m', t',** and **s'** when followed by a vowel or silent **h.**

Exercice 1 Pratiquez la conversation.

— Charles, tu te lèves à quelle heure?
— Moi, je me lève à six heures.
— Tu te lèves à six heures?
— Oui. Je me lave, je me brosse les dents et je me rase. À sept heures je pars pour l'école.

Exercice 2 Répondez.

Répondez d'après la conversation de l'exercice 1.

1. Charles se lève à quelle heure?
2. Il se lave dans la salle de bains?
3. Il se brosse les dents?
4. Il se rase aussi?
5. Il se regarde dans le miroir quand il se rase?
6. À quelle heure part-il pour l'école?

Exercice 3 Joëlle et Jacqueline
Répondez que *Oui.*

1. Est-ce que Joëlle et Jacqueline se réveillent à sept heures?
2. Est-ce qu'elles se lèvent à sept heures et dix?
3. Est-ce que Joëlle se lave vite?
4. Est-ce que Jacqueline s'habille en blue-jeans?
5. Est-ce que les filles se brossent les dents?
6. Est-ce qu'elles se brossent les cheveux?

Exercice 4 Marc et son frère
Complétez.

1. Marc, tu _____ ? **se raser**
2. Oui, je _____ . **se raser**
3. Tu _____ les cheveux? **se brosser**
4. Oui, je _____ les cheveux. **se brosser**
5. Tu _____ les dents maintenant? **se brosser**
6. Oui, je _____ les dents. **se brosser**
7. Tu _____ maintenant? **s'habiller**
8. Oui, je _____ vite. **s'habiller**

Exercice 5 On fait du camping.
Complétez.

1. Quand nous faisons du camping, nous _____ sous la tente. **se coucher**
2. Nous _____ avec le soleil. **se réveiller**
3. Nous _____ et nous _____ vite.
   se lever / s'habiller
4. Nous _____ dans la forêt. **se promener**
5. Et vous, vous _____ sous la tente ou dans une caravane? **se coucher**
6. Vous _____ dans la forêt? **se promener**
7. Vous _____ tard? **se coucher**
8. Vous _____ tout de suite, n'est-ce pas?
   s'endormir

Exercice 6 Personnellement
Répondez.

1. À quelle heure est-ce que vous vous réveillez?
2. À quelle heure est-ce que vous vous levez?
3. Est-ce que vous vous brossez les dents avec de l'eau chaude?
4. Est-ce que votre père se rase tous les jours?
5. Est-ce que vous vous habillez vite ou lentement?
6. À quelle heure est-ce que vous vous couchez?
7. Est-ce que vous vous endormez tout de suite?

CAMPING PLAGE CONFOLANT ★★★

63 MIREMONT
TEL.(73)79.92.76

Note

Many different French verbs can be used with reflexive pronouns. Often the reflexive pronoun gives a different meaning to the verb. Study the following examples.

Marie amuse ses amis.	*Mary amuses her friends.*
Marie s'amuse.	*Mary has a good time. (Mary "amuses herself.")*
Marie demande l'addition.	*Mary asks for the check.*
Marie se demande si c'est vrai.	*Mary wonders ("asks herself") if it is true.*
Marie appelle son amie.	*Mary calls her friend.*
Elle s'appelle Marie.	*Her name is Mary. ("She calls herself Mary.")*
Elle trouve la maison.	*She finds the house.*
La maison se trouve dans la rue Baudin.	*The house is located ("finds itself") on Baudin Street.*

Exercice 7 Charles appelle son ami.
Répondez.

1. Est-ce que Charles appelle son ami au téléphone?
2. Est-ce que son ami s'appelle Henri?
3. Est-ce que Charles invite Henri à la boum de Ginette?
4. Est-ce que Charles s'invite à la boum aussi?
5. Est-ce que les deux garçons trouvent la maison de Ginette?
6. Est-ce que sa maison se trouve dans la rue de Grenelle?
7. Est-ce que Charles amuse ses copains à la boum?
8. Est-ce qu'il s'amuse aussi?

Exercice 8 Je réveille mon frère!
Complétez avec un pronom réfléchi si c'est nécessaire.

1. Bonjour! Je _____ appelle Suzanne.
2. Je _____ lève à six heures du matin.
3. Quand je _____ lève, je _____ réveille mon frère.
4. Mon frère _____ appelle Gilbert.
5. Je n'entends rien. Je _____ demande si mon frère _____ lève ou _____ endort de nouveau.
6. J'_____ appelle «Gilbert».
7. Je _____ demande à mon frere, «Gilbert, tu _____ lèves?»

Les verbes réfléchis au négatif

In the negative form of a reflexive verb, **ne** is placed before the reflexive pronoun. (The reflexive pronoun is *never* separated from the verb.) **Pas** follows the verb.

Affirmative	Negative
Je me couche tout de suite. Nous nous regardons.	Je ne me couche pas tout de suite. Nous ne nous regardons pas.

Exercice 9 Personnellement
Répondez avec oui ou non.

1. Est-ce que vous vous levez à midi?
2. Est-ce que vous vous lavez avec de l'eau froide?
3. Est-ce que vous vous rasez le matin et le soir?
4. Est-ce que vous vous habillez en blue-jeans quand vous allez en classe?
5. Est-ce que vous vous amusez à l'école?
6. Est-ce que vous vous couchez tous les soirs dans un sac de couchage?
7. Est-ce que vous vous couchez à une heure du matin?
8. Est-ce que vous vous endormez tout de suite quand vous vous couchez?

Exercice 10   Vincent ne se lève pas.

Lisez le paragraphe. Ensuite, répétez le paragraphe avec *je*.

Vincent se réveille, mais il ne se lève pas tout de suite. Il a mal au ventre. Enfin il se lève mais il ne se lave pas. Il ne se brosse pas les dents. Il ne se rase pas. Il ne s'habille pas. Il se regarde dans le miroir. Quel horreur! Il se demande s'il va mourir (*to die*).

Il se couche mais il ne s'endort pas. Tout à coup il pense: «Mon Dieu! C'est aujourd'hui dimanche! Il n'y a pas de classe!»

Verbes avec changements d'orthographe

Verbs like *manger* and *commencer*

Certain verbs require changes in spelling in order to maintain the same pronunciation.

Verbs in **-ger** like **manger** and **nager** add an **e** in the **nous** form of the present tense in order to maintain the soft *g* sound.

> **nous mangeons**
> **nous nageons**

Verbs in **-cer** like **commencer** have a cedilla in the **nous** form of the present tense in order to maintain the soft *s* sound.

> **nous commençons**

Exercice 11   Quand je mange...

Lisez le paragraphe. Ensuite, écrivez le paragraphe avec *nous*.

Quand je mange beaucoup, je ne nage pas tout de suite après. Quand je nage, je commence lentement (*slowly*).

Verbs like *mener*

Verbs like **mener, se promener, se lever,** and **acheter** take a grave accent (`) in the singular forms and in the third person plural form.

Infinitive	mener	acheter	se lever
Present tense	je mène	j'achète	je me lève
	tu mènes	tu achètes	tu te lèves
	il/elle mène	il/elle achète	il/elle se lève
	nous menons	nous achetons	nous nous levons
	vous menez	vous achetez	vous vous levez
	ils/elles mènent	ils/elles achètent	ils/elles se lèvent

Note that the syllable with the grave accent is the syllable that is stressed. Note the pronunciation of the **nous** and **vous** forms.

Verbs like *appeler*

Verbs like **appeler** and **jeter** (*to throw, to throw away*) double the **l** or the **t** in the **je, tu, il/elle,** and **ils/elles** forms.

Infinitive	appeler	jeter
Present tense	j'appelle	je jette
	tu appelles	tu jettes
	il/elle appelle	il/elle jette
	nous appelons	nous jetons
	vous appelez	vous jetez
	ils/elles appellent	ils/elles jettent

Note the pronunciation of the **nous** and **vous** forms.

Exercice 12 Personnellement
Répondez.

1. Quand tu vas à la plage, achètes-tu de la lotion solaire?
2. Appelles-tu un ami pour aller à la plage avec toi?
3. Comment est-ce qu'il s'appelle?
4. Est-ce que vous vous promenez le long de la mer?
5. Est-ce que vous vous promenez sur un petit chemin qui mène à la plage?
6. Quand vous allez à la plage, est-ce que vous nagez dans la mer?
7. Si vous prenez ou mangez quelque chose, est-ce que vous jetez les boîtes ou les bouteilles sur la plage?

Exercice 13 J'achète un petit cadeau.
Complétez.

1. Je _____ Paul. **s'appeler**
2. Aujourd'hui j'_____ un petit cadeau pour mon meilleur ami. **acheter**
3. Mon meilleur ami _____ Georges. **s'appeler**
4. J'_____ un maillot pour Georges. **acheter**
5. Je sais qu'il a besoin d'un maillot parce qu'il _____ ses vacances. **commencer**
6. Georges et moi, nous _____ nos vacances ensemble et nous allons à la plage. **commencer**
7. Quand nous sommes à la plage nous _____ beaucoup. **nager**
8. Quelquefois nous _____ un sandwich mais nous ne _____ rien sur la plage. **manger, jeter**
9. Je _____ le long de la mer mais Georges ne _____ jamais. **se promener**

𝒫rononciation

The letter **h** is never pronounced in French. Liaison is made, however, only when the **h** is silent, not aspirate.

h muet		*h* aspiré	
les hommes	en hiver	un/héros	un/homard
les heures	les huîtres	les/haricots verts	les/huit chaises
nous nous habillons	les hôtels	les/hors-d'œuvre	le/hockey
elles habitent	les hôpitaux	en/Hollande	en/haut

𝒫ratique et dictée

Nous nous habillons pour jouer au hockey en hiver.
Elles habitent en Hollande et elles aiment les huîtres.
Les hôtels et les hôpitaux servent des haricots verts et des hors-d'œuvre.
Ces hommes passent des heures à manger des homards.

𝒞onversation

Ces sacrés moustiques!

Clément	On s'amuse bien dans ce camping, n'est-ce pas?
Rosalie	Assez bien! Vous êtes sous la tente ou dans une caravane?
Clément	Nous avons une tente. Vous aussi?
Rosalie	Nous avons une petite caravane. On se couche par terre° dans une tente?
Clément	Nous nous couchons par terre, oui, mais dans des sacs de couchage.
Rosalie	C'est confortable?
Clément	Pas mal, sauf° quand il y a des moustiques!

Exercice   Complétez.

1. Rosalie et Clément sont dans un _____ .
2. La famille de Clément a une _____ .
3. La famille de Rosalie a une _____ .
4. Rosalie demande si on _____ .
5. Clément répond qu'ils se couchent dans _____ .
6. Clément dort bien sauf quand _____ .

°**sacrés moustiques** *darn mosquitos*   °**par terre** *on the ground*   °**sauf** *except*

ꡯecture culturelle

Un camping près de la mer

(Solange et Joëlle parlent des projets pour les grandes vacances.)

Solange C'est décidé donc! Nous allons au Maroc en août!

Joëlle Ah! Tu vas enfin voir un charmeur de serpents! N'oublie pas de prendre sa photo!

Solange D'accord! Et toi, où vas-tu?

Joëlle On a voté pour le camping près de la mer. Nous nous amusons beaucoup sur la plage.

Solange Sur la côte du Languedoc° où vous avez été l'an dernier? Comment s'appelle cette ville?

Joëlle C'est ça. La ville s'appelle Agde. Elle est sur le canal du Midi,° tu sais. Le terrain de camping s'appelle Les Sables d'Or.

Solange Très joli nom! Vous allez remorquer° la caravane, je suppose.

Joëlle Mais bien sûr!

Solange Comment est-elle, votre caravane?

Joëlle Pas très grande, mais assez confortable. Il y a deux chambres, l'une pour mes parents, l'autre pour Bertine et moi. Il y a aussi une petite cuisine. Sous l'auvent° il y a une table et quatre fauteuils.°

Solange Pas de salle de bains?

Joëlle Non! Mais toutes les installations sanitaires se trouvent tout près—toilettes, douches, machines à laver.

Solange Tu ne t'ennuies° pas là-bas?

Joëlle Absolument pas! La plage est très belle et nous nageons beaucoup. Bertine fait du pédalo° et moi, je bronze. Après le dîner nous nous promenons à vélo ou nous jouons aux boules° ou au golf miniature.

Solange Et comment est-ce que vous vous amusez le soir?

Joëlle Il n'y a pas de problème! La salle de jeux est énorme! D'ailleurs, dans un camping on rencontre° des gens intéressants de tous les pays.

Solange Ah, oui?

Joëlle Ah, oui! Mais généralement nous nous couchons et nous nous levons de bonne heure.° Les coqs° commencent à chanter à cinq heures!

°**le Languedoc** *a region of France located in the southeast, west of the Côte d'Azur*   °**le canal du Midi** *a canal that joins the Atlantic Ocean and the Mediterranean Sea*   °**remorquer** *to tow*
°**Sous l'auvent** *Under the canopy*   °**fauteuils** *armchairs*   °**t'ennuies** *get bored*
°**pédalo** *paddle boat*   °**boules** *a game similar to lawn bowling, played with metal balls*
°**rencontrer** *to meet*   °**de bonne heure** *early*   °**coqs** *roosters*

318

En Camargue
(Languedoc)

Cap d'Agde

RUHL PLAGE 4

Le Canal du Midi

319

Exercice 1 Choisissez.

1. La famille de Solange va passer les grandes vacances _____ .
   a. en Amérique
   b. en Afrique
   c. en Europe

2. Solange a envie de voir _____ .
   a. une photo
   b. des serpents
   c. un charmeur de serpents

3. Joëlle demande à Solange _____ .
   a. de prendre une photo
   b. de charmer un serpent
   c. d'acheter un serpent

4. La famille de Joëlle va _____ .
   a. à la plage
   b. à la montagne
   c. à Paris

Exercice 2 Répondez.

1. Qui s'amuse sur la plage?
2. Comment s'appelle la ville?
3. Dans quelle province se trouve Agde?
4. Quelle ville se trouve sur le canal du Midi?
5. Comment s'appelle le terrain de camping?
6. Qu'est-ce qu'on va remorquer?

Exercice 3 Corrigez.

1. La plage est horrible!
2. Les filles ne nagent pas.
3. Joëlle fait du pédalo.
4. Bertine bronze.
5. Elles se promènent à cheval.
6. Elles jouent au volley.

Exercice 4 Complétez.

Le soir les filles s'amusent dans la _____ . Elles rencontrent _____ . Généralement elles se couchent _____ . Elles se _____ de bonne heure aussi parce que les _____ commencent à chanter à _____ .

Activités

1 Décrivez la caravane de la famille de Joëlle.

Dites...
- si elle est grande, petite, confortable
- combien de chambres il y a
- comment est la cuisine
- ce qu'il y a sous l'auvent

2 Décrivez les activités de Joëlle et de Bertine.

- sur la plage
- après le dîner
- le soir

3 Décrivez votre journée. Commencez avec *Je me réveille...* et finissez avec *Je me couche...* (au moins 6 phrases).

4 Décrivez ce que vous voyez dans l'illustration.

322

Voici le camping Serre-Ponçon dans les Hautes Alpes.
Beaucoup de familles françaises font du camping pendant leurs vacances.
Avez-vous jamais fait du camping? Où ça?

Voici une péniche dans
le Canal du Midi
dans le Languedoc.
Certaines familles
habitent sur les
péniches. D'autres
familles passent
leurs vacances sur
une péniche. Les
péniches parcourent
les canaux de
France.

22 À la terrasse d'un café

Vocabulaire

le café

la carotte rouge

le patron   la patronne

la terrasse   le bureau de tabac

les consommations

le plateau

Asseyez-vous, s'il vous plaît.

Les clients sont **assis.**
Ils **bavardent.**
Ils **discutent politique.**

Exercice 1   Au café
Répondez.

1. Est-ce que les clients sont assis à la terrasse du café ou au bureau de tabac?
2. Est-ce que les clients bavardent?
3. Discutent-ils politique?
4. Est-ce qu'ils ont commandé des consommations?
5. Le garçon a-t-il mis les consommations sur un plateau?
6. A-t-il servi les consommations?

Les consommations

une citronnade¹

une orangeade¹

un citron pressé²

une grenadine³

des apéritifs

un diabolo menthe⁴

On peut commander aussi:

un esquimau

une glace

Exercice 2   Personnellement
Répondez.

1. Préférez-vous la citronnade ou le citron pressé?
2. Préférez-vous l'orangeade ou le jus d'orange?
3. Préférez-vous la glace au chocolat, à la vanille ou à la fraise?
4. Préférez-vous un sandwich au fromage ou au jambon?
5. Quand mangez-vous un esquimau?

---

¹ **Citronnade** and **orangeade** are *not* lemonade and orangeade; they are similar to lemon and orange soda.
² **Citron pressé** is lemon juice served with water and sugar—a fresh lemonade.

³ **Grenadine** is pomegranate syrup with water.
⁴ **Un diabolo menthe** is lemon soda mixed with peppermint syrup.

Structure

The reflexive verb **s'asseoir** (*to sit down*) is irregular. Study the following forms of the present tense.

Infinitive	s'asseoir
Present tense	je m'assieds
	tu t'assieds
	il/elle s'assied
	nous nous asseyons
	vous vous asseyez
	ils/elles s'asseyent

Exercice 1 Tu ne t'assieds pas?
Complétez avec *s'asseoir*.

Une dame entre dans un café et choisit une table. Elle _____ et demande un express. Bientôt deux de ses amies arrivent et elles _____ avec leur amie. Plus tard une quatrième dame arrive, mais elle ne _____ pas.

— Pourquoi est-ce que tu ne _____ pas? demande la première dame.

— Je ne _____ pas parce que je suis tellement (*so*) fatiguée. Si je _____ , je ne me lève jamais!

Many verbs have an irregular past participle. You already know several that end in **u.** Let's review them.

avoir	eu	pouvoir	pu
boire	bu	recevoir	reçu
croire	cru	voir	vu
devoir	dû	vouloir	voulu
lire	lu		

J'ai eu de la chance. J'ai reçu un cadeau.
Pendant l'après-midi j'ai vu un bon film. Le soir j'ai lu un bon livre.

Other irregular past participles end in an /i/ sound. Review the following, taking care to note the spelling.

mettre	mis	prendre	pris
promettre	promis	apprendre	appris
permettre	permis	comprendre	compris

Study the following past participles that also end in an /i/ sound. Pay particular attention to the spelling.

dire	dit
écrire	écrit
décrire	décrit

Il a dit bonjour.
Tu as écrit la lettre?
Elle a décrit la scène.

The verbs **être** and **faire** have completely irregular past participles.

| être | été | faire | fait |

Tu as été au café?
Est-ce que la patronne a fait des sandwiches au jambon?

Exercice 2 Qu'est-ce que tu as fait au café?
Répondez.

1. Tu as été au café?
2. Tu as reçu une lettre de ton ami?
3. Tu as lu la lettre au café?
4. Tu as écrit une lettre au café?

5. Tu as pris un sandwich au café?
6. Tu as bu un diabolo menthe au café?
7. Tu as été toute la journée au café?

Exercice 3 Au café
Répétez au passé composé.

1. Georges prend un sandwich et Michel prend des gâteaux.
2. Georges boit un coca et Michel boit deux citronnades.
3. Ensuite Michel écrit une lettre et Georges lit un magazine.
4. Michel dit quelque chose, mais Georges ne comprend pas.
5. «J'écris à Marie-Claire.»
6. «Oh oui? Et qu'est-ce que tu dis?»
7. «Je décris ce quartier de Paris—les boulevards, les édifices, les cafés.
8. Et je promets d'écrire à son frère.»

Les verbes réfléchis à l'impératif

The negative command of reflexive verbs is similar to the declarative sentence. As with all commands, however, the subject pronoun is omitted. Note the following forms.

Nous ne nous levons pas.	*We don't get up.*
Ne nous levons pas!	*Let's not get up!*
Vous ne vous asseyez pas.	*You don't sit down.*
Ne vous asseyez pas!	*Don't sit down!*

Remember that there is no **-s** in the familiar (**tu**) command of regular **-er** verbs.

Tu ne te rases pas.	*You don't shave.*
Ne te rase pas!	*Don't shave.*

In the affirmative command forms of reflexive verbs, the reflexive object pronoun *follows* the verb. It is attached to it by a hyphen.

Vous vous lavez.	*You wash yourself.*
Lavez-vous!	*Wash yourself!*
Nous nous asseyons.	*We sit down.*
Asseyons-nous!	*Let's sit down!*

Note that the reflexive pronoun **te** changes to the emphatic pronoun **toi** when used in the imperative form.

Tu te lèves.	*You get up.*
Lève-toi!	*Get up!*
Tu t'assieds.	*You sit down.*
Assieds-toi!	*Sit down!*

Exercice 4 Dites à Paul

Tell Paul what to do.

1. Paul, _____ .

2.

3. 4. 5.

Exercice 5 Dites à Monsieur Coty

Tell Monsieur Coty what to do. Be polite with Monsieur and use his title and add
s'il vous plaît.

1. _____ , Monsieur, s'il vous plaît.

3.

2.

4.

Exercice 6 Asseyons-nous!

Suivez le modèle.

> Tu veux t'asseoir?
> *Bonne idée! Asseyons-nous.*

1. Tu veux t'asseoir au café?
2. Tu veux te laver les mains avant de commander?
3. Tu veux te lever?
4. Tu veux te promener un peu?

𝒫rononciation

Les lettres *s* et *t*

The letter **s** is pronounced /s/ when it occurs at the beginning of a word or when it is followed by a consonant. It is pronounced /z/ when it falls between two vowels. It is also pronounced /z/ in cases of liaison.

The letter **t** is pronounced /t/ in all cases except in the ending **-tion,** when it is pronounced /s/.

s = /**s**/	*s* = /**z**/	*s* = /**z**/ (liaison)
sur	cuisine	ils ont
salade	maison	vous avez
disque	visiter	nous allons
discuter	musée	elles habitent
touriste	usine	les enfants
esquimau	serveuse	les huîtres

t = /**t**/	*t* = /**s**/
tu	conversation
table	addition
travaille	nation
plateau	condition
apéritif	tradition
patron	consommation

𝒫ratique et dictée

Vous avez mis les plateaux sur la table dans la cuisine.
Nous allons discuter la condition des usines de la nation.
Les enfants vont visiter le musée avec la serveuse.

𝒞onversation

Au café du Chat qui danse

Marie	Dépêche-toi, Léo! Nous avons rendez-vous au café avec Odile et Éric.
Léo	Oui! Oui! Calme-toi! Je me dépêche! (*Ils arrivent au café.*)
Marie	Ah, voilà Odile qui arrive!
Léo	Et voilà Éric déjà au comptoir.
Marie, Odile, Léo	Salut! Salut! (*Ils se serrent la main.*)

330

Éric	Salut, les amis! J'arrive dans un instant.
Odile	Asseyons-nous à cette table près de la fenêtre, voulez-vous?
Léo	Bonne idée! Qu'est-ce que vous prenez?
Marie et Odile	Une grenadine.
Léo	Et pour toi, Éric?
Éric	Rien pour moi! J'ai déjà pris trois cocas!

Exercice Des questions

Formez une question pour chaque réponse.

1. Marie et Léo vont au café.
2. Ils ont rendez-vous avec Odile et Éric.
3. Léo dit qu'il se dépêche.
4. Éric est déjà au comptoir.
5. Les amis s'asseyent à une table près de la fenêtre.
6. Marie et Odile prennent une grenadine.
7. Éric ne prend rien parce qu'il a déjà pris trois cocas.

ꝗecture culturelle

Les cafés français

Vous demandez-vous quel est le rôle du café dans la vie française? Il faut dire˚ tout simplement que le café en France est une institution nationale. Il est important dans la vie sociale et politique, surtout dans les petits villages.

Le café de quartier se trouve très souvent à côté du bureau de tabac avec sa «carotte» rouge. Ce café, qui s'appelle aussi «bistro» ou «café du coin», a une ambiance˚ intime. Il est fréquenté par les personnes qui habitent près de là. Bien

---

˚**Il faut dire** *One must say*   ˚**ambiance** *atmosphere*

entendu les femmes sont admises, mais
la plupart des clients dans un café de
quartier sont les hommes.

C'est ici qu'on vient pour rencontrer les
amis. C'est ici qu'on vient pour discuter
sports, politique, choses sérieuses.
Naturellement le patron, qui est considéré
comme un ami, participe aux conversations.
C'est ici qu'on vient pour téléphoner, pour
écouter de la musique, pour jouer aux cartes,
aux dames,° aux échecs.

Les cafés «à la mode», généralement plus
grands, se trouvent sur une grande avenue
comme les Champs-Élysées. On s'assied à la
terrasse et on regarde les gens qui passent
pendant qu'on bavarde et prend sa
consommation.

Mais qu'est-ce qu'on commande dans un
café? Évidemment° on sert du café—café
crème ou café filtre.° Et du vin, des apéritifs,
de la bière, de l'eau minérale et du coca. Sur
le plateau de la serveuse ou du garçon on
peut voir aussi des orangeades, des
citronnades, des jus de fruits, des glaces et
des esquimaux. Dans certains cafés on sert
aussi des repas simples ou des sandwiches.

Exercice 1 Complétez.

1. En France le café est une _____ .
2. Le café joue un rôle important dans la vie _____ et _____ .
3. Le café est important surtout dans _____ .
4. Le bureau de tabac se trouve souvent à côté du _____ .
5. Le café de quartier s'appelle aussi _____ et _____ .
6. Il est fréquenté par _____ .

Exercice 2 Répondez.

1. Pourquoi va-t-on au café? (Nommez au moins quatre raisons.)
2. Où se trouvent les cafés «à la mode»?
3. Où est-ce qu'on s'assied?
4. Qu'est-ce qu'on regarde?
5. Qu'est-ce qu'on peut commander dans un café? (Nommez au moins six
   possibilités.)

°**dames** *checkers*   °**Évidemment** *Evidently*   °**café filtre** *strong filtered coffee*

Activités

 Une discussion

- Avez-vous été dans un café?
- Y a-t-il des cafés dans une grande ville près de chez vous?
- Où va-t-on dans votre ville pour prendre une glace après le cinéma?
- Qu'est-ce que vous prenez?

- Et vos amis, qu'est-ce qu'ils prennent?
- Combien de serveuses et de garçons y a-t-il?
- Le patron et/ou la patronne sont-ils présents?

 Un petit dialogue: *Au café.* Préparez avec un(e) camarade de classe un petit dialogue (au moins 5 lignes) entre deux clients ou entre un client et le patron/la patronne d'un café.

Sujets possibles:
- où on s'assied
- ce qu'on commande
- ce qu'on a vu à la télé
- ce qu'on a lu dans le journal

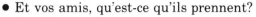 **Décrivez ce que vous voyez sur les photos.**

galerie vivante

Dans presque tous les cafés en France il y a une liste de consommations et un menu que les clients peuvent regarder avant de s'asseoir. Cette liste donne toujours les prix et indique si le service est compris.

Madeleine-tronchet

NOUS NOUS EXCUSONS DE NE POUVOIR ACCEPTER LES CHEQUES

Café express	
Décaféiné	5,00
Sup. Pot de Lait	5,00
Grand crème	3,00
Grand noir	10,00
Chocolat	10,00
Lait chaud-Viandox	10,00
Thé-Infusions	8,00
D.A.B. export	10,00
le double	8,00
Guiness, bouteille	16,00
Carlsberg, bouteille	15,00
Bavière brune	15,00

BOISSONS FRAICHES

Le quart-Eaux	
Avec sirop	8,00
Pschitt	10,00
Coca-Cola	10,00
Gini, Orangina	10,00
Schweppes	10,00
Gin Tonic	10,00
San Pellegrino—Ricqlès	22,00
Pamplemousse	10,00
Ananas	10,00
Tomate—Raisin	10,00
Fruits pressés	10,00
Lait froid gd verre	12,00
Lait avec sirop	7,00
Liqueur de menthe à l'eau	12,00

A toute heure:

Croque-Monsieur	15,00
Assiette Crudités	18,00
Salade de Tomate	18,00
Jambon de Paris	20,00
Jambon de Parme	35,00
Viandes froides assorties	30,00
Charcuteries variées	30,00

SANDWICHES

Jambon ou Fromage ou Ail ou Salami	10,00
Jambon et Gruyère	10,00
Terrine du Chef	12,00
Faux-filet	15,00
Jambon de Parme	18,00
	25,00

Aux heures de repas:

Soupe à l'oignon gratinée	22,00
Omelette : jambon ou fromage ou champignons	22,00

GLACES (2 boules)

Vanilla, Café, Chocolat	
Sorbet : cassis - poire - fraise	17,00
Café Liégeois	20,00
Pêche ou Ananas Melba	20,00
Toast beurre confiture	25,00
Tarte maison pur beurre	10,00
	15,00

SERVICE NON COMPRIS 15%

35 PLACE DE LA MADELEINE   1 RUE TRONCHET

Les Français aiment passer le temps dans les cafés. Les clients peuvent commander une consommation ou un petit plat mais on n'est jamais pressé. Au café on peut parler avec des amis, lire le journal, écrire une carte postale, ou seulement regarder les gens qui passent. Est-ce que nous avons beaucoup de vrais cafés aux États-Unis?

23 À la station-service

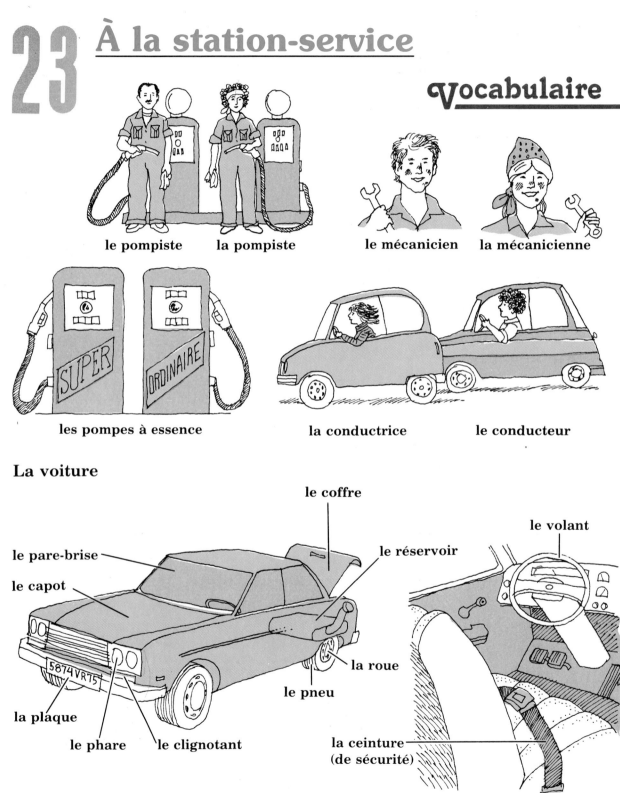

le pompiste   la pompiste

le mécanicien   la mécanicienne

les pompes à essence

SUPER   ORDINAIRE

la conductrice   le conducteur

La voiture

le coffre

le volant

le pare-brise

le réservoir

le capot

la roue

le pneu

la plaque

la ceinture
(de sécurité)

le phare   le clignotant

5874VR75

Le pompiste met trente **litres d'essence**
dans le réservoir.
Il **fait le plein.**

Il **vérifie la pression** des pneus.

Il met de **l'huile** dans **le moteur.**

Il **nettoie** le pare-brise.

Le mécanicien **répare** les clignotants.
Ils ne **fonctionnent** pas.

Exercice 1　À la station-service
Complétez.

1. Le pompiste met trente litres d'essence dans le _____ .
2. Il nettoie le _____ .
3. Il vérifie la pression des _____ .
4. Il met de l'huile dans le _____ .
5. Le mécanicien répare les _____ parce qu'ils ne _____ pas.

Exercice 2　La voiture
Choisissez.

1. Généralement le moteur se trouve _____ .
   a. dans le réservoir
   b. sur le pare-brise
   c. sous le capot

2. On met les bagages _____ .
   a. dans le coffre
   b. dans le pneu
   c. dans le phare

3. Dans le réservoir on met _____ .
   a. de l'eau
   b. de l'essence
   c. de l'huile

4. Quand un conducteur veut tourner à gauche ou à droite il met _____ .
   a. les phares
   b. les pneus
   c. les clignotants

5. Le numéro d'identification de la voiture se trouve _____ .
   a. sur la plaque
   b. sur la roue
   c. sur le pare-brise

6. Qui est au volant? C'est _____ .
   a. le chien
   b. le conducteur
   c. le passager

7. En voiture il est obligatoire de mettre _____ .
   a. une ceinture folklorique
   b. la ceinture de sécurité
   c. la ceinture du pompiste

Sur la route

L'autoroute de l'ouest?

Le conducteur **conduit** à 20 **kilomètres** à l'heure. Il ne **connaît** pas **la route.** Il cherche **l'autoroute** de l'ouest. Sa passagère **la** cherche sur **la carte routière.**

Le conducteur **s'arrête** au **feu** rouge. Il y a **un encombrement affreux** à ce **carrefour.**

L'agent de police contrôle **la circulation.** Ce **panneau indique** qu'il y a un **virage dangereux.**

Exercice 3 Sur la route
Répondez.

1. Comment conduit le conducteur?
2. Qu'est-ce qu'il ne connaît pas?
3. Qu'est-ce qu'il cherche?
4. Qui cherche l'autoroute sur la carte routière?
5. Où s'arrête le conducteur?
6. Où est-ce qu'il y a un encombrement affreux?
7. Qui contrôle la circulation?
8. Qu'est-ce que le panneau indique?

Exercice 4 Personnellement
Répondez.

1. À quelle station-service est-ce que vous allez?
2. Pour votre voiture est-ce qu'on achète de l'essence ordinaire ou du super?
3. Est-ce que votre voiture est nouvelle? C'est une Renault?
4. Avez-vous une carte routière de votre état?
5. Quand allez-vous obtenir votre permis de conduire (*driver's license*)?

Structure

Les verbes *conduire* et *connaître*

The verbs **conduire** (*to drive*) and **connaître** (*to know*) are irregular.

Infinitive	conduire	connaître
Present tense	je conduis tu conduis il/elle conduit nous conduisons vous conduisez ils/elles conduisent	je connais tu connais il/elle connaît nous connaissons vous connaissez ils/elles connaissent
Imperative	Conduis bien! Conduisons lentement! Conduisez prudemment!	(**Connaître** is seldom used in the imperative.)
Passé composé	j'ai conduit	j'ai connu

Note the circumflex accent on the **i** in the third person singular form of **connaître**.

Remember that the **s** in **conduisons** and **conduisez** sounds like **z**.

Exercice 1 Qui conduit cette voiture?
Lisez le dialogue et répondez aux questions.

— Marc, qui conduit cette Citroën?
— C'est mon cousin Paul.
— Il conduit prudemment.
— Oh, oui, et sa sœur aussi conduit bien. Tu connais mes cousins, n'est-ce pas?
— Non. Je connais seulement ton oncle Jules.

1. Qui conduit la Citroën?
2. Comment conduit-il?
3. Est-ce que la sœur de Paul conduit bien aussi?
4. Est-ce que l'ami de Marc connaît ses cousins?
5. Qui connaît-il?

Exercice 2 Nous connaissons des Français.

Complétez avec *connaître*.

Nous _____ beaucoup de Français ici aux États-Unis. Et vous, _____-vous des Français? _____-vous des Québécois? Votre prof de français _____-elle des personnes qui parlent français? Est-ce que les autres profs _____ des étrangers?

Exercice 3 Conducteurs français et américains

Complétez avec *conduire*.

En France les jeunes gens _____ à dix-huit ans. Ici aux États-Unis nous _____ à seize, à dix-sept ou à dix-huit ans. Cela dépend de l'état. Est-ce que vous _____ déjà? _____-vous la voiture de vos parents? Est-ce que votre frère (sœur) _____ bien?

Paris

Connaître ou *savoir*

Both **connaître** and **savoir** mean *to know*. **Connaître** means *to know* a person or *to be acquainted with* a person, place, or thing. **Savoir** means *to know* a fact or *to know how* to do something.

Je connais ce mécanicien.	**Je sais la réponse.**
Je connais bien ce panneau.	**Je sais conduire une auto.**
Je ne connais pas cette route.	**Je sais que vous conduisez bien.**

Exercice 4 Tu connais la France?
Répondez.

1. Tu connais la France?
2. Tu connais Paris?
3. Tu sais que Paris est très beau?
4. Tu sais prendre le métro?
5. Tu sais où est la tour Eiffel?
6. Tu connais un bon hôtel à Paris?
7. Tu connais le propriétaire?
8. Tu sais le prix d'une chambre?

Exercice 5 On ne connaît pas l'Alsace.
Complétez avec la forme convenable de *connaître* ou *savoir*.

Annette et Patricia vont en France. Elles vont visiter l'Alsace. Elles _____
assez bien Paris, mais elles ne _____ pas toutes les provinces. Elles _____ que
Strasbourg est la capitale de l'Alsace. Elles ont vu des photos de Strasbourg et elles
_____ que c'est une ville pittoresque. Annette et Patricia veulent _____ l'Alsace.
Elles veulent _____ si les restaurants alsaciens sont aussi bons que les
restaurants parisiens. Elles veulent _____ l'histoire de la province. Et elles
veulent surtout faire la connaissance des Alsaciens.

Les pronoms compléments directs *le, la, l', les*

As you know, a direct object in a sentence receives the action of the verb. In the
sentence below, **les clignotants** is the direct object.

> *Subject   Verb   Direct object*
> **Le mécanicien répare les clignotants.**

The direct object can be a noun or a pronoun. **Le** (*him, it*), **la** (*her, it*), and **les**
(*them*) are direct object pronouns. They refer to both persons and things. In
declarative sentences they always precede the verb.

Noun object	*Pronoun object*
Paul regarde le pompiste.	**Paul le regarde.**
Vous conduisez la Citroën.	**Vous la conduisez.**
Nous regardons les panneaux.	**Nous les regardons.**

Before a vowel, **le** and **la** become **l'**. Liaison is required with **les** before a vowel.

Elle admire la voiture. Elle l'admire.
Elle aime ces villes. Elle les aime.

Exercice 6 À la station-service
Répondez avec *le*.

1. Marc salue le pompiste?
2. Le mécanicien répare le moteur?
3. Marc remercie le mécanicien?
4. Il ferme le capot?
5. Il met le clignotant?

Exercice 7 Sur la route
Répondez avec *la*.

1. Nathalie met la ceinture?
2. Elle conduit la voiture de ses parents?
3. Elle connaît la route?
4. Christophe cherche l'autoroute de l'ouest?
5. Il cherche la carte routière?

Exercice 8 Dans la classe de français
Répondez avec *l'*.

1. Tu apprends le français?
2. Tu aimes le français?
3. Tu entends le professeur?
4. Le professeur explique la leçon?
5. Tu écris l'exercice?

Exercice 9 Un bon mécanicien
Répondez avec *les*.

1. Le mécanicien salue les conducteurs?
2. Il vérifie les phares?
3. Il vérifie les clignotants?
4. Il vérifie les pneus?
5. Il vérifie les roues?

Exercice 10 On répare la voiture.
La voiture de Dominique a été accidentée. Répondez *Oui* aux questions. Employez un pronom.

1. On répare le pare-brise?
2. On remplace la plaque?
3. On remplace les phares?
4. On remplace le volant?
5. On répare le moteur?
6. On remplace les pneus?
7. On remplace le réservoir?
8. On remplace les ceintures?
9. On répare le capot?
10. On répare les clignotants?
11. On essuie la voiture?

Les pronoms compléments directs au négatif

The direct object pronouns **le, la, les** precede the verb in *all* negative sentences, both declarative and imperative.

> **Paul ne le regarde pas.**
> **Vous ne la conduisez pas.**
> **Nous ne les regardons pas.**
>
> **Ne la regarde pas!**
> **Ne le regardons pas!**
> **Ne l'attendez pas!**
> **Ne les attendez pas!**

Exercice 11   Ne l'achète pas!
Lisez le dialogue. Ensuite, répétez le dialogue avec *voitures*.

— Quelle belle voiture! Tu la regardes?
— Oui, je la regarde.
— Tu l'admires?
— Non, je ne l'admire pas.

— Tu la veux?
— Non, je ne la veux pas.
— Alors, ne l'achète pas!

Exercice 12   Personnellement
Répondez. Employez un pronom.

1. Connaissez-vous les autos françaises?
2. Mettez-vous toujours la ceinture de sécurité?
3. Regardez-vous la carte routière quand vous voyagez?
4. Détestez-vous les encombrements?
5. Admirez-vous les agents de police?
6. Respectez-vous les panneaux?
7. Savez-vous le numéro de votre voiture?

Le voici, le voilà

Object pronouns are placed directly before **voici** and **voilà**.

> **Voici ma voiture.** **La voici.**
> **Voilà le pompiste.** **Le voilà.**
> **Voilà les cartes.** **Les voilà.**

Exercice 13   La voilà!
Complétez le dialogue. Employez *voilà* et un pronom.

— Où sont les pompes?

— _____ .

— Et le pompiste?

— _____ .

— Et le mécanicien?

— _____ .

— Bon! Alors je m'arrête.

Prononciation

Les sons *oi* et *oin*

oi	oin
v<u>oi</u>ci	j<u>oin</u>t
v<u>oi</u>ture	p<u>oin</u>t
ch<u>oi</u>si	bes<u>oin</u>
pourqu<u>oi</u>	p<u>oin</u>çonner

Contrastez.

moi	moins
loi	loin
quoi	coin
soi	soin

Pratique et dictée

Cette voiture ne va pas très loin; seulement au coin.
Pourquoi a-t-il besoin de poinçonner le billet?
Assieds-toi avec soin.

Conversation

Le tacot •

(Philippe a acheté une vieille Citroën deux-chevaux (2CV). Est-ce que son cousin Édouard l'admire? Voyons un peu!)

Édouard	Alors, c'est ta voiture ça? Elle marche?
Philippe	Bien sûr qu'elle marche! On se promène un peu?
Édouard	Je ne sais pas. Tu as ton permis de conduire?
Philippe	Le voilà! Tout nouveau! •
Édouard	Tu as assez d'essence, assez d'huile, assez d'eau?
Philippe	Oui! Oui! Et oui!
Édouard	Pas de pneu à plat? •
Philippe	Bien sûr que non!
Édouard	Les clignotants fonctionnent?
Philippe	Bien entendu! Mais tu es difficile, toi! Tu viens, oui ou non?
Édouard	Dans ce tacot? Jamais de la vie! •

• **Le tacot** *The jalopy*   • **tout nouveau** *brand new*   • **pneu à plat** *flat tire*   • **jamais de la vie!** *not on your life!*

Exercice 1 Répondez.

1. Qu'est-ce que Philippe a acheté?
2. Qui est Édouard?
3. Est-ce que la voiture de Philippe marche?
4. Est-ce qu'Édouard accepte tout de suite l'invitation de Philippe?

Exercice 2 Faites une liste.

Édouard veut savoir si _____ .

1.
2.
3.
4.

Exercice 3 Dites pourquoi.

1. Pourquoi Philippe est-il impatient?
2. Pourquoi Édouard refuse-t-il l'invitation de Philippe?

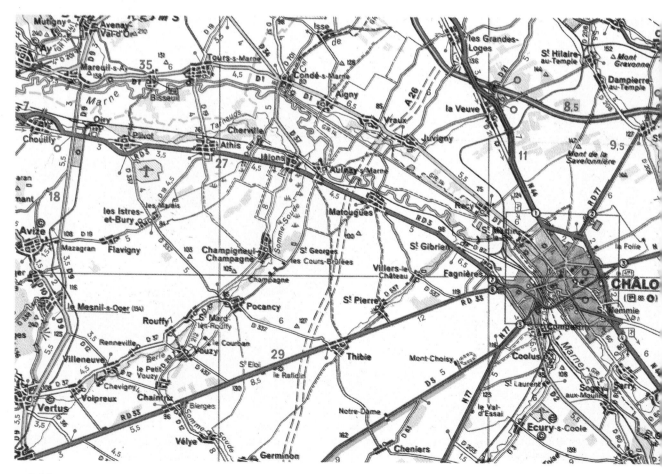

ℚecture culturelle

Les voilà partis!

C'est un beau dimanche de juillet. La Météo a prévu du beau temps pour la journée. Pour éviter les encombrements à la sortie de Paris la famille Beauchamp se met en route à huit heures.

— Tout le monde a mis la ceinture de sécurité? Bon!

Et les voilà partis! Ils ne savent pas exactement où ils vont. Ils savent seulement qu'ils cherchent un joli endroit tranquille dans la campagne. C'est la fête de Christine* et elle adore les pique-niques.

La circulation est normale d'abord, mais après neuf heures les encombrements commencent. C'est affreux! On roule à vingt kilomètres à l'heure sur l'autoroute.

— Regarde la carte, Grégoire, veux-tu? Cherche la route départementale qui mène à Châlons-sur-Marne. Tu la vois?

— Oui, papa. Je la vois.

— Attention, Henri! Il y a un virage dangereux! Tu ne vois pas le panneau?

— Mais si, je le vois! Ne t'énerve pas, chérie! Cette route-ci je la connais comme ma poche. Ah, voilà une station-service. On s'arrête un instant.

— Mais le pompiste a rempli le réservoir hier quand il a vérifié la pression des pneus. Pourquoi t'arrêtes-tu?

— Calme-toi, chérie! Le moteur chauffe un peu. C'est tout.

Pendant que M. Beauchamp parle avec le mécanicien, Grégoire promène le chien Bijou, et Mme Beauchamp et Christine regardent les livres et les jouets qu'on vend à la boutique.

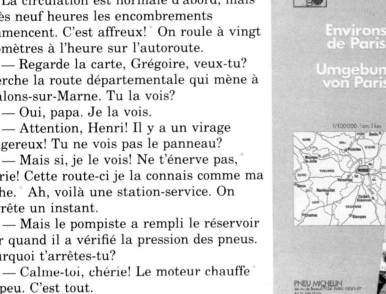

* La fête de sainte Christine est le 24 juillet.

---

les voilà partis! *they're off!*   **prévu** *forecast*   **éviter** *avoid*   **se met en route** *sets out*   **l'endroit** *spot*   **la fête** *saint's day*   **affreux** *horrible*   **ne t'énerve pas** *don't get excited*   **poche** *pocket*   **chauffe** *is overheating*   **jouets** *toys*

Heureusement le problème n'est pas grave.

— On a changé l'huile?

— Non, Grégoire. On a mis de l'eau dans le radiateur. Ça marche bien maintenant.

À dix heures vingt on arrive à un carrefour. Le feu est rouge. On s'arrête.

— Ça y est!° crie Christine. Voilà, à gauche, à cinq kilomètres! Écury-sur-Coole! J'adore le nom de ce petit village! On va pique-niquer à Écury-sur-Coole!

Exercice 1 Corrigez.

1. C'est un beau samedi de mai.
2. La Météo a prévu du mauvais temps.
3. La famille Beauchamp se met en route à dix heures.
4. Ils cherchent des encombrements.
5. Il n'est pas nécessaire de mettre la ceinture de sécurité.

Exercice 2 Complétez.

1. Les Beauchamp cherchent un _____ .
2. Ils vont célébrer _____ .
3. Christine adore les _____ .
4. Les encombrements commencent _____ .
5. On roule à _____ .
6. Grégoire cherche _____ .

Exercice 3 Répondez.

1. Pourquoi Mme Beauchamp s'énerve-t-elle?
2. Comment est-ce que M. Beauchamp rassure sa femme?
3. Où vont-ils s'arrêter?
4. Pourquoi s'arrêtent-ils?
5. À la station-service que fait M. Beauchamp?
6. Que fait Grégoire?
7. Que font Mme Beauchamp et Christine?

Exercice 4 Écrivez au moins une phrase sur chaque sujet.

1. le problème avec la voiture
2. le carrefour intéressant
3. la décision de Christine

° **Ça y est!** *That's it!*

Activités

1 Dessinez une voiture. Nommez toutes les parties de la voiture.

2 Avec un(e) camarade de classe préparez un dialogue entre un(e) automobiliste et un(e) pompiste ou un mécanicien/une mécanicienne.

Choisissez. Vous avez besoin de:

faire le plein
essence
huile
eau
air pour un pneu à plat
une carte routière
directions pour l'autoroute

3 Décrivez ce que vous voyez dans l'illustration.

galerie vivante

Cette petite voiture est une Citroën deux chevaux. C'est une voiture très populaire qui ne coûte pas très cher.

Et voici une Citroën de grand luxe. C'est une voiture élégante et elle coûte bien sûr beaucoup plus cher que la deux chevaux.

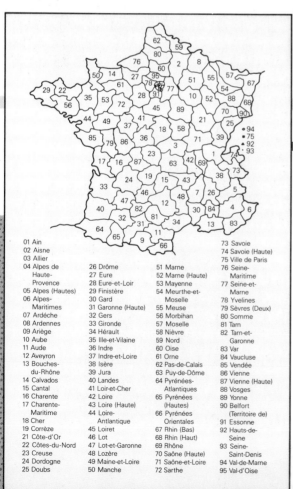

La plaque d'immatriculation est l'identification de la voiture. Quand on vend une voiture, la plaque reste avec la voiture. Les deux derniers chiffres indiquent le département où la voiture est immatriculée. Par exemple:

Soixante-quinze indique la ville de Paris. Voici les numéros des départements français. Regardez la plaque de la grande Citroën sur la photo. De quel département est-elle?

01 Ain
02 Aisne
03 Allier
04 Alpes de Haute-Provence
05 Alpes (Hautes)
06 Alpes-Maritimes
07 Ardéche
08 Ardennes
09 Ariège
10 Aube
11 Aude
12 Aveyron
13 Bouches-du-Rhône
14 Calvados
15 Cantal
16 Charente
17 Charente-Maritime
18 Cher
19 Corrèze
21 Côte-d'Or
22 Côtes-du-Nord
23 Creuse
24 Dordogne
25 Doubs

26 Drôme
27 Eure
28 Eure-et-Loir
29 Finistère
30 Gard
31 Garonne (Haute)
32 Gers
33 Gironde
34 Hérault
35 Ille-et-Vilaine
36 Indre
37 Indre-et-Loire
38 Isère
39 Jura
40 Landes
41 Loir-et-Cher
42 Loire
43 Loire (Haute)
44 Loire-Antlantique
45 Loiret
46 Lot
47 Lot-et-Garonne
48 Lozère
49 Maine-et-Loire
50 Manche

51 Marne
52 Marne (Haute)
53 Mayenne
54 Meurthe-et-Moselle
55 Meuse
56 Morbihan
57 Moselle
58 Nièvre
59 Nord
60 Oise
61 Orne
62 Pas-de-Calais
63 Puy-de-Dôme
64 Pyrénées-Atlantiques
65 Pyrénées (Hautes)
66 Pyrénées Orientales
67 Rhin (Bas)
68 Rhin (Haut)
69 Rhône
70 Saône (Haute)
71 Saône-et-Loire
72 Sarthe

73 Savoie
74 Savoie (Haute)
75 Ville de Paris
76 Seine-Maritime
77 Seine-et-Marne
78 Yvelines
79 Sèvres (Deux)
80 Somme
81 Tarn
82 Tarn-et-Garonne
83 Var
84 Vaucluse
85 Vendée
86 Vienne
87 Vienne (Haute)
88 Vosges
89 Yonne
90 Belfort (Territoire de)
91 Essonne
92 Hauts-de-Seine
93 Seine-Saint-Denis
94 Val-de-Marne
95 Val-d'Oise

Dans cette station-service près de Paris est-ce que le pompiste remplit le réservoir ou est-ce qu'il vérifie l'huile?

Sur les grandes autoroutes en France il est nécessaire de payer un péage. Voici le péage sur l'autoroute A-8 près d'Antibes. Est-ce que nous payons des péages sur nos autoroutes?

24 Une course de bateaux

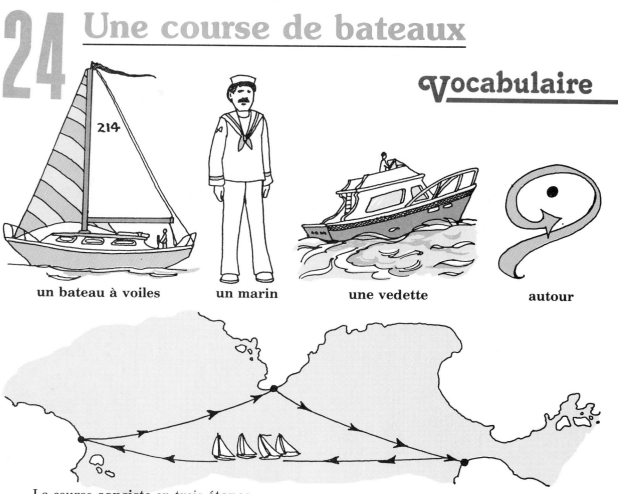

un bateau à voiles   un marin   une vedette   autour

La course **consiste** en trois **étapes**.

Exercice 1   Choisissez.

1. Il y a un moteur dans (une vedette / un bateau à voiles).
2. (Les skieurs / Les marins) savent piloter les bateaux.
3. (Le premier / Le dernier) gagne la course.
4. La course consiste en trois (bateaux / étapes).

Exercice 2   Personnellement.
Répondez.

1. Avez-vous été sur un bateau à voiles?
2. Savez-vous piloter un bateau à voiles?
3. Avez-vous été sur une vedette?
4. Est-ce que vous habitez près d'un lac ou du bord de la mer?
5. Est-ce qu'on organise des courses de bateaux près de chez vous?
6. Avez-vous vu une course de bateaux? Où ça?

The indefinite articles **un, une, des** are omitted after **être** before a noun that indicates profession.

> **Ces hommes sont marins.**
> **Ton oncle est professeur.**
> **Ma mère est journaliste.**

But after **c'est** or **ce sont,** the indefinite article is used.

> **Ce sont des marins.**
> **C'est un pilote.**
> **C'est une ouvrière.**

The indefinite articles are used if there is an adjective modifying the profession.

> **Cette femme est une excellente dentiste.**
> **Son père est un artiste célèbre.**

Some names of professions have masculine and feminine forms. Some have only one form but can be masculine or feminine. Some are always masculine even when they refer to a woman. Review the names of professions you already know.

Masculine and feminine forms	Both masculine and feminine	Masculine only
un ouvrier / une ouvrière	un / une élève	un pilote
un garçon / une serveuse	un / une dentiste	un marin
un marchand / une marchande	un / une journaliste	un professeur
un pâtissier / une pâtissière	un / une artiste	un mannequin
un mécanicien / une mécanicienne	un / une pompiste	
un vendeur / une vendeuse		
un employé / une employée		
un patron / une patronne		

Exercice 3 Comment sont-ils?

Choisissez un adjectif et répétez la phrase avec *C'est* ou *Ce sont*.

riche	pauvre	intelligent, -e
excellent, -e	aimable	brillant, -e
sérieux, -euse	stupide	célèbre

Elle est marchande.
C'est une marchande intelligente.

1. Elle est artiste.
2. Il est professeur.
3. Ils sont mécaniciens.
4. Elle est mannequin.
5. Elles sont journalistes.
6. Il est ouvrier.
7. Elle est serveuse.
8. Ils sont marins.

Structure

Les pronoms compléments directs et indirects
me, te, nous, vous

You have seen the pronouns **me, te, nous,** and **vous** as reflexive pronouns.

Je me lave.	**Nous nous promenons.**
Tu te réveilles.	**Vous vous arrêtez.**

The same pronouns also serve as direct and indirect object pronouns. As you know, a direct object is the receiver of the action of the verb. An indirect object is the indirect receiver of the action. The indirect object can usually be made the object of the preposition *to* or *for,* even if *to* or *for* is not stated. Look at the following sentence:

	Indirect		*Direct*
Subject	*object*	*Verb*	*object*
Mes parents	**me**	**donnent**	**de l'argent.**

My parents give me money. (My parents give money to me.)

In the following sentences, **me, te, nous,** and **vous** are used as direct and indirect object pronouns.

Direct object	Indirect object
Agnès me salue.	Luc me sert un coca.
Agnès te connaît.	Luc te donne sa guitare.
Agnès nous comprend.	Luc nous écrit des lettres.
Agnès vous admire.	Luc vous dit merci.

Me becomes **m'** and **te** becomes **t'** before a vowel.

Elle m'attend.	**Nous t'écoutons.**

Note the liaison with **nous** and **vous.**

Il nous écoute.	**Je vous admire.**

Me, te, nous, and **vous** precede the verb in the negative.

Vous me regardez.
Vous ne me regardez pas.
Ne me regardez pas!

Exercice 1   Marie est sympa!
Marie est votre amie. Répondez.

1. Elle vous invite chez elle?
2. Elle vous aide à faire vos devoirs?
3. Elle vous sert un coca?
4. Elle vous écoute?
5. Elle vous comprend?
6. Elle vous admire?

Exercice 2 Il me regarde!
Lisez le dialogue. Ensuite, répétez le dialogue. Substituez *nous* à *me*.

— Qui est dans le bateau?
— C'est un marin. Pourquoi?
— Il me regarde.
— Pourquoi est-ce qu'il te regarde?
— Je ne sais pas pourquoi il me regarde.
— Ah, je sais! Il te regarde parce qu'il te trouve belle!

Exercice 3 Personnellement
Répondez. Employez un pronom complément, *me* ou *nous*.

1. Est-ce que vos parents vous donnent des conseils?
2. Vos grands-parents vous donnent-ils de l'argent?
3. Vos cousins vous écrivent-ils souvent?
4. Qui vous comprend mieux, votre père ou votre mère?

(Vos camarades de classe et vous)

5. Est-ce que vos profs vous comprennent?
6. Est-ce qu'ils vous respectent?
7. Est-ce qu'ils vous écoutent?
8. Est-ce qu'ils vous donnent de mauvaises notes?

Verbes réfléchis à l'infinitif

Review the forms of the reflexive verbs and the position of the reflexive pronoun.

> **Tu te réveilles.**
> **Tu ne te réveilles pas.**
> **Est-ce que tu te réveilles?**
> **Ne te réveille pas!**
> **Réveille-toi!**

There is another possible meaning for the reflexive construction in the plural.

> **Ils se regardent.**
> *They look at themselves.*
>
> > OR
>
> *They look at each other (one another).*

The meaning is made clear by the context.

If a reflexive verb is used in the infinitive, the pronoun comes immediately before the infinitive.

> **Tu vas te réveiller.**
> **Je peux me promener.**
> **Nous voulons nous lever.**
> **Elles savent se maquiller.**
> **Il doit se dépêcher.**

355

Exercice 4   On va se lever?
Lisez la série. Ensuite, répétez la série avec *nous*.

Bon! Je vais me lever et je vais me laver.
Ensuite je vais me maquiller (raser).
Non, je ne veux pas me maquiller (raser) aujourd'hui. Je vais m'habiller.
Est-ce que je peux me promener avant le petit déjeuner?
Oui, je peux me promener.
Je vais m'arrêter un peu au café!

Exercice 5   Personnellement
Répondez.

1. Aimez-vous vous promener avant le petit déjeuner?
2. Mesdemoiselles, savez-vous vous maquiller?
3. Aimez-vous vous lever de bonne heure?
4. Préférez-vous vous coucher tôt ou tard?
5. Devez-vous vous dépêcher pour arriver à l'école à l'heure?

Prononciation   Les consonnes /p/, /t/, /k/

The consonants **p, t,** and **k** are similar to the same consonants in English, but not exactly like them. In English, a puff of air is emitted after these sounds, but not in French.

/**p**/	/**t**/	/**k**/
Paris	ta	qui
part	ton	que
pas	tu	car
papa	tes	quel
pain	toi	quand
Paul	tout	quinze
pour	tour	comme
étape	toute	lac
coupe	verte	sac
soupe	partent	grec
jupe	sortent	pic

Pratique et dictée

Papa part pour Paris sans soupe mais avec sa coupe verte.
Tu as tous tes tickets et ta trompette verte?
Qui a quinze sacs grecs?

Conversation

Je t'accompagne avec plaisir!

Arthur	Quel joli bateau à voiles! Tu connais le marin?
Anne-Marie	Mais oui, je le connais! C'est mon oncle!
Arthur	Il t'invite à bord?
Anne-Marie	S'il m'invite à bord! Je crois bien qu'il m'invite! C'est le bateau de mon père!
Arthur	Sans blague!
Anne-Marie	Mais non! Tu veux te promener un peu? Tu m'accompagnes?
Arthur	Je t'accompagne avec plaisir!

Exercice 1 Complétez.

1. Arthur admire _____ .
2. Il demande à Anne-Marie si _____ .
3. Elle répond que oui, elle _____ .
4. Elle dit que le marin est son _____ .

Exercice 2 Répondez.

1. Qui est-ce que l'oncle invite à bord?
2. Pourquoi invite-t-il Anne-Marie?
3. Qu'est-ce qu'Anne-Marie demande à Arthur?
4. Est-ce qu'Arthur veut l'accompagner?

ℒecture culturelle

Le tour du monde en solitaire

Lundi le 9 mai 1983 c'est l'anniversaire de Philippe Jeantot, un marin breton. Il a trente et un ans. Comment célèbre-t-il son anniversaire? Il gagne la Course autour du monde en solitaire à la voile qui a commencé huit mois avant.

Beaucoup de personnes l'attendent quand son bateau, «Crédit Agricole», arrive le premier à Newport (Rhode Island). Dix vedettes qui transportent les amis, les journalistes, les cameramen de la télévision vont à sa rencontre. Une vedette les précède avec une seule passagère à bord. C'est Geneviève Jeantot, la mère de Philippe. La mère et le fils se parlent mais ils ne s'entendent pas. Les bateaux-pompes font des geysers autour de Philippe. Dans le ciel un avion traîne une longue banderole: «Bon anniversaire».

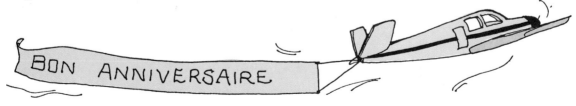

• **en solitaire** *solo* • **breton** *from Brittany* (la Bretagne) • **«Crédit Agricole»** *the boat was named after the sponsoring bank* • **bateaux-pompes** *fire-boats* • **traîne** *pulls*

Le 26 août 1982, dix-sept bateaux quittent Newport pour commencer la première des quatre étapes de la course. («Crédit Agricole», long de dix-sept mètres, a été dessiné et construit spécialement pour cette course.)

Malheureusement, entre Newport et le Cap, Philippe s'aperçoit que son réservoir d'eau potable est vide°—il y a une fuite.° Il y a un peu d'eau dans un bidon,° mais pas assez pour vingt-cinq jours. Il doit se rationner.

Pendant la deuxième étape entre le Cap et Sydney il y a des vagues énormes comme un immeuble de cinq étages. L'eau entre dans le cockpit et une voile est endommagée,° mais Philippe continue.

La troisième étape entre Sydney et Rio de Janeiro est la plus difficile. Une tempête violente endommage le gouvernail.° Philippe doit plonger dans la mer. Il fait les réparations et il gagne l'étape.

Il gagne aussi la dernière étape et il devient le vainqueur. Il a établi un nouveau record du tour du monde en solitaire— quarante-quatre mille kilomètres en 159 jours, deux heures et vingt-six minutes!

° **vide** *empty*   ° **fuite** *leak*   ° **bidon** *can*   ° **endommagée** *damaged*
° **gouvernail** *rudder*

Exercice 1 Choisissez.

1. Philippe Jeantot est _____ .
   a. pilote
   b. mécanicien
   c. marin

2. Il est _____ .
   a. parisien
   b. breton
   c. normand

3. En 1983, il a _____ .
   a. trente et un ans
   b. trente-cinq ans
   c. trente-neuf ans

4. Dans la Course autour du monde Jeantot devient _____ .
   a. le dernier
   b. le solitaire
   c. le vainqueur

5. Son bateau s'appelle _____ .
   a. «Newport»
   b. «Geneviève»
   c. «Crédit Agricole»

Exercice 2 Complétez.

1. Dix _____ vont à la rencontre de Jeantot.
2. Les vedettes transportent _____ .
3. La passagère qui voyage seule est _____ .
4. Philippe et sa mère se parlent, mais ils ne _____ .
5. Les _____ font des geysers autour de Philippe.
6. Un avion traîne une _____ .
7. La banderole dit _____ .

Exercice 3 Répondez.

1. Quand est-ce que la course commence?
2. Combien d'étapes y a-t-il dans la course?
3. Il y a combien de bateaux au départ de la course?
4. De quelle longueur est «Crédit Agricole»?
5. Pourquoi le réservoir d'eau est-il vide?
6. Où est-ce qu'il y a un peu d'eau?
7. Qu'est-ce qui est endommagé?

Activités

1 Tracez la route de «Crédit Agricole» sur un globe terrestre.

2 Composez une phrase d'après chaque illustration.

galerie vivante

Il y a beaucoup
de bateaux à voile sur
la Côte d'Azur.

Les amis traversent la
baie de Nice dans leur
bateau à moteur.

T 4927

Les copains s'amusent
bien sur un bateau à voile en Corse.

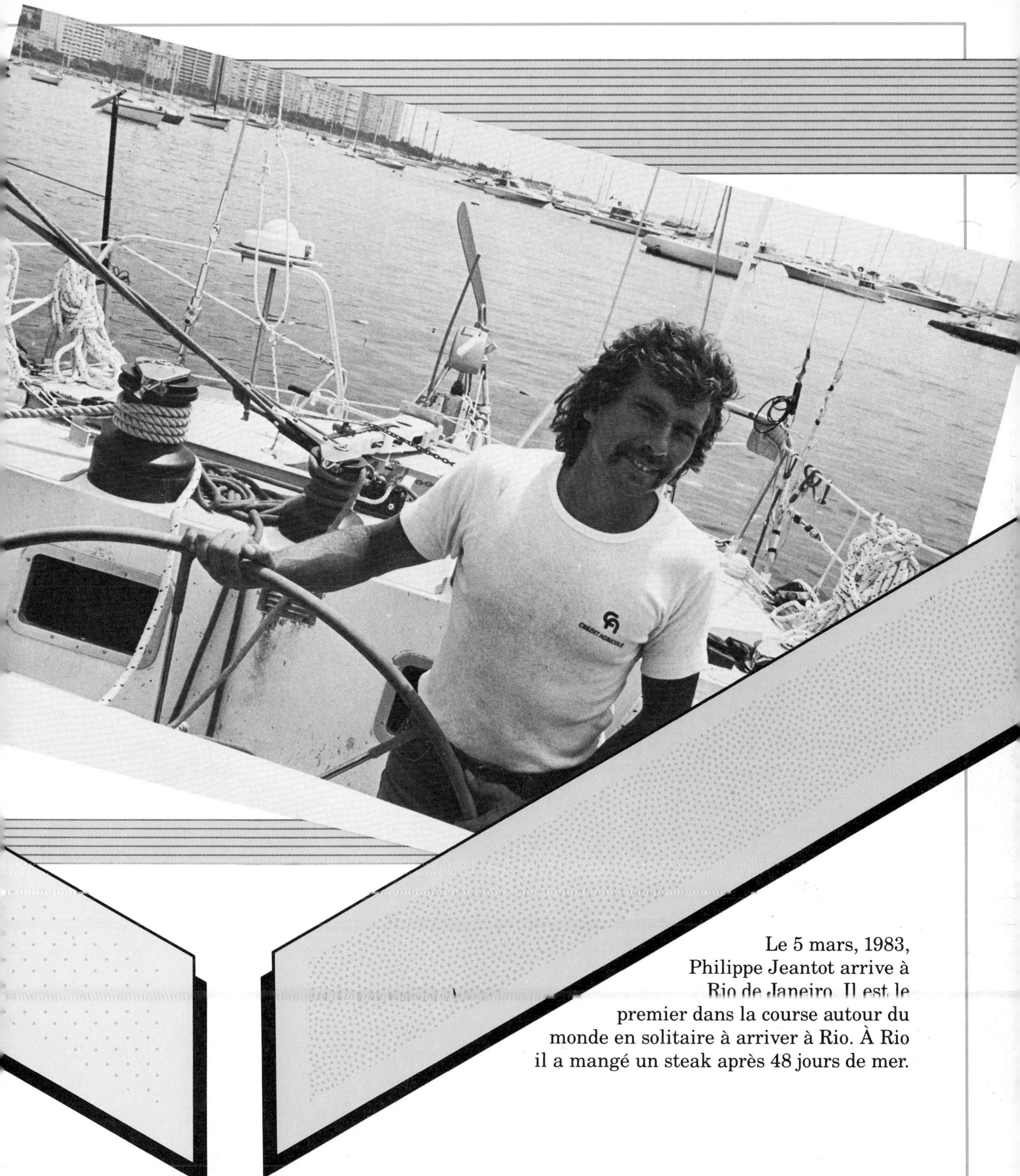

Le 5 mars, 1983,
Philippe Jeantot arrive à
Rio de Janeiro. Il est le
premier dans la course autour du
monde en solitaire à arriver à Rio. À Rio
il a mangé un steak après 48 jours de mer.

ℛévision

Jean-Michel a faim

Bruno se réveille à six heures. Il se lève vite, il se lave et il se rase. Ensuite il réveille son petit frère.

— Lève-toi, Jean-Michel! Il est tard, dit-il. Je vais m'habiller et partir. Ne te rendors pas!

Malheureusement Jean-Michel se rendort. Quand il descend enfin, sa mère l'attend avec impatience.

— Dépêche-toi, Jean-Michel! Il est tard! Tu ne vas pas t'admirer longtemps ce matin. Tu ne vas pas t'amuser avec ton chien. Tu ne vas pas t'arrêter chez Paul. Tu dois aller vite à l'école.

Et le pauvre Jean-Michel part sans son petit déjeuner!

Exercice 1   Je me réveille...
C'est Bruno qui parle. Complétez.

Je _____ à six heures. Je _____ vite, je _____ et je _____ . Ensuite je _____ mon petit frère.

Exercice 2   Que fait Jean-Michel?
Complétez.

Il ne _____ pas tout de suite.
Il se _____ .
Enfin il _____ .
Il doit _____ , dit sa mère.
Ce matin il ne va pas _____ , il ne va pas _____ et il ne va pas _____ .

Les verbes réfléchis

The action of a reflexive verb is reflected back on the subject.

Je me lave.   *I wash (myself).*

Infinitive	se laver
Present tense	je me lave
	tu te laves
	il/elle se lave
	nous nous lavons
	vous vous lavez
	ils/elles se lavent

The reflexive object pronoun comes before the verb except in affirmative commands.

Il ne se lave pas.
Est-ce qu'il se lave?
Se lave-t-il?
Ne te lave pas!
Il va se laver.

In affirmative commands, the pronoun follows the verb and is attached to it by a hyphen.

Lave-toi!
Amusez-vous bien!

Exercice 3   Comment s'appelle-t-elle?
Lisez l'histoire. Ensuite, répétez l'histoire avec *ces filles-là; Francine et Noëlle.*

Comment s'appelle <u>cette fille-là</u>? Elle s'appelle Francine. Francine va à la plage du camping. Elle se demande si elle va s'ennuyer. Mais elle ne s'ennuie pas. Elle ne se trouve jamais seule. Elle se promène avec des amis, elle nage et elle bronze. Elle s'amuse bien!

Les pronoms compléments *le, la, les*

The direct object pronouns **le** (*him, it*), **la** (*her, it*), and **les** (*them*) precede the verb. Before a vowel, **le** and **la** become **l'**. Remember the liaison with **les**.

Je vois le pompiste.	**Je le vois.**
Il regarde l'auto.	**Il la regarde.**
Nous lisons les panneaux.	**Nous les lisons.**
Vous aimez la Renault.	**Vous l'aimez.**
Tu admires les statues.	**Tu les admires.**

Exercice 4 En panne

Lisez l'histoire et répondez aux questions. Employez un pronom.

La voiture de Jean-Marc est en panne. Il va à la station-service et il cherche le mécanicien. Il voit les pompistes. Il voit les autres clients. Mais il ne voit pas le mécanicien. Ah! Le voilà. Il est derrière un tacot.

1. Qui cherche le mécanicien?
2. Voit-il les pompistes?
3. Voit-il les autres clients?
4. Voit-il le mécanicien?
5. Où est-ce qu'il trouve le mécanicien?

Exercice 5 Où se trouve...?
Complétez la conversation.

— Pardon, où se trouve la cabine téléphonique?
— Vous voyez la porte d'entrée?
— Oui, je _____ vois.
— Et vous voyez la caisse là-bas?
— Non, je ne _____ vois pas. Ah, si! _____ voilà.
— Et vous voyez le rayon des chaussures à gauche de la caisse?
— Oui, je _____ vois.
— Bon. La cabine téléphonique n'est pas loin. Vous allez _____ trouver derrière le rayon des chaussures.

Les pronoms compléments *me, te, nous, vous*

Me, te, nous, and **vous,** whch you have seen as reflexive object pronouns, also serve as direct and indirect object pronouns.

Direct object	Indirect object
Marc me regarde.	Marc me donne un coca.
Il te salue.	Il te vend sa moto.
Elle nous aime.	Elle nous achète des bonbons.
Je vous admire.	Je vous écris une longue carte.

Remember that **me** and **te** become **m'** and **t'** before a vowel.

   Elle m'écrit.   **Il t'aime.**

Don't forget the liaison with **nous** and **vous** before a vowel.

Exercice 6 Qui t'écrit?
Complétez.

Madeleine Voilà une lettre pour toi, Claudette. Qui _____ écrit?
Claudette C'est mon ami Georges qui _____ écrit.
Madeleine Qu'est-ce qu'il _____ dit?
Claudette Il _____ invite à l'accompagner à la fête.
Madeleine Il _____ invite à la fête? Je ne le comprends pas. Il a déjà invité Suzanne!

Exercice 7 Personnellement
Répondez. Employez le pronom *me.*

1. Est-ce que vos parents vous donnent de l'argent?
2. Est-ce que vos amis vous téléphonent souvent?
3. Est-ce qu'ils vous invitent à toutes les fêtes?
4. Quel prof vous comprend bien?

Employez le pronom *nous.*

5. Est-ce qu'on vous donne beaucoup de devoirs à faire?
6. Est-ce que vos profs vous aident?
7. Est-ce que l'école secondaire vous prépare pour la vie? Pour l'université?

Verbes avec changements d'orthographe

Verbs like **manger** and **commencer** add an **e** or a cedilla to the **nous** form in order to maintain the soft **g** and **c** sound of the other forms.

mangeons   **commençons**

Appeler and **jeter** double the consonant in the **je, tu, il/elle,** and **ils/elles** forms.

Infinitive	appeler	jeter
Present tense	j'appelle	je jette
	tu appelles	tu jettes
	il/elle appelle	il/elle jette
	nous appelons	nous jetons
	vous appelez	vous jetez
	ils/elles appellent	ils/elles jettent

Mener and **acheter** take a grave accent in all forms except the **nous** and **vous** forms.

Infinitive	mener	acheter
Present tense	je mène	j'achète
	tu mènes	tu achètes
	il/elle mène	il/elle achète
	nous menons	nous achetons
	vous menez	vous achetez
	ils/elles mènent	ils/elles achètent

Exercice 8 Où mène ce chemin?

Lisez le dialogue. Ensuite, répétez le dialogue. Changez les mots soulignés au pluriel. Faites tous les changements nécessaires.

— Où mène ce chemin?
— Ce chemin? Il mène au lac.
— Tu te promènes là-bas?
— Oui, je commence mes vacances aujourd'hui. Je me promène toujours près du lac.
— Tu nages dans ce lac?
— Ah oui, je nage dans ce lac tous les jours. C'est chouette!
— Tu apportes des sandwiches avec toi?
— Oui, je mange un sandwich et je jette du pain aux poissons.

D'autres verbes irréguliers: *s'asseoir, connaître, conduire*

Review the forms of **s'asseoir, connaître, conduire.**

Infinitive	s'asseoir	connaître	conduire
Present tense	je m'assieds	je connais	je conduis
	tu t'assieds	tu connais	tu conduis
	il/elle s'assied	il/elle connaît	il/elle conduit
	nous nous asseyons	nous connaissons	nous conduisons
	vous vous asseyez	vous connaissez	vous conduisez
	ils/elles s'asseyent	ils/elles connaissent	ils/elles conduisent

Exercice 9 Lisette s'assied...

Complétez avec la forme convenable du verbe donné.

A. s'asseoir

Lisette _____ toujours à côté de Robert, et Robert _____ derrière Paul. Nous _____ à gauche de la fenêtre. Et vous, où est-ce que vous _____ ?

B. conduire

Ton père _____ bien, n'est-ce pas? Et ta mère, _____ -elle aussi bien que ton père? Est-ce que tes grands-parents _____ en ville? Ma sœur et moi, nous _____ seulement pendant le week-end. Quelle joie!

C. Choisissez *savoir* ou *connaître.*

Tu _____ mon cousin, n'est-ce pas? Il _____ jouer au tennis, mais il ne _____ pas jouer au foot. Tu _____ , n'est-ce pas, qu'au Canada on joue très bien au hockey sur glace. Mon cousin _____ tous les joueurs célèbres.

ℒecture culturelle

supplémentaire
Le canal du Midi

Le Canal du Midi

Beaucoup de personnes ne savent pas que la France a tout un système de canaux pour la navigation. Le canal du Midi, long de 240 kilomètres, relie * l'océan Atlantique et la mer Méditerranée. Il va de Toulouse jusqu'à Agde. On a commencé la construction du canal en 1666. Entre 10 000 à 12 000 ouvriers ont travaillé pendant quatorze ans sur le canal.

Aujourd'hui il y a peu de trafic commercial. Mais un voyage touristique en péniche * est très agréable!

Exercice Répondez.

1. Qu'est-ce que le canal du Midi relie?
2. Quelles villes est-ce que le canal relie?
3. Quand a commencé la construction du canal?
4. Quand est-ce qu'on a fini le canal?
5. Combien d'ouvriers ont travaillé sur le canal?
6. Est-ce qu'on peut faire un voyage sur le canal?

---

relie *links*   *péniche* *barge*

ℓecture culturelle

supplémentaire
Les grandes vacances

FERMETURE
ANNUELLE
à Bientôt

Incroyable mais vrai! Au mois d'août il y a très peu de Parisiens à Paris! On a l'impression que tous les Français sont en vacances en même temps! On voit partout des écriteaux° qui disent «Fermeture° annuelle». Cela veut dire que la boutique, le magasin, l'usine sont fermés pour les vacances.

Mais où est-ce que les Français passent leurs vacances? Quelques-uns partent à l'étranger, mais la majorité restent en France. Ils vont au bord de la mer ou à la campagne.° Plus de 20 pour cent font du camping. Beaucoup sont invités chez des parents° ou des amis.

Exercice Corrigez.

1. Le mois préféré des vacances est septembre.
2. En août tous les Parisiens restent à Paris.
3. Si le magasin est fermé pour les vacances, on voit un écriteau qui dit «Fermé le dimanche».
4. Pour leurs vacances, la majorité des Français vont à l'étranger.
5. Très peu de Français font du camping.

° **écriteaux** *signs*   ° **Fermeture** *Closing*   ° **campagne** *country*   ° **parents** *(here) relatives*

370

qecture culturelle

supplémentaire
Des cafés célèbres

Le Café de la Paix est probablement le café le plus fameux de Paris. Il est situé sur le boulevard des Capucines au coin de la place de l'Opéra. Presque tous les touristes qui visitent Paris s'asseyent à la terrasse de ce café. On rencontre ici des représentants de toutes les provinces françaises et de toutes les nations du monde. C'est un vrai rendez-vous international!

Sur la Rive gauche de la Seine, tout près de l'Église Saint-Germain-des-Prés, se trouvent des cafés célèbres dans la littérature. Assis à la terrasse de ces cafés, des écrivains français et étrangers ont trouvé l'inspiration. Les cafés les plus célèbres sont le café des Deux Magots et le café de Flore.

Quand on pense au café de Flore, on pense à Jean-Paul Sartre, philosophe et écrivain français, né à Paris en 1905. C'est au café de Flore que Sartre a passé beaucoup de temps et a élaboré la doctrine philosophique de l'existentialisme. Il a écrit des romans, des drames et des essais sur cette philosophie.

Exercice Répondez.

1. Quel est le café le plus fameux de Paris?
2. Où est-il situé?
3. Qui est-ce qu'on rencontre au Café de la Paix?
4. Où sont situés le café des Deux Magots et le café de Flore?
5. Pourquoi sont-ils célèbres?
6. Quel philosophe a passé beaucoup de temps au café de Flore?
7. Pour quelle doctrine de philosophie est-il fameux?

25 À la poste

l'enveloppe (f)

le timbre

le destinataire

Mlle Sylvie Martin
14, rue de Vaugirard
91370 Verrières

le code postal

le nom
l'expéditeur (m)

Claudine Dupont
39, av. de Vignon
75009 Paris

l'adresse (f)

le facteur

le courrier

le colis

la carte postale

Le facteur **distribue** le courrier.

la postière

TIMBRES   TÉLÉGRAMMES

la boîte
aux lettres

Louiselle va **envoyer** une lettre.
La postière lui vend un timbre à deux
francs.
La boîte aux lettres est **en face du** guichet
marqué «**télégrammes**».

Exercice 1 Dans chaque groupe, choisissez le mot qui ne va pas avec les autres.

1. adresse   guichet   nom   code postal
2. timbre   postière   expéditeur   destinataire
3. courrier   lettre   ville   carte postale
4. franc   facteur   postière   poste
5. envoyer   distribuer   précéder   expédier
6. colis   paquet   enveloppe   expéditeur

Exercice 2 Complétez.

1. La fille va envoyer une _____ .
2. La postière lui vend un _____ .
3. Le guichet marqué «télégrammes» est en face de _____ .
4. Le nom et l'adresse de l'expéditeur sont sur _____ .
5. Le facteur distribue _____ .

Exercice 3 Personnellement
Répondez.

1. Préférez-vous envoyer des lettres ou des cartes postales?
2. À qui écrivez-vous?
3. Combien de postiers/postières est-ce qu'il y a dans la poste de votre ville?
4. Est-ce qu'il y a une boîte aux lettres près de chez vous?
5. Quel est le code postal de votre ville?
6. Quel est le prix d'un timbre pour une lettre par courrier ordinaire? Pour une lettre par avion? Pour une carte postale?
7. Quel est le jour de la semaine où le facteur ne distribue pas de courrier?

Note

Les adjectifs en *-el, -elle*

You have learned that some adjectives ending in **-n** in the masculine singular, have a double **n** in the feminine form.

Il est canadien.
Elle est canadienne.

Some adjectives ending in **-el** in the masculine, have a double **l** in the feminine form.

Ce cadeau est personnel.
Cette lettre est personnelle.

Both forms are pronounced the same.
Other adjectives like **personnel** are listed below.

artificiel	éternel
continuel	naturel
cruel	traditionnel

Exercice 4 Personnellement
Répondez.

1. Préférez-vous l'architecture moderne ou traditionnelle?
2. Sur quelles montagnes est-ce que les neiges sont éternelles?
3. Préférez-vous les fleurs (*flowers*) artificielles ou naturelles?
4. Est-ce que les dictateurs sont toujours cruels?
5. Où mettez-vous vos objets personnels?

Structure

Les pronoms compléments indirects: *lui, leur*

Lui (*him, her*) and **leur** (*them*) are indirect object pronouns and function like **me, te, nous,** and **vous** when used as indirect object pronouns. They are placed before the verb in the present tense in both the affirmative and the negative. They are also placed before the verb in the negative imperative.

Je donne la lettre <u>au facteur</u>.	Je <u>lui</u> donne la lettre.
Je ne donne pas le colis <u>au facteur</u>.	Je ne <u>lui</u> donne pas le colis.
La postière donne des timbres <u>aux clients</u>.	La postière <u>leur</u> donne des timbres.
La postière ne donne pas d'enveloppes <u>aux clients</u>.	La postière ne <u>leur</u> donne pas d'enveloppes.
Ne répondez pas <u>à Jean</u>.	Ne <u>lui</u> répondez pas.
Ne dites pas «tu» <u>à vos profs</u>.	Ne <u>leur</u> dites pas «tu».

Exercice 1   Paul veut écrire une lettre.
Suivez le modèle.

Je donne une enveloppe **à Simone**.
Je lui donne une enveloppe.

1. Je donne un timbre **à Paul**.
2. Marcelle donne une enveloppe **à Paul**.
3. Geneviève donne du papier **à Paul**.
4. Gilbert donne un stylo **à Paul**.
5. Véronique donne un dictionnaire **à Paul**.
6. Laurent dit la date **à Paul**.
7. Pauline donne **à Paul** l'adresse du destinataire.
8. Simon dit **à Paul** de ne pas oublier le code postal.
   Maintenant Paul peut écrire la lettre!

Exercice 2   Une postière
Lisez le paragraphe et répondez aux questions.

Mme Frangel est postière. À la poste elle vend des timbres aux clients. Elle leur montre des timbres commémoratifs. Elle leur dit le prix des timbres. Elle leur dit le prix d'une lettre par avion et par poste ordinaire. Elle leur vend aussi des cartes postales.

1. Qu'est-ce que Mme Frangel vend aux clients?
2. Qu'est-ce qu'elle leur montre?
3. Qu'est-ce qu'elle leur dit?
4. Est-ce qu'elle leur vend des cartes postales?

Exercice 3 À la poste
Lisez le paragraphe et répondez aux questions.

Barbara dit bonjour à la postière. Elle lui demande trois timbres à un franc vingt. La postière lui donne les trois timbres. Barbara lui donne un billet de cinq francs. La postière lui rend un franc quarante. Barbara lui dit merci.

1. À qui est-ce que Barbara dit bonjour?
2. Qu'est-ce qu'elle lui demande?
3. Qu'est-ce que la postière lui donne?
4. Qu'est-ce que Barbara lui donne?
5. Qu'est-ce que la postière lui rend?
6. Qu'est-ce que Barbara lui dit?

Exercice 4 Elle ne demande pas ça.
Répétez le paragraphe de l'exercice 2 au négatif.

Exercice 5 Personnellement
Répondez avec *lui* ou *leur*.

1. Quand écrivez-vous à vos grands-parents?
2. Qu'est-ce que vous donnez à votre mère pour la Fête des Mères?
3. Qu'est-ce que vous donnez à votre père pour son anniversaire?
4. Quand écrivez-vous à vos cousins?
5. Quand téléphonez-vous à vos amis?
6. Répondez-vous correctement à votre prof de français?
7. Montrez-vous vos lettres personnelles à vos amis?
8. Demandez-vous de l'argent à votre ami (amie)?

Exercice 6 Ne lui demandez pas...
Suivez le modèle.

Ne donne pas le colis **au facteur.**
Ne lui donne pas le colis.

1. Ne demandez pas le courrier **au facteur.**
2. Ne parlez pas **au facteur** pendant qu'il travaille.
3. Ne donnez pas cette lettre **au facteur.**
4. Ne lisez pas cette lettre **aux Bretonnes.**
5. Ne montrez pas ces cartes postales **aux Bretonnes.**
6. N'envoyez pas ces photos **aux Bretonnes.**

Le verbe *envoyer*

The oral forms of the verb **envoyer** (*to send*) are regular. The written forms have regular **-er** verb endings, but the **y** becomes **i** in the **je, tu, il/elle,** and **ils/elles** forms.

Infinitive	envoyer
Present tense	j'envoie
	tu envoies
	il/elle envoie
	nous envoyons
	vous envoyez
	ils/elles envoient

The past participle is regular.

As-tu envoyé la lettre à Georges?

Like **envoyer** are:

appuyer	*to lean on, to push*	**nettoyer**	*to clean*
essuyer	*to wipe*	**essayer**	*to try, to try on*
employer	*to use*	**payer**	*to pay for, to pay*

Verbs ending in **-ayer,** such as **essayer** and **payer,** may keep the **y** throughout. Both forms are correct.

Elle $\begin{cases} \text{essaie} \\ \text{essaye} \end{cases}$ la robe.

Je $\begin{cases} \text{paie} \\ \text{paye} \end{cases}$ les trois timbres.

Exercice 7 Nous envoyons une lettre...
Suivez le modèle.

Nous envoyons une carte postale.
J'envoie une carte postale.

1. Nous envoyons une lettre à notre amie bretonne, et elle nous invite chez elle.
2. Nous appuyons sur le bouton et elle arrive.
3. Nous nous essuyons les pieds et nous entrons.
4. Nous essayons des robes et nous les payons.
5. Nous envoyons nos amies chez la Bretonne.

Les pronoms relatifs *qui* et *que*

You have seen that the relative pronoun **qui** (*who, which, that*) may refer to people or things. It joins two short sentences into a longer one. It is always the subject of the clause it introduces.

> **Je vois la postière. La postière travaille ici.**
> **Je vois la postière qui travaille ici.**

> **Voilà une rue. La rue mène à la poste.**
> **Voilà la rue qui mène à la poste.**

The relative pronoun **que** (*whom, that, which*) may also refer to people or things. It, too, is used to join two short sentences into a longer one, but **que** is the *direct object* of the clause it introduces.

> **La femme est bretonne. Nous admirons la femme.**
> **La femme que nous admirons est bretonne.** *The woman (whom) we admire is Breton.*

> **Le colis est grand. Vous envoyez le colis.**
> **Le colis que vous envoyez est grand.** *The package (that) you are sending is large.*

Note that *whom* or *that* may sometimes be omitted in English but **que** is *never* omitted in French.

Exercice 8 Le village que nous visitons...
Faites une seule phrase de chaque paire. Employez *que*.

1. Le village est breton. Nous visitons le village.
2. Nous buvons le cidre. La Bretonne nous sert le cidre.
3. Voilà les sandwiches. Vous voulez les sandwiches.
4. La Bretonne porte une robe traditionnelle. Nous aimons beaucoup cette robe.
5. Les traditions sont vieilles. Nous admirons ces traditions.

Prononciation

Initial sound	Between vowels	After a consonant	Final sound
le	voilà	plaît	il
la	village	bleu	ils
les	police	classe	ville
long	couleur	claire	table
longue	aller	blond	double

Pratique et dictée

Voilà le village où Paul a laissé les enveloppes.
Ils lisent la longue lettre de l'agent de police de la ville.
Claire, la blonde aux cheveux longs, a mis le pull bleu sur la table.

Conversation

Vingt-deux cartes postales!

Christophe	Tu as vu le facteur?
Françoise	Pas encore. Ah, le voilà justement!
Christophe	Comment! Pas de courrier pour moi? C'est bizarre!
Françoise	Pour toi, mon petit frère? De qui donc?
Christophe	De mon amie algérienne.
Françoise	Mais tu ne lui écris pas!
Christophe	De mes cousins de Bretagne ou de Suisse, alors.
Françoise	Tu ne leur envoies jamais de lettre.
Christophe	Patience! Patience! Tu vas voir le courrier que je vais recevoir. J'ai écrit vingt-deux cartes postales ce week-end!

Exercice 1 Corrigez.

1. Christophe est le mari de Françoise.
2. Les jeunes gens attendent le postier.
3. Il y a beaucoup de lettres pour Christophe.
4. Christophe n'est pas surpris.

Exercice 2 Répondez.

1. Christophe attend des lettres de qui?
2. D'après Françoise pourquoi ne reçoit-il pas de lettres d'Algérie?
3. Où habitent les cousins de Christophe?
4. Est-ce qu'il leur envoie beaucoup de lettres?
5. Pourquoi Christophe est-il sûr de recevoir beaucoup de courrier?

ℒecture culturelle

Deux touristes en Bretagne

Louiselle, une jeune Canadienne, passe le mois d'août chez Claudine, sa cousine parisienne. Les jeunes filles ont décidé de visiter la Bretagne, région que Louiselle ne connaît pas. Les voici maintenant à Sainte-Anne-d'Auray où elles vont assister à un pardon, une fête bretonne traditionnelle.

Louiselle Tu sais, Claudine, que j'ai écrit des cartes postales hier soir. Je dois acheter des timbres.

Claudine Tu peux acheter des timbres au bureau de tabac mais si tu veux bien, allons à la poste parce que je dois téléphoner à mes parents pour leur dire que nous rentrons samedi soir.

Louiselle D'accord. Mais dépêchons-nous! La procession religieuse commence de l'église° à deux heures, n'est-ce pas?

Un pardon

Auray

° **église** *church*

380

Claudine Ne t'inquiète pas! La poste
n'est pas loin. Combien de
timbres vas-tu acheter?

Louiselle Voyons! J'ai deux lettres par
avion et huit cartes postales
par poste ordinaire.

Claudine À qui as-tu écrit?

Louiselle À mes parents, bien entendu.
Et à mes grands-parents. Je
leur ai raconté notre visite à
la jolie plage de La Baule. J'ai
écrit aussi à mon prof
d'histoire. Je lui envoie une
carte postale de Carnac. Il
s'intéresse beaucoup aux
monuments préhistoriques
qu'on trouve en Bretagne. Les
autres cartes postales sont
pour mes amis. Et tes parents,
tu ne leur écris pas quand tu
voyages?

La Baule

Carnac

Claudine Mais si, je leur écris! Je leur
téléphone aussi. Voilà la poste!
Tu vois: Postes et
télécommunications?

Louiselle Bon! Alors, tu téléphones à tes
parents pendant que j'achète
des timbres.

Claudine D'accord, mais dépêchons-
nous! J'entends déjà les
accordéons et les binious!

Un biniou

ne t'inquiète pas! *don't worry!*   **Carnac** *region of Brittany containing over 3,000 prehistoric*
monuments of huge rocks (dolmens)   **accordéons, binious** instruments traditionnels bretons

Exercice 1 Complétez.

Louiselle, la _____ de Claudine, est _____ . Elle passe un _____ chez Claudine. Louiselle ne connaît pas _____ . Les filles vont assister à _____ .

Exercice 2 Répondez.

1. Qu'est-ce que Louiselle a écrit?
2. Que doit-elle acheter?
3. Où peut-on acheter des timbres?
4. Pourquoi est-ce que les filles doivent se dépêcher?
5. Qui s'inquiète?
6. Combien de timbres est-ce que Louiselle va acheter?
7. À qui a-t-elle écrit?
8. Qui téléphone à ses parents? Qu'est-ce qu'elle leur dit?
9. Pendant que Claudine leur téléphone, que fait Louiselle?

Exercice 3 Identifiez.

1. La Baule   2. Carnac   3. les binious et les accordéons

Activités

Chère Maman,
Nous voilà enfin à La Baule! Quelle magnifique plage! Le sable est fin et jaune. Demain on va visiter Carnac.
Je t'embrasse,
Claudine

Mme Jeanne Dupont
39, av. de Vignon
75009 Paris

1 Lisez la carte postale.

Maintenant, écrivez une carte postale à un ami ou une amie:

> **Mon cher _____ ,**
> **Ma chère _____ ,**

- Dites que vous êtes à Carnac.
- Dites que les monuments préhistoriques sont magnifiques.
- Dites que demain vous allez assister à un pardon.

- Pour finir, choisissez:

> **Bien amicalement à toi,**
> **Bien à toi,**
> **Amitiés,**
> **Je t'embrasse (affectueusement),**
> **Bien affectueusement,**

- Signez votre nom.
- Écrivez le nom et l'adresse du destinataire. (N'oubliez pas le code postal.)

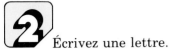

2 Écrivez une lettre.

- Écrivez le nom de la ville et la date.
- Commencez avec

    Cher ami (Chère amie),
ou **Mon cher** _____ ,
    Ma chère _____ ,

- Écrivez deux ou trois phrases sur vos activités pendant le week-end (pendant les vacances).
- Terminez la lettre. (Choisissez une des formules de l'activité 1.)

3 Une discussion

- Collectionnez-vous les timbres?
- Connaissez-vous une personne qui les collectionne?
- Avez-vous vu un album de timbres?
- Appréciez-vous les timbres commémoratifs?

4 Décrivez ce que vous voyez dans l'illustration.

galerie vivante

Qu'est-ce que vous préférez envoyer à vos amis? Vous leur envoyez des cartes postales, des lettres, ou des aérogrammes?

La joile plage de la Baule en Bretagne:
remarquez les immeubles modernes où
les gens en vacances peuvent habiter.

La Bretagne est une région
de contrastes. Ici des femmes
qui portent des coiffes bretonnes
font de la dentelle. La dentelle
bretonne est exquise.

Verbs

Regular Verbs

	parler	finir	vendre
	to speak	*to finish*	*to sell*
Imperative	parle	finis	vends
	parlons	finissons	vendons
	parlez	finissez	vendez
Present	je parle	je finis	je vends
	tu parles	tu finis	tu vends
	il parle	il finit	il vend
	nous parlons	nous finissons	nous vendons
	vous parlez	vous finissez	vous vendez
	ils parlent	ils finissent	ils vendent
Passé Composé	j'ai parlé	j'ai fini	j'ai vendu
	tu as parlé	tu as fini	tu as vendu
	il a parlé	il a fini	il a vendu
	nous avons parlé	nous avons fini	nous avons vendu
	vous avez parlé	vous avez fini	vous avez vendu
	ils ont parlé	ils ont fini	ils ont vendu

Verbs with Spelling Changes

acheter[1]	appeler	commencer
to buy	*to call*	*to begin*
j'achète	j'appelle	je commence
tu achètes	tu appelles	tu commences
il achète	il appelle	il commence
nous achetons	nous appelons	nous commençons
vous achetez	vous appelez	vous commencez
ils achètent	ils appellent	ils commencent

envoyer[2]	jeter	manger
to send	*to throw*	*to eat*
j'envoie	je jette	je mange
tu envoies	tu jettes	tu manges
il envoie	il jette	il mange
nous envoyons	nous jetons	nous mangeons
vous envoyez	vous jetez	vous mangez
ils envoient	ils jettent	ils mangent

préférer[3]
to prefer
je préfère
tu préfères
il préfère
nous préférons
vous préférez
ils préfèrent

[1] *Se lever, mener,* and *se promener* are conjugated similarly.
[2] *Appuyer, employer, essayer, essuyer, nettoyer,* and *payer* are conjugated similarly.
[3] *Célébrer, espérer,* and *suggérer* are conjugated similarly.

Irregular Verbs

aller *to go*
Present je vais, tu vas, il va, nous allons, vous allez, ils vont

s'asseoir *to sit down*
Present je m'assieds, tu t'assieds, il s'assied, nous nous asseyons, vous vous asseyez, ils s'asseyent

avoir *to have*
Present j'ai, tu as, il a, nous avons, vous avez, ils ont
Passé Composé j'ai eu

boire *to drink*
Present je bois, tu bois, il boit, nous buvons, vous buvez, ils boivent
Passé Composé j'ai bu

conduire *to drive*
Present je conduis, tu conduis, il conduit, nous conduisons, vous conduisez, ils conduisent
Passé composé j'ai conduit

connaître *to know*
Present je connais, tu connais, il connaît, nous connaissons, vous connaissez, ils connaissent
Passé Composé j'ai connu

courir *to run*
Present je cours, tu cours, il court, nous courons, vous courez, ils courent
Passé composé j'ai couru

croire *to believe*
Present je crois, tu crois, il croit, nous croyons, vous croyez, ils croient
Passé Composé j'ai cru

devoir *to have to, to owe*
Present je dois, tu dois, il doit, nous devons, vous devez, ils doivent
Passé Composé j'ai dû

dire *to say*
Present je dis, tu dis, il dit, nous disons, vous dites, ils disent
Passé Composé j'ai dit

dormir *to sleep*
Present je dors, tu dors, il dort, nous dormons, vous dormez, ils dorment
Passé Composé j'ai dormi

écrire[4] *to write*
Present j'écris, tu écris, il écrit, nous écrivons, vous écrivez, ils écrivent
Passé Composé j'ai écrit

être *to be*
Present je suis, tu es, il est, nous sommes, vous êtes, ils sont
Passé composé j'ai été

faire *to do, to make*
Present je fais, tu fais, il fait, nous faisons, vous faites, ils font
Passé Composé j'ai fait

[4] *Décrire* is conjugated similarly.

lire   *to read*
Present   je lis, tu lis, il lit, nous lisons, vous lisez, ils lisent
Passé Composé   j'ai lu

mettre[5]   *to put*
Present   je mets, tu mets, il met, nous mettons, vous mettez, ils mettent
Passé Composé   j'ai mis

partir   *to leave*
Present   je pars, tu pars, il part, nous partons, vous partez, ils partent

pouvoir   *to be able*
Present   je peux, tu peux, il peut, nous pouvons, vous pouvez, ils peuvent
Passé composé   j'ai pu

prendre[6]   *to take*
Present   je prends, tu prends, il prend, nous prenons, vous prenez, ils prennent
Passé Composé   j'ai pris

recevoir   *to receive*
Present   je reçois, tu reçois, il reçoit, nous recevons, vous recevez, ils reçoivent
Passé Composé   j'ai reçu

savoir   *to know*
Present   je sais, tu sais, il sait, nous savons, vous savez, ils savent
Passé Composé   j'ai su

servir   *to serve*
Present   je sers, tu sers, il sert, nous servons, vous servez, ils servent
Passé Composé   j'ai servi

sortir   *to go out*
Present   je sors, tu sors, il sort, nous sortons, vous sortez, ils sortent

venir[7]   *to come*
Present   je viens, tu viens, il vient, nous venons, vous venez, ils viennent

voir   *to see*
Present   je vois, tu vois, il voit, nous voyons, vous voyez, ils voient
Passé Composé   j'ai vu

vouloir   *to want*
Present   je veux, tu veux, il veut, nous voulons, vous voulez, ils veulent
Passé Composé   j'ai voulu

---

[5] *Permettre* and *promettre* are conjugated similarly.
[6] *Comprendre* and *apprendre* are conjugated similarly.
[7] *Revenir* is conjugated similarly.

French-English Vocabulary

The French-English vocabulary contains all the words and expressions that appear in this text. Words and expressions that were presented in the *Vocabulaire* or *Expressions utiles* sections are followed by the number of the lesson in which they were presented. Words and expressions presented in the preliminary lessons are followed by the letter of the preliminary lesson. Words and expressions that are not followed by a number or a letter appear in readings, optional readings, or activities where they were glossed, or are obvious cognates.

A

à in, to *C*; at, on *G*
  à bord on board
  à bientot see you soon *C*
  à cause de because of
  à destination de bound for
  à droite to the right *14*
  à gauche to the left *14*
  à la française in the French style
  à la mode in style, in fashion *16*
  à l'arrière in (to) the back
  à l'avance in advance
  à l'avant to (in) the front
  à pied on foot *6*
  à point medium (steak) *6*
  à table at the (dinner) table
  à tout à l'heure see you in a while *C*
abandonner to abandon
l'accent (*m*) accent
accentué, -e stressed, accented
  le pronom accentué (*m*) stress pronoun
accepté, -e accepted
accepter to accept
l'accessoire (*m*) accessory *16*
l'accident (*m*) accident
accidenté, -e damaged
accompagner to accompany
l'accord (*m*) agreement
l'accordéon (*m*) accordion
l'achat (*m*) purchase

acheter to buy *8*
l'activité (*f*) activity *A*
les actualités (*f*) TV news
l'addition (*f*) check (restaurant) *6*
additionner to add up
l'adjectif (*m*) adjective
admirer to admire
admis, -e admitted
adorable adorable
adorer to adore, to love *5*
l'adresse (*f*) address *25*
aérien, -ne aerial *9*
  la ligne aérienne (*f*) airline *9*
aérobic aerobic
l'aéroport (*m*) airport *9*
affectueusement affectionately
affreux, -se terrible
africain, -e African
Afrique Africa
l'âge (*m*) age *7*
âgé, -e old
  plus âgé older
l'agent de police (*m*) police officer *23*
agité, -e excited
agréable nice, pleasant
aider to help *9*
aigu, -ë acute
aimable pleasant, kind
aimer to like, to love *5*
l'album (*m*) album
  l'album de timbres (*m*) stamp album
algérien, -ne Algerian
à l'heure on time
l'Allemagne (*f*) Germany
aller to go *6*
  tout va bien all is well
  ça va I'm fine
  ça va? how are you? *B*
l'aller (*m*) one-way ticket *11*

aller et retour (*m*) round-trip ticket *11*
allô hello (on telephone) *17*
alors then, so *3*
l'alphabet (*m*) alphabet
alsacien, -ne of or from Alsace
l'amateur (*m*) amateur *20*
l'ambiance (*f*) atmosphere
américain, -e American *1*
l'ami, -e boy friend, girl friend *2*
  petit(e) ami(e) (*m, f*) boyfriend, girlfriend
amicalement in a friendly way
amitiés regards
l'amphithéâtre (*m*) amphitheater
l'an (*m*) year *7*
  le Jour de l'An New Year's Day
ancien, -ne ancient
anglais (*m*) English
  faire de l'anglais to study English *8*
l'animal, animaux (*m*) animal *20*
animé, -e animated
l'année (*f*) year
l'anniversaire (*m*) birthday *5*
l'annonce (*f*) announcement
annoncer to announce *17*
annuel, -le annual
l'anorak (*m*) ski jacket *10*
s'apercevoir to be aware (of)
l'apéritif (*m*) drink (before a meal) *22*
l'appareil-photo (*m*) camera

l'appartement (m)
apartment 7
appeler to call 21
s'appeler to be called or
named 21
je m'appelle... my
name is . . . 21
l'appétit (m) appetite
apporter to bring
apprendre to learn 12
apprendre à to learn
how 12
appuyer to press (a
button) 25
après after G
après-demain the day
after tomorrow
l'après-midi (m) afternoon
G
de l'après-midi in the
afternoon G
l'architecture (f)
architecture
les arènes (f) ancient Roman
amphitheater
l'argent (m) money 8
l'argent fou (m) a lot of
money
s'arrêter to stop 23
arrière behind
à l'arrière to (in) the
back
arrivée (f) arrival
arriver to arrive 5
l'arrondissement (m)
section of Paris
l'art (m) art
l'artère (f) main road
l'article (m) article
l'article défini definite
article
l'article indéfini
indefinite article
artificiel, -le artificial
l'artiste (m, f) artist
l'ascenseur (m) elevator
13
l'ascension (f) ascension
s'asseoir to sit down 22
assez enough 4
l'assiette plate 18
l'assiette creuse soup
plate 18
assis, -e seated 22
assister (à) to attend 16
l'atelier (m) studio 7
Atlantique Atlantic

attendre to wait for 10
attention! careful!
faire attention (à) to
watch out for 8
attentivement
attentively
atterrir to land 9
attirer to attract
au (à + le) 6
au contraire on the
contrary 3
au moins at least
au revoir good-bye C
audacieux, -euse bold
aujourd'hui today F
aussi also 2
aussi... que as . . . as
13
l'auto (f) automobile
l'autobus (m) bus
automatique automatic
automatisé, -e
automated
l'autoroute (f) highway
23
autour de around 24
autre other
l'auvent (m) canopy
aux (à + les) 6
avance advance
à l'avance in advance
avant before
à l'avant to the (in)
front
avec with 6
l'aviateur (m) aviator
l'aviation (f) aviation
l'avion (m) airplane 9
par avion by airplane
l'avocat, -e (m, f) lawyer
avoir to have 7
avoir besoin de to
need 13
avoir chaud to be
warm 13
avoir envie de to want
to, to feel like 13
avoir faim to be
hungry 13
avoir froid to be cold
13
avoir mal à... to have a
sore . . . 19
avoir raison to be right
13
avoir soif to be thirsty 13
avoir tort to be wrong 13

B

les bagages (m) baggage 9
la baguette loaf of French
bread 8
le bain bath 12
le bain de soleil
sunbathing 12
le bain de mer
swimming in the ocean
12
balnéaire of, pertaining
to bathing 12
la station balnéaire
seaside resort 12
le bandeau headband 19
la banderole banner
la banlieue suburb 18
la banque bank
le banquier, la banquière
banker
les bas collants (m)
pantyhose 16
le base-ball baseball
le bateau boat 24
le bateau à voiles
sailboat 24
le bateau-pompe fire
boat
le bâton ski pole 10
battre to beat
battre des mains to
clap hands
bavarder to chat 22
beau, bel, belle, beaux
handsome, pretty 13
Il fait beau to be nice
(weather) 5
beaucoup a lot, many,
much 5
la Belgique Belgium
besoin need
avoir besoin de to
need 13
le beurre butter 18
le bicentenaire bicentennial
la bicyclette (f) bicycle 20
le bidon (m) can
bien very 8; well B
eh bien well, so 14
bien affectueusement
very affectionately
bien cuit well-done
(steak) 6
bien sûr of course
bien sûr que non of
course not

bientôt soon

  à bientôt see you soon

C

bienvenue welcome

la bière beer

le bikini bikini

le billet ticket *9*

  le billet aller et retour (*m*) round-trip ticket *11*

le biniou Breton bagpipes

la biologie biology

le bistro bistro, café

bizarre bizarre, strange

blague joke

  sans blague no kidding *4*

blanc, blanche white *14*

blesser to wound

bleu, -e blue *14*

  bleu clair light blue

  bleu foncé dark blue

blond, -e blond *1*

le blouson waist-length jacket *16*

le blue-jean blue jeans *16*

boire to drink *20*

le bois woods, forest

la boîte box; can (foods) *8*

  la boîte aux lettres mailbox *25*

le bol bowl *18*

bon, -ne good *13*

  bon marché inexpensive *14*

  bon voyage! have a good trip! *9*

de bonne heure early

bonjour hello

bonsoir good evening

le bord side *12*

  à bord on board

  au bord de la mer at the seashore *12*

bordé, -e bordered

la botte boot

  la botte de cowboy cowboy boot

  la botte de moto motorcycle boot

  la botte de ski ski boot *10*

la bouche mouth *19*

le boucher, la bouchère butcher *8*

la boucherie butcher shop *8*

la boucle d'oreille earring *16*

le boulanger, la boulangère baker *8*

la boulangerie bakery *8*

la boule ball *10*

  la boule de neige snowball *10*

les boules (*f*) French lawn bowling game

  jouer aux boules to bowl

le boulevard boulevard

la boum party

le bout end

la bouteille bottle

la boutique shop *16*

le bouton button

la boxe boxing

  faire de la boxe to box

le bras arm *19*

  bravo! well done! *20*

le Brésil Brazil

la Bretagne Brittany

breton, -ne of or from Brittany

le bridge bridge (cards)

brillant, -e sparkling

briller to shine *5*

la brioche type of bun

la brique brick

bronzé, -e tanned

se bronzer to get a tan

se brosser to brush *21*

le bruit noise

brun, -e dark-haired *1;* brown *14*

le bureau de tabac tobacconist's shop *22*

C

ça that *2*

  ça fait combien? how much does that cost?

  ça ne fait rien that's okay *16*

  ça va I'm fine

  ça va? how are you? *B*

  où ça? where's that?

le cadeau gift

le café coffee

  le café au lait coffee with milk

  le café filtre strong, filtered coffee

le café café, bistro *22*

la caisse cash register *15*

le caissier, la caissière cashier *15*

calculer to add up

le, la camarade friend, chum

  le, la camarade de classe classmate

le cameraman camera operator

la campagne countryside

le camping camping

  faire du camping to go camping *21*

  le terrain de camping campground *21*

le Canada Canada

  canadien, -ne Canadian *9*

le canal canal

la cantine cafeteria

le capot hood of a car *23*

la caravane camper *21*

le carnet booklet (of tickets) *13*

la carotte carrot

  la carotte rouge tobacconist's sign in France

le carrefour intersection *23*

la carte map *23*

  la carte routière road map *23*

la carte card *9*

  la carte d'embarquement boarding pass *9*

  la carte postale postcard *25*

le cas case, instance

  dans ce cas in that case

le casse-cou daredevil

la cassette cassette *17*

le catalogue catalog

ce, cet, cette, ces this, that, these, those *11*

  ce... -ci this *11*

  ce ...-là that *11*

  ce soir tonight

la ceinture belt *16*

  la ceinture de sécurité seat belt *23*

célèbre famous

célébrer to celebrate *14*

celtique Celtic

le centre-ville central section of a city *18*

la **cérémonie** ceremony
certain, -e certain
c'est it is, that is *D*
  c'est ça that's right *2*
  c'est chouette that's
    neat *2*
  c'est dommage that's
    too bad *5*
  c'est l'essentiel that's
    the important thing *2*
chacun each one
  chacun à son goût to
    each his own
la **chaîne** channel
  (television)
le **chalet** chalet, mountain
  cabin
la **chambre** room, bedroom
  la chambre à coucher
    bedroom
le **champagne** champagne
le **champion, la championne**
  champion *20*
le **championnat**
  championship
la **chance** luck
  bonne chance! good
    luck!
le **chandail** sweater *14*
changer (de) to change
la **chanson** song *5*
chanter to sing *5*
le **chanteur, la chanteuse**
  singer
chaque each
charmant, -e charming,
  cute
le **charmeur de serpents**
  snake charmer
le **chat** cat *7*
le **château** castle
chaud, -e warm *13*
  avoir chaud to be
    warm *13*
  il fait chaud it is warm
    (weather)
chauffer to overheat (car)
la **chaussette** sock *14*
la **chaussure** shoe *14*
le **chemin** path *21*
la **chemise** shirt *14*
le **chemisier** blouse
  14
cher, chère expensive;
  dear *8*
  moins cher less
    expensive

chéri, -e dear, darling
chercher to look for *23*
le **cheval, les chevaux**
  horse *20*
les **cheveux** (*m*) hair *19*
chez at the house of *8*
chic stylish *16*
le **chien** dog *7*
le **chocolat** chocolate
  le chocolat chaud hot
    cocoa
choisir to choose *9*
le **choix** choice
chouette neat, cool *2*
  c'est chouette that's
    neat *2*
  vachement chouette
    really neat
le **cidre** sparkling cider
le **ciel** sky *5*
le **cinéma** movie theater
circonflexe circumflex
  (accent)
la **circulation** traffic *23*
les **ciseaux** (*m*) scissors
la **citronnade** lemon soda
  22
le **citron pressé** lemonade
  22
clair, -e clear, light
  bleu clair light blue
la **classe** class *4*
  deuxième classe
    second class *11*
classique classic
la **clé** key
le **client, la cleinte** client
  16
le **clignotant** directional
  signal *23*
le **coca** cola
le **code postal** zip code
  25
le **cœur** heart *19*
le **coffre** trunk (of a car)
  23
le **coin** corner
le **colis** package *25*
le **collant** tights, leotard *19*
la **collection** collection
  collectionner to collect
le **collège** junior high school
le **collier** necklace *16*
  combien (de) how many,
    how much *7*
    à combien? what is the
      price of

  ça fait combien? how
    much is that
    (altogether)?
  combien sont? how
    much are they?
comble full
comique funny
commander to ask for,
  to order *6*
comme like, as
  **comme ci comme
    ça** so-so *6*
commémoratif, -ve
  commemorative
commémorer to
  commemorate
le **commencement**
  beginning
commencer to begin *21*
comment how *3*
le **compagnon** companion
la **comparaison** comparison
le **compartiment**
  compartment (in a train)
  11
complet, -ète complete
complètement completely
compléter to complete
comprendre to
  understand *12*
compris, -e included
le **comptoir** counter *9*
le **concert** concert
la **condition** condition
le **conducteur, la
  conductrice** driver *23*
conduire to drive *23*
  le permis de conduire
    driver's license
confortable
  comfortable
connaître to know, to be
  acquainted with *23*
connu, -e known
les **conserves** (*f*) **en boîtes**
  canned foods *8*
considérer to consider
consister en to consist of
  24
la **console de
  projection** movie
  projector
la **consommation** drink (in
  a café) *22*
la **construction** construction
construit, -e built
contenir to contain

content, -e happy,
pleased, content *2*
continuel, -le continual
continuer to continue
le contraire contrary
  au contraire on the
   contrary *3*
contre against
le contrôle de sécurité
  security checkpoint *9*
contrôler to control *23*
le contrôleur, la
  contrôleuse conductor
  on a train *11*
convenable suitable
la conversation
  conversation
converser to converse
le copain friend, chum *3*
la copine friend, chum *3*
la correspondance
  connection
  la station de
   correspondance
   connecting station
   (train)
corriger to correct
le costume men's suit;
  costume *16*
la côte coast
le cou neck
se coucher to go to bed *21*
la couchette sleeping
  compartment on a train
  11
la couleur color *14*
la coupe cup (trophy) *20*
couper to cut *18*
courant, -e current,
  present
  au courant de up to
   date with
le coureur, la coureuse
  runner, racer
  le coureur cycliste
   bicycle racer *20*
courir to run *19*
le courrier mail *25*
  courrier ordinaire
   surface mail
la course race *20*
  faire des courses to go
   shopping
  faire les courses to do
   the daily food shopping
   8
court, -e short *16*

le cousin, la cousine cousin
le couteau knife *18*
coûter to cost
la couture fashion *16*
  la haute couture high
   fashion *16*
le couturier fashion
  designer *16*
le couvert place setting *18*
couvert, -e covered
le cow-boy cowboy
la cravate tie *14*
la crème cream *18*
la crémerie dairy shop *8*
le crémier, la crémière
  dairy merchant *8*
crier to shout
croire to believe *16*
  je crois bien I do
   believe
le croissant type of pastry
le croque-monsieur grilled
  ham and cheese sandwich
cruel, -le cruel
la cuiller spoon *18*
la cuisine cooking, kitchen
  18
culturel, -le cultural
curieux, -euse curious
le cyclisme bicycling

D

d'abord to begin with
d'accord all right *2*
  d'ac OK *2*
la dame lady
  les dames checkers
dangereux, -euse
  dangerous *23*
dans in *1*
  dans ce cas in that
   case
danser to dance *5*
d'après according to
la date date *F*
  quelle est la date?
   what is the date? *F*
dater de to date from
de of *2*; from *4*
  de bonne heure early
  de nouveau again
  de plus more *4*
débarrasser to clear (the
  table) *18*
le débutant, la débutante
  beginner *10*

décorer to decorate
décrire to describe
défini, -e definite
  l'article défini (*m*)
   definite article
le degré degree *10*
déjà already *18*
le défilé parade
  défilé de mannequins
   fashion show *16*
le déjeuner lunch
  le petit déjeuner
   breakfast
délicieux, -euse
  delicious *14*
demain tomorrow
  après-demain day
   after tomorrow
demander to ask; to ask
  for *6*
demi, -e half *G*
démodé, -e out of style
  16
le démon demon
la dent tooth *19*
le, la dentiste dentist
le départ departure
le département department
se dépêcher to hurry
dépenser to spend
des (de + les) *7*
descendre to descend, to
  go down *10*
la descente descent
la description description
désirer to want *5*
le dessert dessert
le dessin drawing
dessiné, -e sketched
le destinataire addressee
  25
la destination destination
le détail detail
détester to detest *5*
deuxième second *7*
  deuxième classe
   second class *11*
  le deuxième
   étage third floor *7*
deuxièmement
  secondly
devant in front of *15*
deviner to guess
devoir to have to, should,
  ought, to owe *20*
les devoirs (*m*) homework
  18

le **diabolo menthe** lemon soda with peppermint syrup *22*
le **dialogue** dialogue
le **diamant** diamond
le **dictateur** dictator
la **dictée** dictation
dicter to dictate
le **dictionnaire** dictionary
différent, -e different
difficile difficult *4*
dîner to dine *6*
le **dîner** dinner *11*
dire to say *18*
dis donc look here! *2*
direct, -e direct
la **direction** direction
la **discussion** discussion
discuter to discuss *22*
le **disque** record album *5*
distribuer to distribute *25*
la **doctrine** doctrine
le **doigt** finger *19*
dommage; c'est dommage that's too bad *5*
donc therefore
dis donc look here! *2*
donner to give *5*
dormir to sleep *11*
d'où? from where
la **douche** shower *21*
le **doute** doubt
le **drame** drama, play
droit, -e right *14*
du (de + le) of the, from the

E

l'**eau** (*f*) water *8*
eau minérale mineral water *8*
les **échecs** (*m*) chess
l'**école** (*f*) school *1*
économique economical
économiser to save (money)
écouter to listen to *5*
écrire to write *18*
l'**écriteau** (*m*) notice, sign
l'**écrivain** (*m*) writer
l'**écureuil** (*m*) squirrel
l'**édifice** (*m*) building
l'**effort** (*m*) effort
faire des efforts to try

l'**église** (*f*) church
élaborer to elaborate
électronique electronic
élégant, -e elegant
l'**élève** (*m, f*) student *1*
elle (*subj. pronoun*) she *1*; (*stress pronoun*) her *12*
elles (*subj. pronoun*) they *3*; (*stress pronoun*) them *12*
embarquement (*m*) boarding
carte (*f*) **d'embarquement** boarding pass *9*
embrasser to kiss
l'**émission** (*f*) broadcast
l'**émotion** (*f*) emotion
l'**employé, -e** (*m, f*) employee *9*
employer to use *25*
en in, by *4*
en avion by plane *11*
en face de opposite *25*
en panne broken down
en présence de in the presence of
en solde on sale *14*
en solitaire solo
en vacances on vacation
en ville into town *6*
en voiture! all aboard!
l'**encombrement** (*m*) traffic jam *23*
encore still, yet
pas encore not yet
encourager to encourage
endommagé, -e damaged
s'**endormir** to fall asleep *21*
l'**endroit** (*m*) place, spot
s'**énerver** to get excited
l'**enfant** (*m, f*) child *7*
s'**ennuyer** to be bored
énorme enormous
enregistrer to register
faire enregistrer to check (baggage) *9*
ensuite afterward, then
entendre to hear *10*
enthousiaste fan, enthusiast *3*
entier, entière entire
entre between
l'**entrée** (*f*) entrance *13*
entrer to enter

les **Envahisseurs** (*m*) **de l'espace** Space Invaders
l'**enveloppe** (*f*) envelope *25*
l'**envie** (*f*) desire
avoir envie de to want *13*
envoyer to send *25*
l'**époque** (*f*) era
l'**équipe** (*f*) team *20*
l'**équipement** (*m*) equipment
l'**escalier** (*m*) staircase
l'**escalier mécanique** (*m*) escalator *13*
espagnol, -e Spanish
espérer to hope *14*
l'**esquimau** (*m*) ice cream sandwich *22*
l'**essai** (*m*) essay
essayer to try *25*
l'**essence** (*f*) gasoline *23*
essentiel; c'est l'essentiel that's the important thing *2*
essuyer to wipe *25*
l'**est** (*m*) East *E*
est-ce is it *E*
est-ce que (qu') (indicates a question) *2*
et and *B*
et toi? and you? *B*
établir to establish
l'**étage** (*m*) story, floor (of a building) *7*
l'**étape** (*f*) stage, leg (of a race) *24*
l'**état** (*m*) state
les **Etats-Unis** (*m*) United States
l'**été** (*m*) summer *5*
éternel, -le eternal
étrange strange, foreign
l'**étranger** (*m*); **à l'étranger** abroad
être to be *2*
l'**étudiant, -e** (*m, f*) college student
européen, -ne European
eux them *12*
l'**événement** (*m*) event
évidemment evidently
éviter to avoid
exact, -e exact
excellent, -e excellent
l'**excursion** (*f*) excursion

l'exemple (*m*) example

par exemple for example

l'exercice (*m*) exercise

l'existentialisme (*m*) existentialism

l'expéditeur, expéditrice (*m, f*) sender *25*

l'expérience (*f*) experience

l'expert (*m*) expert

expliquer to explain

l'exposition (*f*) exhibit

l'express (*m*) strong French coffee

l'expression (*f*) expression

exquis, -e exquisite

l'extérieur (*m*) exterior

à l'extérieur outside

extra super

F

le fabricant manufacturer

la fabrication manufacture

fabriquer to manufacture

face; en face de opposite *25*

facile easy *4*

le facteur, la factrice mail carrier *25*

faible weak *3*

la faim hunger *13*

avoir faim to be hungry *13*

faire to do, to make *8*

faire attention to pay attention *8*

faire de la boxe to box

faire de la guitare to play the guitar *8*

faire de la gymnastique to do gymnastics *19*

faire de l'anglais to study English *8*

faire de la photographie to go in for photography *8*

faire de la planche à voile to windsurf *12*

faire de la plongée sous-marine to scuba dive, to go snorkeling *12*

faire des efforts to try

faire du français to study French *8*

faire (*continued*)

faire du jogging to jog *19*

faire du pédalo to go pedal boating

faire du piano to play the piano *8*

faire du ski to go skiing *10*

faire du ski nautique to water-ski *12*

faire du sport to go in for sports *8*

faire du volley to play volleyball

faire enregistrer to check (baggage) *9*

faire la queue to stand in line *15*

faire des courses to go shopping *8*

faire un voyage to take a trip *8*

il fait... (used with weather expressions) *5*

ne t'en fais pas! don't worry about it *13*

falloir to be necessary

il faut... it is necessary to . . .

la famille family *7*

le, la fana fan

le, la fanatique fanatic

fantastique fantastic *2*

le fantôme phantom

fasciné, -e fascinated

fatigué, -e tired

fauché, -e flat broke

le fauteuil armchair

faux, fausse false

faveur; en faveur de in favor of

favori, -ite favorite

les félicitations (*f*) congratulations

féliciter to congratulate

féminin, -e feminine

la femme woman *18*

fermé, -e closed

la fermeture closing

le fermier, la fermière farmer

la fête party; saint's day *5*

fêter to celebrate

le feu rouge red light *23*

le feuilleton soap opera

fichu, -e ruined, "shot"

fidèle faithful

la figure face *19*

la fille daughter *7;* girl *1*

le film movie

le fils son *7*

fini, -e finished

finir to finish *9*

le flipper video game machine *17*

la fois time

folklorique ethnic

foncé, -e dark (color)

bleu foncé dark blue

fonctionner to work (machinery) *23*

le fond bottom

le football soccer

le football américain football

la forêt forest

la forme shape

en forme in shape *19*

former to form

formidable terrific, great *5*

fort, -e strong *3*

la foule crowd *20*

la fourchette fork *18*

la fraise strawberry *8*

le franc unit of French currency

le français French *4*

faire du français to study French *8*

Français, -e French person

français, -e French *1*

fréquenter to frequent

le frère brother *3*

froid, -e cold *10*

avoir froid to be cold *13*

il fait froid the weather is cold *10*

le fromage cheese *15*

le front forehead *19*

la frontière border

le fruit fruit *8*

la fuite leak

G

le gagnant winner *20*

gagner to win *20*

le gala gala, ball

le gant glove
le garage garage
le garçon boy *D;* waiter
    6
la gare train station *11*
le gâteau cake, pastry *18*
gauche left *14*
    à gauche to the left
    14
le général, les généraux
    general *20*
généralement generally
généreux, -euse generous
    14
les gens (*m*) people
géographie (*f*) geography
géographique geographic
le geyser (*m*) geyser
la glace ice
    le hockey sur glace ice
    hockey
    le patin à glace ice
    skate
glisser to slide
le golf golf
    le golf miniature
    miniature golf
la gorge throat *19*
le gourmet gourmet
le gouvernail rudder
le gouvernement
    government
grand, -e tall, big, wide
    1
    le grand magasin
    department store *14*
la grand-mère grandmother
le grand-père grandfather
les grands-parents (*m*)
    grandparents
grave serious
grec, grecque Greek
la grenadine pomegranate
    syrup with water *22*
la griffe designer label *16*
gris, -e gray
grossir to gain weight
    18
le guichet ticket window
    10
le guide guide (person)
le guide guidebook
    le guide téléphonique
    telephone book
la guitare guitar *8*
    faire de la guitare to
    play the guitar *8*

le, la guitariste guitarist
le gymnase gymnasium
la gymnastique gymnastics
    faire de la
    gymnastique to do
    gymnastics *19*

H

habiller to dress
    21
    s'habiller to get dressed
    21
habiter to live *5*
haché, -e chopped
    viande hachée (*f*)
    ground meat
le hamburger hamburger
le haricot bean *8*
    les haricots verts
    green beans *8*
la haute couture high
    fashion *16*
hélas! alas!
le héros hero
hésiter to hesitate
l'heure (*f*) hour *G*
    à l'heure per hour
    à quelle heure? at
    what time? *G*
    à tout à l'heure see
    you in a while *C*
    quelle heure est-il?
    what time is it? *G*
heureusement
    fortunately
heureux, -euse happy
    14
hier yesterday *17*
l'histoire (*f*) history; story
historique historic
l'hiver (*m*) winter *10*
le hockey field hockey
    le hockey sur
    glace ice hockey
le homard lobster
l'homme (*m*) man *24*
l'honneur (*m*) honor
    en l'honneur de in
    honor of
l'horaire (*m*) timetable
    11
l'hôtesse (*f*) hostess
hou! boo! *20*
hourrah! hooray! *20*
l'huile (*f*) oil *23*
huit eight *E*

l'huître (*f*) oyster
hygiénique sanitary
    papier hygiénique
    toilet paper *8*

I

ici here
l'idée (*f*) idea
il (*subj. pronoun*) he, it
    1
    il est... heures it is . . .
    o'clock *G*
    il fait it is (with
    weather expressions)
    5
l'île (*f*) island *5*
l'illustration (*f*)
    illustration
ils (*subj. pronoun*) they *3*
il y a there is, there are
    7
imiter to imitate
immédiat, -e immediate
l'immeuble (*m*) apartment
    house *7*
l'impatience (*f*) impatience
impatient, -e impatient
l'impératif (*m*) command
    form of a verb
l'imperméable (*m*)
    raincoat *16*
important, -e important
l'impression (*f*) impression
impressionnant, -e
    impressive
incroyable! unbelievable!
    4
    incroyable mais vrai
    unbelievable but true!
    4
indéfini, -e indefinite
    l'article indéfini
    indefinite article
l'indicateur (*m*) arrivals/
    departures board *9*
indiquer to indicate *23*
Indochine Indochina
industrialisé, -e
    industrialized
l'industrie (*f*) industry
l'infinitif (*m*) infinitive
l'influence (*f*) influence
inspiré, -e inspired
installation sanitaire
    washing facilities
l'instant (*m*) moment

l'institution (f) institution
l'instrument (m)
instrument
intelligent, -e intelligent
1
interdit, -e prohibited
intéressant, -e
interesting 2
international, -e
international 20
interrogatif, -ve
interrogative
l'interrogation (f)
questioning
l'interview (f) interview
intime intimate
l'inversion (f) inversion
l'invitation (f) invitation
irlandais, -e Irish
l'Italie (f) Italy
italien, -ne Italian

J

jamais ever 16
ne... jamais never 16
jamais de la vie! not
on your life!
la jambe leg 19
avoir mal aux
jambes to have sore
legs 19
la jambière leg warmer 19
le jambon ham 15
le Japon Japan
jaune yellow 14
le jazz jazz 5
je (subj. pronoun) I 2
les jeans (m) jeans 16
jeter to throw 21
le jeu game
le jeu vidéo video
game 17
la machine à jeux
vidéo video game
machine 17
jeune young 13
les jeunes gens (m pl)
young people 13
le jogging jogging 19
faire du jogging to jog
19
la joie joy
joli, -e pretty 13
jouer to play 17
jouer à (game) 17
jouer de (instrument) 17

le jouet toy
le joueur, la joueuse
player
le jour day
Jour de l'An New
Year's Day
le journal, les journaux
newspaper 18
le, la journaliste journalist
le judo judo
la jupe (f) skirt 14
la mini-jupe miniskirt
jusqu'à up to, until
jusqu'en until (with
years)
juste just, fair
justement precisely
j'y suis! I get it! 14

K

le kilo kilo 8
le kilomètre kilometer 23

L

l' (def. article) (m, f) the 1
la (def. article) the 1
la (direct object pron.) her, it
23
là there
là-bas over there (in
the distance) D
le lac lake
laisser to leave 6
la langue language, tongue
19
le lait milk 8
le latin Latin
laver to wash 21
se laver to wash (oneself)
21
le lave-vaisselle
dishwasher 18
le (def. article) the 1
le (direct object pron.)
him, it 23
la lecture reading
le légume vegetable 8
marchand(e) de
légumes greengrocer
lentement slowly 21
lequel which
les (def. article) the 3
les (direct object pron.)
them 23

la lettre letter (alphabet);
letter (postal) 25
la boîte aux lettres
mailbox 25
leur, leurs their 9
se lever to get up 21
la librairie book store
lieu; avoir lieu to take
place
la ligne line 9
la ligne aérienne
airline 9
la ligne de métro
subway line 13
la limonade lemon soda
lire to read 18
le litre liter 23
la livre pound 8
le livre book
local, -e local 20
loin (de) far (from) 26
le long de along
long, -ue long 16
la longueur length
la lotion lotion 12
la lotion solaire
suntan lotion 12
lui him, her 25
les lunettes (f pl) eyeglasses
le lycée secondary school 1

M

ma (f) my 9
la macédoine de
fruits fruit salad
la machine machine
la machine à jeux
vidéo video game
machine 17
la machine à laver
washing machine
madame Mrs. A
mademoiselle Miss A
le magasin store 8
grand magasin
department store 14
le magazine magazine
magnétoscope video
cassette recorder 17
magnifique magnificent
2
maigrir to lose weight
18
le maillot bathing suit 12
le maillot de bain
bathing suit 16

397

la **main** hand *19*
maintenant now
mais but *4*
mais non no! *3*
mais si yes! *4*
la **maison** house
la **majorité** majority
le **mal** pain *19*
avoir mal à to have a
sore ... *19*
mal badly *B*
pas mal not bad
malheureusement
unfortunately
la **Manche** English Channel
manger to eat *21*
le **mannequin** fashion
model *16*
**le défilé de
mannequins**
fashion show *16*
le **manteau** coat *16*
le **marchand, la marchande**
merchant *8*
**marchand(e) de
légumes** greengrocer
le **marché** market *8*
bon marché
inexpensive *14*
marché aux puces
flea market
marcher to walk
le **mari** husband *18*
le **marin** sailor *24*
marquer to score *25*
martiniquais, -e of or
from Martinique
masculin, -e masculine
le **match** game (sports)
match nul tied game
20
les **mathématiques** (*f*)
mathematics
les **maths** (*f*) math
le **matin** (*m*) morning *G*
du matin A.M., in the
morning *G*
mauvais bad
me (*object pronoun*) me
24
le **mécanicien, la
mécanicienne**
mechanic *23*
mécanique mechanical
escalier mécanique
escalator *13*
méchant, -e naughty

meilleur, -e better *13*
meilleur(e) que better
than *13*
le **meilleur, la meilleure**
the best
mélancolique sad
même same
mener to lead *21*
mentionner to mention
le **menu** menu *6*
la **mer** sea *5*
le bain de mer a swim
in the ocean *12*
au bord de la mer at
the seashore *12*
merci thank you *D*
la **mère** mother *7*
merveilleux, -euse
marvelous *5*
mes (*pl*) my *9*
les **messieurs** (*m pl*)
gentlemen
la **météo** weather forecast
le **mètre** meter
le **métro** subway *13*
ligne de métro subway
line *13*
mettre to put, to place
18
mettre la table to set
the table *18*
se mettre en route to
set out (on a trip)
les **meubles** (*m pl*) furniture
mexicain, -e Mexican
le **Mexique** Mexico
midi noon *G*
le **Midi** the south of France
minéral, -e, -aux mineral
8
l'eau minérale (*f*)
mineral water *8*
minuit midnight *G*
le **miroir** mirror *21*
la **mode** style
à la mode in style
16
le **modèle** model
moderne modern
se moderniser to
modernize
moi me *12*
moi aussi me too
moins (with time) ...
minutes to ... *G*
moins less, minus *10*
au moins at least

moins (*continued*)
**il fait moins deux
degrés** it is two
degrees below zero *10*
**le moins, la moins, les
moins** the least *14*
moins que less than
13
le **moment** moment
en ce moment at this
time
mon, ma, mes my *9*
le **monde** world
tout le monde
everyone *2*
le **moniteur, la
monitrice** ski
instructor *10*
le **Monopoly** Monopoly
monsieur (*m*) Mr. *A*
le **mont** (*m*) mount,
mountain *10*
la **montagne** mountain *10*
monter to climb, to go up
10
monter une tente to
pitch a tent *21*
la **montre** watch
montrer to show *9*
le **monument** monument
mort, -e dead
il/elle est mort(e)
he/she died
le **moteur** motor *23*
la **moto** motorcycle
les bottes (*f*) **de moto**
motorcycle boots
la **motocyclette**
motorcycle
mourir to die
le **moustique** mosquito
moyen, -ne middle,
average
muet, -te silent
municipal, -e, -aux
municipal *20*
murmurer to murmer
le **musée** museum
la **musique** music
mystérieux, -euse
mysterious

N

nager to swim *12*
la **nappe** tablecloth *18*
la **natation** swimming

la **nation**   nation

naturel, -le   natural

naturellement   naturally

nautique   nautical *12*

  ski nautique   water skiing *12*

naviguer   to navigate

ne (n')   not *2*

  ne... jamais   never *16*

  ne... pas   not *2*

  ne... rien   nothing *16*

  ne t'en fais pas!   don't worry about it! *13*

  ne t'inquiète pas!   don't worry about it!

la **nécessité**   necessity

la **négation**   negative

négligé, -e   neglected

la **neige**   snow *10*

  la boule de neige   snowball *10*

  neiger   to snow *10*

  nerveux, -euse   nervous *14*

  n'est-ce pas   isn't that so? *2*

le **nez**   nose *19*

le **Noël**   Christmas

noir, -e   black *14*

le **nom**   name *25*

le **nombre**   number *E*

nombreux, -euse   numerous

nommer   to name

non   no *2*

  non plus   no more, no longer

le **nord**   north

  normand, -e   of or from Normandy

  nos   our *9*

la **note**   grade

notre, nos   our *9*

la **nourriture**   food

nous (*subject*)   you *4*
  (*object*)   us *24*

nouveau, nouvel, nouvelle   new *13*

  de nouveau   again

la **nouvelle**   news *17*

la **Nouvelle Ecosse**   Nova Scotia

la **nuit**   night

  nuit et jour   night and day

le **numéro**   number *11*

l'**objet** (*m*)   object

l'**océan** (*m*)   ocean

obligatoire   mandatory

l'**œil**, (*m*), **les yeux**   eye *19*

l'**œuf** (*m*)   egg

  oh là là   dear me *2*

l'**oignon** (*m*)   onion

l'**omelette** (*f*)   omelette

on (*indefinite pronoun*)   they, people, we, you, one *9*

l'**oncle** (*m*)   uncle

l'**opinion** (*m*)   opinion

  le sondage d'opinion   public opinion poll

orange   orange (color) *14*

l'**orange** (*f*)   orange (fruit) *18*

l'**orangeade** (*f*)   orange soda *22*

ordinaire   ordinary

  le courrier ordinaire   surface mail

  d'ordinaire   usually

l'**ordinateur** (*m*)   computer *9*

l'**oreille** (*f*)   ear *19*

organisé, -e   organized

original, -e, -aux   original *20*

l'**origine** (*f*)   origin

  d'origine   originally

ou   or

où   where

  où ça?   where's that?

oublier   to forget

l'**ouest** (*m*)   west *23*

  de l'ouest   of or from the west

oui   yes *B*

ouvert, -e   open

l'**ouvrier, -ère** (*m, f*)   worker

le **pain**   bread *8*

la **paire**   pair

la **panne**   breakdown

  en panne   out of order

le **panneau**   road sign *23*

le **pantalon**   pants *14*

la **papeterie**   stationery store

le **papier**   paper

  le papier hygiénique   toilet paper *8*

le **paquet**   package

par   by *9*

  par contre   on the contrary

  par exemple   for example

  par terre   on the ground

le **parachute**   parachute

le **paragraphe**   paragraph

le **parapluie**   umbrella *16*

le **parc**   park *10*

  parce que   because *14*

le **pardon**   religious procession in Brittany

  pardon!   excuse me!

le **pare-brise**   windshield *23*

le **parent**   parent

  les parents (*m*)   relatives

parfait, -e   perfect

le **parfum**   perfume

parisien, -ne   of or from Paris

parler   to speak *5*

parmi   among

partager   to share

participer   to participate

le **partitif**   partitive

partir   to leave *11*

  partir à   to leave for (a place) *11*

  partir de   to leave (from) (a place) *11*

  partir pour   to leave for (a place) *11*

partout   everywhere

pas   not

  pas de problème!   no problem!

  pas du tout   not at all *3*

  pas encore   not yet

  pas mal   not bad *B*

  pas question   definitely

le **passager, la passagère**   passenger *9*

le **passeport**   passport *9*

passer   to spend *9*

passionner   to excite

le **patin à glace**   ice skate

patiner to ice skate *10*

la patinoire skating rink *10*

la pâtisserie pastry shop; pastry *8*

le pâtissier, la pâtissière pastry chef *8*

le patron, la patronne owner, proprietor *22*

pauvre poor

  pauvre de moi! poor me!

  payer to pay *15*

le pays country *20*

le paysage countryside

le pêcheur fisherman

le pédalo pedal boat

  faire du pédalo to go pedal boating

pendant during *5*

la péniche canal barge

perdre to lose *10*

le père father *7*

perfectionner to improve

la perle pearl

le permis license

  permis de conduire driver's license

le Pérou Peru

la personnalité personality

la personne person

  personnel, -le personal

  petit, -e small *1*

le petit dejeuner breakfast

un peu little

  un peu plus a little more

le phare headlight *23*

le, la philosophe philosopher

la philosophie philosophy

  philosophique philosophical

la phrase sentence

la photographie photography

  faire de la photographie to take photographs *8*

le piano piano *8*

  faire du piano to play the piano *8*

la pièce room *7*

le pied foot *19*

  à pied on foot *6*

la pierre rock

  piloter to pilot *24*

le pique-nique picnic

pique-niquer to go on a picnic

la piscine pool *12*

la piste ski slope *10*

pittoresque picturesque

la pizza pizza

la place place *9*

  placé, -e placed

la plage beach *12*

le plaisir pleasure

  avec plaisir with pleasure

le plan map *13*

la planche à voile sailboard *12*

  faire de la planche à voile to go windsurfing *12*

la plaque license plate *23*

le plateau tray

la plongée diving

  plongée sous-marine snorkeling *12*

  faire de la plongée sous-marine to snorkel *12*

plonger to dive *12*

la plupart most

le pluriel plural

plus more *13*

  le plus, la plus, les plus the most *14*

  de plus more *4*

  plus... que more ... than *13*

plusieurs many

le pneu tire *23*

  pneu à plat flat tire

la poche pocket

  comme ma poche like the back of my hand

le poème poem

le poète poet

poinçonner to punch

la pointure shoe size *14*

  quelle est votre pointure? what size do you wear? *14*

le poisson fish *8*

la poissonnerie fish store *8*

le poissonnier, la poissonnière fish merchant *8*

le poivre pepper *18*

la politique politics *22*

la pollution pollution

la pomme apple *18*

  pommes frites french fries *6*

la pompe à essence gas pump *23*

le, la pompiste gas station attendant *23*

populaire popular *2*

le port port

la porte door *13*; gate *9*

  porte d'entrée entryway

porter to wear *12*

le porteur porter *9*

  poser to ask

la position position

  posséder to possess

la possibilité possibility

la poste post office *25*

le postier, la postière postal clerk *25*

  potable drinkable

le pot-au-feu stew *18*

le poulet chicken

  pour for *3*

  partir pour to set out for *11*

le pourboire tip *6*

le pourcentage percentage

  pourquoi? why? *4*

  pourquoi pas? why not? *4*

pousser to push

pouvoir to be able *15*

pratiquer to practice

précéder to precede *25*

préféré, -e preferred

la préférence preference

  préférer to prefer *14*

préhistorique prehistoric

préliminaire preliminary

le premier first (dates) *F*

  premier, première first *13*

  premièrement in the first place

prendre to take *12*

  prendre un bain de soleil to sunbathe *12*

préparer to prepare *5*

près de néar

le présent present

  presque almost

la pression pressure *23*

  prêter to lend

  prévu, -e predicted

Prince Édouard (l'île du) Prince Edward Island

la **princesse** princess
principal, -e, -aux
principal *20*
le **prix** price
le **problème** problem
la **procession** procession
prochain, -e next
proche near
le **produit** product
le **prof** teacher
le **professeur** teacher
professionnel, -le
professional *20*
le **programme** program
se **promener** to take a walk
21
promettre to promise
18
le **pronom** pronoun
prononcer to pronounce
la **prononciation**
pronunciation
le, la **propriétaire** owner
la **province** province
prudemment carefully
la **publicité** publicity,
commercial
puis then
le **pull** pullover sweater *14*
le **pull-over** pullover
sweater *16*
pur, -e pure

Q

le **quai** platform *11*
la **qualité** quality
quand when *14*
quand même anyway,
still
le **quart** quarter *G*
le **quartier** neighborhood
québécois, -e of or from
Quebec
**quel, quelle, quels,
quelles** what, which
10
Quel est le score?
What is the score? *20*
Quelle est la date?
What is the date? *F*
Quelle heure est-il?
What time is it? *G*
Quel temps fait-il?
What is the weather
like? *5*
quelque chose something

quelquefois sometimes
qu'est-ce que what *5*
qu'est-ce que c'est?
what is it
la **question** question
pas question no doubt
about it
la **queue** line
faire la queue to stand
in line *11*
qui who *16*
qui ça? who's that? *D*
qui est-ce? who is it?
D
quitter to leave
ne quittez pas hold the
line *17*
quoi what
quoi de neuf? what's
new? *17*

R

raconter to tell
le **radiateur** radiator
le **radin** stingy person
la **radio** radio
la **raison** reason
avoir raison to be
right *13*
rapide rapid
rapidement rapidly
se **raser** to shave *21*
ravissant, -e lovely
le **rayon** department (in a
store) *14*
la **réaction** reaction
réaliser to realize
recevoir to receive *20*
regarder to look at *5*
la **région** region
régulier, -ière regular
relayer to relay
relier to tie, to link
la **religion** religion
remarquer to remark
remettre to postpone *18*
remonter to go up again
remorquer to tow
remplacer to replace
rempli, -e full
remplir to fill *18*
rencontrer to meet (with
someone)
se **rendormir** to go back to
sleep

rendre to give back
rendre visite à to visit
someone
renommé, -e renowned
rentrer to return
la **réparation** repair
réparer to repair *23*
le **repas** meal
répondre to reply, to
answer *10*
répondre à to answer
10
la **réponse** response
le **représentant, la
représentante**
representative
représenter to represent
20
réserver to reserve *5*
le **réservoir** gas tank *23*
respecter to respect
le **restaurant** restaurant *6*
la **restauration** restaurant
dining
rester to stay *19*
rester en forme to
stay in shape *19*
le **résultat** result
le **retour** return
**"Le retour du
Jedi"** The Return of
the Jedi
réussir to succeed *18*
se **réveiller** to wake up
21
revenir to come back *19*
le **rez-de-chaussée** ground
floor *7*
rien nothing *16*
ne... rien nothing *16*
la **rive** bank (of a river)
la **robe** dress *14*
la **mini-robe** mini-
dress
le **rocher** rock, boulder *12*
le **roi** king
le **rôle** role
le **roman** novel
le **rôti de bœuf** roast beef
la **roue** wheel *23*
rouge red *14*
rougir to blush *18*
rouler to roll
la **route** road *23*
la **route
départementale**
departmental road

RSVP (Répondez, s'il vous plaît) please respond

la rue street

le rythme rhythm

S

sa his, her, its 9

le sable sand 12

le sac bag 21

  le sac de couchage sleeping bag 21

  le sac à dos backpack 21

sacré, -e darned

saignant, -e rare 6

la saison season 16

la salade salad 5

la salle room

  salle à manger dining room

  salle d'attente waiting room 11

  salle de bains bathroom 21

  salle de jeux game room

  salle de séjour living room

  saluer to greet

  salut hi A

la sandale sandal 16

le sandwich sandwich 5

sanitaire sanitary

sans without

  sans blague! no kidding! 4

  sans doute without a doubt

la santé health 6

  être en bonne santé to be healthy 19

le satellite satellite

satisfait, -e satisfied

sauf except

sauter to jump

sauvage savage

savoir to know 17

le savon (m) soap 8

le saxophone saxophone

la science science

le Scrabble Scrabble

se (refl. pronoun) himself, herself, themselves

secondaire secondary

le, la secrétaire secretary

le séjour living room

le sel salt 18

la semaine week

  septième seventh

  sérieux, -euse serious 14

la série series

  serrer to clasp

  se serrer la main to shake someone's hand

le serveur, la serveuse waiter, waitress

le service service

  le libre-service self-serve restaurant

la serviette napkin 18

  servir to serve 11

  ses (possessive pronoun) his, her, its 9

le set placemat 18

seul, -e alone 6

  tout seul all alone 6

seulement only

le short shorts 14

si if 18

s'il vous plaît please

similaire similar

sincère sincere 2

le singulier singular

situé, -e situated

sixième sixth

le ski skiing 10

  faire du ski nautique to water-ski 12

  skier to ski

le skieur, la skieuse skier 10

le snack-bar snack bar

social, -e social 20

le sondage d'opinion public opinion poll

la sœur sister 3

la soie silk

la soif thirst 13

  avoir soif to be thirsty 13

le soir evening 6

  ce soir tonight

  du soir in the evening, P.M. G

solaire solar 12

  la lotion solaire suntan lotion 12

le solde sale

  en solde on sale 14

le soleil sun 5

le bain de soleil sunbath 12

solide solid

solitaire solitary

  en solitaire solo

sombre dark

le sommet summit 10

le son sound

  son, sa, ses (poss. pronouns) his, her, its 9

la sonnerie ringing

  sortir to leave, to go out 11

  sortir de to go out of 11

la soupe soup

souvent often

spécial, -e special

spécialement specially

spécialisé, -e specialized

la spécialité-maison house specialty 15

spectacle show

le spectateur, la spectatrice spectator 20

le sport sport 3

  faire du sport to go in for sports 8

  sportif, -ve athletic 3

le stade stadium 20

la station station 10

  la station balnéaire seaside resort 12

  la station de correspondance connecting station (train)

  la station de métro subway station 13

  la station de ski ski resort 10

  la station de sports d'hiver winter resort 10

la statue statue

le steak steak 6

la structure structure

stupide stupid

le style style

le stylo pen

le succès success

le sucre sugar 18

le sud south

le sud-ouest southwest

suggérer to suggest 14

suisse Swiss

suivre to follow

le supermarché supermarket 8

supersonique supersonic

sur on 21

surprendre to surprise

la surprise-partie informal party 5

surtout especially

sympa nice 2

sympathique nice 2

le système system

T

ta your 9

la table table 18

  mettre la table to set the table 18

le tacot jalopy

la taille size 14

le tailleur women's suit 16

la tante aunt

  tard, -e late

la tartine beurrée slice of bread with butter

le tas pile

la tasse cup 18

le tee-shirt T-shirt 14

la télé TV 5

le télégramme telegram 25

le téléphone telephone 5

  téléphoner to telephone 5

    téléphoner à to call (someone) on the phone 17

  téléphonique pertaining to the telephone

    le guide téléphonique telephone book

le télésiège chair lift 10

la télévision television 5

  la télévision par câble cable television

tellement to such a degree

la tempête storm

le temps weather 5

  quel temps fait-il? what's the weather like? 5

les tennis (m) sneakers

le tennis tennis

la tente tent 21

  monter une tente to pitch a tent 21

la tenue clothing

le terminus last stop (on a train)

le terrain ground 21

  le terrain de camping camp ground 21

  le terrain de football soccer field

la terrasse terrace 22

  la terrasse de café sidewalk section of a café 22

la terre ground

  par terre on the ground

tes your 9

la tête head 19

le théâtre theater 10

le ticket ticket 10

tiens well, well

le timbre stamp 25

le toast toast

toi (*stress pronoun*) you 12

  et toi? and you? B

la toilette bathroom 21

tomber to fall down

ton, ta, tes your 9

le tort wrong 13

  avoir tort to be wrong 13

toujours always

le tourisme tourism

le, la touriste tourist

touristique touristic

tourner to turn

le tournois tournament

tout, toute, tous, toutes all, every, each 10

  à tout à l'heure see you soon 6

  tout de suite right away

  tout le monde everyone 2

  tous les deux both

  tous les matins every morning

  tout à coup suddenly

  tout nouveau brand new

  tout seul all alone; solo 6

tracer to trace

la tradition tradition

le, la traditionaliste traditionalist

traditionnel, -le traditional

le train train 11

traîner to pull

tranquil, -le tranquil

le transistor transistor radio

transporter to transport

le trapèze trapeze

le, la trapéziste trapeze artist

travailler to work 14

traverser to cross

très very 4

la tribu tribe

triste sad 2

la trompette trumpet

trop too, too much

le trophée trophy

tropical, -e, -aux tropical 5

trouver to find

  se trouver to be located

tu you

le type guy

  le chic type a nice guy

U

un, une one 1

  les uns... les autres some ... others 12

l'uniforme (m) uniform

l'URSS (f) U. S. S. R.

l'usine (f) factory

utile useful

utiliser to use

V

les vacances (f) vacation

  en vacances on vacation

vachement tremendously

la vague wave 12

la vaisselle dishes 18

  faire la vaisselle to do the dishes 18

la valise suitcase 9

la variole smallpox

vas-y! let's go! 20

la vedette launch 24

le vélo bicycle

le vendeur, la vendeuse merchant 8

vendre to sell 10

venir to come 19

le vent wind 10
il fait du vent it is windy 10
le ventre stomach 19
le verbe verb
vérifier to check 23
le verre glass 18
vert, -e green 14
les haricots verts (m) green beans 8
la veste jacket 16
les vêtements (m) clothing 14
la viande meat 8
la viande hachée chopped meat
la victoire victory
vide empty
vidéocassette video tape
le vidéoclub video club
la vie life
c'est la vie that's life
jamais de la vie not on your life
vieux, vieil, vieille old 13
mon vieux old buddy
vif, vive lively
vigoureux, vigoureuse vigorous
la ville city 6

le vin wine 18
violent, -e violent
violet, -ette purple 14
le, la violoniste violinist
le virage turn, curve 23
la visite visit
rendre visite à to pay (someone) a visit
visiter to visit (a place)
vite hurry 10
la vitesse speed
le vocabulaire vocabulary
voici here is 10
la voie track 11
voilà there is A
la voile sail 23
le bateau à voile sailboat 23
voir to see 16
voisin, -e neighbor
voiture (f) automobile 23; subway car 13
le vol flight 9
le volant steering wheel 23
le volley volleyball
volontiers! with pleasure!
vos your 9
voter to vote
votre, vos your 9

vouloir to want, to want to 15
Je voudrais... I would like . . .
vous you 4
le voyage trip 8
faire un voyage to take a trip 8
voyager to travel
vrai, -e true 4
c'est vrai that's true 2
vraiment truly
la vue view

W

le wagon car (in a train) 11
le wagon-restaurant dining car (on a train) 11

Y

Y there
j'y suis! I get it!
les yeux (m) eyes 19

Z

zut! darn 13
zut alors! darn it! 13

The English-French vocabulary contains only active vocabulary.

A

a, an un, une *1*
a lot, many, much beaucoup *5*
able: to be able pouvoir *15*
accessory l'accessoire (*m*) *1*
activity l'activité (*f*) *A*
to adore, to love adorer *5*
address l'adresse (*f*) *25*
addressee le destinataire *25*
after après *G*
afternoon l'après-midi (*m*) *G*
  in the afternoon de l'après-midi *G*
age l'âge (*m*) *7*
airline la ligne aérienne *9*
airplane l'avion (*m*) *9*
  by plane en avion *11*
airport l'aéroport (*m*) *9*
all tout, toute, tous, toutes *10*
all right d'accord *2*
alone: all alone tout seul *6*
already déjà *18*
also aussi *2*
amateur l'amateur (*m*) *20*
American américain, -e *1*
and et *B*
  and you et toi *B*
animal l'animal (*m*), les animaux *20*
to announce annoncer *17*
to answer répondre (à) *10*
apartment l'appartement (*m*) *7*
apartment house l'immeuble (*m*) *7*
apple la pomme *18*
arm le bras *19*
around autour de *24*
arrivals/departures board l'indicateur (*m*) *9*
to arrive arriver *5*
  as ... as aussi...que *13*
to ask; to ask for demander (à) *6*
at à *G*
athletic sportif, -ve *3*

attention: to pay attention faire attention *8*
attic (studio) l'atelier (*m*) *7*
automobile la voiture *23*

B

backpack le sac à dos *21*
badly mal *B*
  not bad pas mal *B*
  that's too bad c'est dommage *5*
bag le sac *21*
  sleeping bag le sac de couchage *21*
baggage le bagage *9*
baker boulanger, -ère (*m, f*) *8*
  bakery la boulangerie *8*
ball la boule *10*
bath le bain *12*
  bathroom la salle de bains *21*; la toilette *21*
  pertaining to bathing balnéaire *12*
  bathing suit le maillot *12*; le maillot de bain *16*
beach la plage *12*
bean le haricot *8*
  green beans les haricots verts (*m*) *8*
to be être *2*
to be acquainted with connaître *23*
because parce que *14*
bed: to go to bed se coucher *21*
before, to (minutes) moins *G*
to begin commencer *21*
to believe croire *16*
below: it is two degrees below zero il fait moins deux degrés *10*
belt la ceinture *16*
  seat belt la ceinture de sécurité *23*
better meilleur, -e *13*
  better than meilleur(e) que *13*
bicycle la bicyclette *20*
big grand, -e *1*
birthday l'anniversaire (*m*) *5*

black noir, -e *14*
blond blond, -e *1*
blouse le chemisier *14*
blue bleu, -e *14*
blue jeans le blue-jean *16*
to blush rougir *18*
boat le bateau *24*
boo! hou! *20*
booklet le carnet *13*
  ticket booklet le carnet de tickets *13*
bottle la bouteille *8*
boulder le rocher *12*
bowl le bol *18*
box la boîte *8*
boy le garçon *D*
bread le pain *8*
brother le frère *3*
brown brun, -e *14*
to brush se brosser *21*
building l'immeuble (*m*) *7*
but mais *4*
  no! mais non *3*
  yes! mais si *4*
butcher boucher, -ère (*m, f*) *8*
  butcher shop la boucherie *8*
butter le beurre *18*
to buy acheter *8*
by en, par *9*
  by train en train, par le train *11*
  by plane en avion *11*

C

café le café *22*
  café: sidewalk section la terrasse de café *22*
cake, pastry le gâteau *8*
to call appeler *21*
  to be called or named s'appeler *21*
  my name is . . . je m'appelle... *21*
camper la caravane *21*
camping: to go camping faire du camping *21*
  camp ground le terrain de camping *21*
can (food) la boîte *8*

first (dates) le premier *F*
first premier, première 13
fish le poisson 8
   fish merchant poissonnier, -ère (*m, f*) 8
   fish store la poissonnerie 8
flight le vol 9
floor (of a building) l'étage (*m*) 7
   third floor le deuxième étage 7
   ground floor le rez-de-chaussée 7
food: canned foods les conserves (*f*) en boîtes 8
foot le pied 6
   on foot à pied 6
for pour 3
forehead le front 19
fork la fourchette 18
French français, -e 8; le français 8
   to study French faire du français 8
french fries les pommes frites 6
friend ami, -e (*m, f*) 2
   friend (chum) le copain, la copine 3
from de 2
front; in front of devant 15
fruit le fruit 8

to go out sortir, sortir de 11
good bon, -ne 13
good-bye au revoir *C*
great: that's great c'est formidable 5
green vert, -e 14
   green beans les haricots verts (*m*) 8
ground le terrain 21
   camp ground le terrain de camping 21
guitar la guitare 8
   to play the guitar faire de la guitare 8
gymnastics la gymnastique 19
   to do gymnastics faire de la gymnastique 19

homework les devoirs (*m*) 18
hood (of a car) le capot 23
hooray! hourrah! 20
to hope espérer 14
horse le cheval, les chevaux 20
hour l'heure (*f*) *G*
house: at the house of chez 8
   house specialty la spécialité-maison 15
how comment 3
how are you? ça va? *B*
how many, how much combien (de) 7
hunger la faim 13
   to be hungry avoir faim 13
hurry! vite! 10
husband le mari 18

J

jacket la veste *16*
waist-length jacket le blouson *16*
jazz le jazz *5*
to jog faire du jogging *19*

K

kilo le kilo *8*
kilometer le kilomètre *23*
kitchen la cuisine *18*
knife le couteau *18*
to know savoir *17*
  to know, to be acquainted with connaître *23*

L

label: designer label la griffe *16*
to land atterrir *9*
language, tongue la langue *19*
launch la vedette *24*
to lead mener *21*
to learn apprendre *12*
  to learn how apprendre à *12*
least: the least le, la, les moins *14*
to leave (something or someone) laisser *6*
to leave (depart) partir *11*
  to leave for (a place) partir à, partir pour *11*
  to leave from (a place) partir de *11*
left gauche *14*
  to the left à gauche *14*
leg la jambe *19*
  to have sore legs avoir mal aux jambes *19*
legwarmer la jambière *19*
lemonade le citron pressé *22*
lemon soda la citronnade *22*
leotard le collant *19*
less moins *10*
  less than moins que *13*
letter (postal) la lettre *25*
license plate la plaque *23*
light: red light le feu rouge *23*
to like aimer *5*

line la ligne *9*
  subway line la ligne de métro *13*
to listen to écouter *5*
  liter le litre *23*
to live (in a place) habiter (à) *5*
  loaf (of French bread) la baguette *8*
  local local, -e *20*
  long long, -ue *16*
to look at regarder *5*
to look for chercher *23*
  look here! dis donc! *2*
to lose perdre *10*
to lose weight maigrir *18*
lot: a lot beaucoup *5*
lotion la lotion *12*
  suntan lotion la lotion solaire *12*
to love aimer *5*

M

magnificent magnifique *2*
to make, to do faire *8*
  mail le courrier *25*
  mail carrier facteur, factrice (*m, f*) *25*
  mailbox la boîte aux lettres *25*
  man l'homme (*m*) *24*
  many beaucoup de *5*
  map la carte *23*; le plan *13*
    road map la carte routière *23*
  market le marché *8*
  marvelous merveilleux, -euse *5*
  me (*stress pronoun*) moi *12*
  me (*obj. pronoun*) me *24*
  meat la viande *8*
  mechanic mécanicien, -ne (*m, f*) *23*
  medium (steak) à point *6*
  menu le menu *6*
  men's suit le costume *16*
  merchant marchand, -e (*m, f*) *8*; vendeur, -euse (*m, f*) *8*
  midnight minuit *G*
  milk le lait *8*
  mineral minéral, -e, aux *8*
    mineral water l'eau minérale (*f*) *8*
  minutes to . . . (with time) moins *G*
  mirror le miroir *21*

miss mademoiselle *A*
money l'argent *8*
more plus *14*; de plus *4*
more . . . than plus... que *13*
morning le matin *G*
  in the morning (A.M.) du matin *G*
most: the most le plus, la plus, les plus *14*
mother la mère *7*
motor le moteur *23*
mount le mont *10*
mountain la montagne *10*
mouth la bouche *19*
Mr. monsieur *A*
Mrs. madame *A*
much beaucoup *5*
municipal municipal, -e, -aux *20*
my mon, ma, mes *9*

N

name le nom *25*
my name is . . . je m'appelle... *21*
napkin la serviette *18*
nautical nautique *12*
neat (cool) chouette *2*
  that's neat c'est chouette *2*
necklace le collier *16*
to need avoir besoin de *13*
nervous nerveux, -euse *14*
never ne... jamais *16*
new nouveau, nouvel, nouvelle *13*
  what's new? quoi de neuf? *17*
news la nouvelle *17*
newspaper le journal, les journaux *18*
nice sympa, sympathique *2*
  it is nice (weather) il fait beau *5*
no non *2*
no kidding sans blague *4*
noon midi *G*
nose le nez *19*
not ne (n')... pas *2*
nothing ne... rien *16*
number le nombre *E*; le numéro *11*

O

of de *2*
oil l'huile (*f*) *23*

okay d'ac, d'accord 2
old vieux, vieil, vieille 13
on sur 21
  on the contrary au contraire 3
  on sale en solde 14
one (they, people, we, you) on 9
one-way ticket l'aller (m) 11
only seul, -e; seulement 6
opposite en face de 25
orange (color) orange 14
orange (fruit) l'orange (f) 18
orange soda l'orangeade (f) 22
original original, -e, -aux 20
to order (ask for) commander 6
our notre, nos 9
owner, proprietor patron, -ne (m, f) 22

P

package le colis 25
pain le mal 19
  to have pain in avoir mal à 19
pants le pantalon 14
pantyhose les bas collants (m) 16
paper: toilet paper le papier hygiénique 8
park le parc 10
party la fête 5
  informal party la surprise-partie 5
pass (boarding) la carte d'embarquement 9
passenger passager, -ère (m, f) 9
passport le passeport 9
pastry le gâteau 18
  pastry chef pâtissier, -ère 8
pastry shop; pastry la pâtisserie 8
path le chemin 21
to pay payer 15
people les gens (m) 13
pepper le poivre 18
peppermint soda le diabolo menthe 22
photograph la photographie; la photo 8
  to go in for photography faire de la photographie 8

piano le piano 8
  to play the piano jouer du piano 17
to pilot piloter 24
place la place 9
placemat le set 18
place setting le couvert 18
plate l'assiette (f) 18
plate: license plate la plaque 23
platform le quai 11
to play (game) jouer à 17
to play (instrument) jouer de 17
P.M. de l'après-midi; du soir G
politics la politique 22
police officer l'agent (m) de police 23
pool la piscine 12
popular populaire 2
porter le porteur 9
postal clerk postier, -ère (m, f) 25
postcard la carte postale 25
post office la poste 23
to postpone remettre 18
pound la livre 8
to precede précéder 25
to prefer préférer 14
to prepare préparer 5
  pressure la pression 23
  pretty beau (bel, belle, beaux), joli, -e 13
  principal principal, e, -aux 20
  professional professionel, -le 20
to promise promettre 18
  pullover sweater le pull, le pull-over 14
  purple violet, violette 14
to push (a button) appuyer sur 25
to put, to place mettre 18

Q

quarter le quart G
question: indicates a question est-e que (qu') 2

R

race la course 20
racer (bicycle) le coureur cycliste 20
raincoat l'imperméable (m) 16

rare (meat) saignant, -e 6
read lire 18
to receive recevoir 20
record (album) le disque 5
red rouge 14
to repair réparer 23
to reply (to) répondre (à) 10
to represent représenter 20
resort la station 12
  seaside resort la station balnéaire 12
  ski resort la station de ski 10
  winter resort la station de sports d'hiver 10
restaurant le restaurant 6
right la droite 14
  to the right à droite 14
right droit, -e 14
right: to be right avoir raison 13
  that's right c'est ça 2
road la route 23
rock le rocher 12
room la pièce 7
  waiting room salle d'attente 11
round-trip ticket (billet) aller et retour 11
to run courir 19

S

sad triste 2
sail la voile 23
  sailboat le bateau à voile 24
sailboard la planche à voile 12
sailor le marin 24
saint's day la fête 5
salad la salade 5
sale: on sale en solde 14
salt le sel 18
sand le sable 12
sandal la sandale 16
sandwich le sandwich 5
to say dire 18
to score marquer 25
school l'école (f) 1
sea la mer 5
seashore: at the seashore au bord de la mer 12
season la saison 16
seated assis, -e 22
second deuxième 7
  second class deuxième classe 11

tent la tente *21*
  to pitch a tent monter une tente *21*
terrace la terrasse *22*
thank you merci *D*
that ça *2*
  isn't that so? n'est-ce pas? *2*
  that is c'est *2*
  that's okay ça ne fait rien *16*
  that . . . there ce... -là *11*
the (*def. article*) l' (*m, f*); la (*f*); le (*m*) *1*; les (*pl*) *3*
their (*poss. pronoun*) leur (*m, f*); leurs (*pl*) *9*
them (*obj. pronoun*) les *23* (*stress pronoun*) eux (*m*), elles (*f*) *12*
there: there is, there are il y a *7*
  Is (name) there? . . . (name) est là? *17*
  over there là-bas *D*
  there it is voilà *A*
they (*subj. pronoun*) ils (*m pl*), elles (*f pl*) *3*
thirst la soif *13*
  to be thirsty avoir soif *13*
then alors *3*
this, that, these, those ce, cet, cette, ces *11*
  this . . . here ce... -ci *11*
throat la gorge *19*
to throw jeter *21*
ticket le billet, le ticket *9*
  one way ticket l'aller (*m*) *11*
  round-trip ticket un (billet) aller et retour *11*
  ticket window le guichet *10*
tie la cravate *14*
tights le collant *19*
time: at what time? à quelle heure? *G*
  what time is it? quelle heure est-il? *G*
timetable l'horaire (*m*) *11*
tip le pourboire *6*
tire le pneu *23*
to à *C*
tobacconist's shop le bureau de tabac *22*
today aujourd'hui *F*
tooth la dent *19*
town: into town en ville *6*
track la voie *11*

traffic la circulation *23*
  traffic jam l'encombrement (*m*) *23*
train le train *11*
  by train en train *11*
  train station la gare *11*
trip le voyage *9*
  have a good trip! bon voyage! *9*
  to take a trip faire un voyage *8*
trophy le trophée *20*
tropical tropical, -e, -aux *5*
true vrai, -e *4*
  that's true c'est vrai *2*
to try essayer *25*
trunk (of a car) le coffre *23*
T-shirt le tee-shirt *14*
turn le virage *23*
TV la télé *5*

U

umbrella le parapluie *16*
unbelievable incroyable *4*
to understand comprendre *12*
us (*obj. pronoun*) nous *24*
to use employer *25*

V

vegetable le légume *8*
very bien *8*; très *4*
video: video game le jeu vidéo *17*
  video cassette recorder le magnétoscope *17*
  video game machine le flipper; la machine à jeux vidéo *17*

W

to wait for attendre *10*
  waiter le garçon *6*
  waiting room la salle d'attente *11*
to wake up se réveiller *21*
  walk: to take a walk se promener *21*
to want désirer *5*; vouloir *15*
  to want, to feel like avoir envie de *13*
warm chaud, -e *13*
  to be warm avoir chaud *13*

to wash laver *21*
  to wash (oneself) se laver *21*
watch out for faire attention (à) *8*
water l'eau (*f*) *8*
  mineral water l'eau minérale (*f*) *8*
wave la vague *12*
we (*subj. pronoun*) nous *24*
weak faible *3*
to wear porter *12*
weather le temps *5*
  it's . . . weather il fait... *5*
  what's the weather like? quel temps fait-il? *5*
well bien *B*
  well-done (meat) bien cuit *6*
  well done! bravo! *20*
  well, so eh bien *14*
west l'ouest (*m*) *23*
what, which quel, quelle, quels, quelles *10*
  what is the score? quel est le score? *20*
  what is the date? quelle est la date? *F*
  what time is it? quelle heure est-il? *G*
  what is the weather like? quel temps fait-il? *5*
  what is it? qu'est-ce que c'est? *5*
wheel la roue *23*
when quand *14*
white blanc, blanche *14*
who qui *16*
  who is it? qui est-ce? *D*
why? pourquoi? *4*
  why not? pourquoi pas? *4*
wide grand, -e *1*
to win gagner *20*
wind le vent *10*
  it is windy il fait du vent *10*
windshield le pare-brise *23*
windsurfing: to go windsurfing faire de la planche à voile *12*
wine le vin *18*
winner le gagnant *20*
winter l'hiver (*m*) *10*
to wipe essuyer *25*
to wish vouloir *15*
with avec *6*
woman la femme *18*

to work travailler *14*
to work (machinery)
　　fonctionner *23*
to worry s'en faire *13*
　　don't worry about it ne
　　　t'en fais pas *13*
to write écrire *18*
　　wrong le tort *13*
　　　be wrong avoir tort
　　　　13

young jeune *13*
　　young people les jeunes
　　　gens (*m*) *13*
your ton, ta, tes *9;* votre, vos
　　9

Z

zip code le code postal *25*

Index

413